Bretonische Spezialitäten

Jean-Luc Bannalec

BRETONISCHE SPEZIALITÄTEN

Kommissar Dupins neunter Fall

Kiepenheuer & Witsch

Aus Verantwortung für die Umwelt hat sich der
Verlag *Kiepenheuer & Witsch* zu einer nachhaltigen
Buchproduktion verpflichtet. Der bewusste Umgang mit unseren
Ressourcen, der Schutz unseres Klimas und der Natur
gehören zu unseren obersten Unternehmenszielen.

Gemeinsam mit unseren Partnern und Lieferanten setzen wir uns für
eine klimaneutrale Buchproduktion ein, die den Erwerb von Klimazertifikaten
zur Kompensation des CO_2-Ausstoßes einschließt.

Weitere Informationen finden Sie unter:
www.klimaneutralerverlag.de

Verlag Kiepenheuer & Witsch, FSC® N001512

1. Auflage 2020

© 2020, Verlag Kiepenheuer & Witsch, Köln
Alle Rechte vorbehalten.
Covergestaltung Rudolf Linn, Köln
Covermotiv © Rudolf Linn, Köln, © Arch White / Alamy Stock Foto
Kartografie Birgit Schroeter
Gesetzt aus der Aldus und der Franklin Gothic
Satz Buch-Werkstatt GmbH, Bad Aibling
Druck und Bindung CPI books GmbH, Leck
ISBN 978-3-462-05401-9

À L.
À Stefan

Keuz a-raok ne vez ket,
Keuz war-lerc'h ne dalv ket.
Davor bedauern tut man nicht,
Danach bedauern hilft nicht.

BRETONISCHES SPRICHWORT

DER ERSTE TAG

»Ein Stück von dem *Brillat-Savarin*, bitte.«

Den Bruchteil einer Sekunde hatte er gezögert. Aber Kommissar Georges Dupin vom Commissariat de Police Concarneau konnte nicht anders. Ihm lief das Wasser im Mund zusammen. Es war einer seiner Lieblingskäse. Ein rarer, himmlischer Weichkäse. *Triple crème*. Am besten schmeckte er auf einem frischen, knusprigen Baguette, noch ein wenig ofenwarm.

Käse gehörte zu Dupins Grundnahrungsmitteln – er konnte auf vieles verzichten, wenn es sein musste, aber nicht auf Käse. Er kam wahrscheinlich direkt nach Kaffee. Es folgten weitere unverzichtbare Dinge wie Baguette und Wein. Gute Charcuterie. Und selbstverständlich Entrecôte. Und Langustinen. Bei genauerer Überlegung kam ehrlicherweise so einiges zusammen, was den Begriff des Unverzichtbaren streng genommen absurd werden ließ.

Dupin wanderte vor dem Käsestand in den fabelhaften Markthallen von Saint-Servan – einem westlichen Stadtteil von Saint-Malo – auf und ab. »Und ein Stück *Langres*, bitte.«

In den Hallen herrschte ein reges Treiben, fern aller Hektik. Man spürte die ganz besondere Wochenanfangsstimmung, noch besaßen die Menschen Schwung, das Kommende schien bewältigbar. Der *Langres* gehörte ebenfalls zu Dupins liebsten Käsesorten, ein orangeroter Weichkäse aus Rohmilch von Kühen der Champagne-Ardenne. Er wurde über Wochen mit Calvados affiniert und hatte einen intensiven, pikant-würzigen Geschmack.

»Und dann noch«, ein gespieltes Zögern, »ein Stück von dem *Rouelle du Tarn*, bitte«, ein Ziegenkäse aus dem Süden, ausgewogen aromatisch, mit leichten Haselnussnoten.

Dutzende Käsesorten waren in der Auslage zu sehen, neben- und übereinander gestapelt. Käse aus Ziegen-, Schafs- und Kuhmilch, verschiedenste Größen, Formen, Oberflächen, Farben. Das reine Glück.

Auf dem Schild über dem Stand war »Les Fromages de Sophie« zu lesen. Die unterschiedlichen Käse-Aromen lagen in der Luft und vermengten sich mit den vielversprechenden Düften der umliegenden Stände: von frischen Kräutern, bekannten und exotischen Gewürzen, Hartwürsten und Patés, dickbäuchigen *Cœur-de-bœuf*-Tomaten, Erdbeeren und Himbeeren, getrockneten und kandierten Früchten, unwiderstehlichen Backwaren. Ein Aromen-Orchester aus Herzhaftem und Süßem. Man bekam Appetit, und zwar auf alles.

»Probieren Sie mal von dem hier, Monsieur: von der *Ferme de la Moltais*, ein bretonischer *Tomme*. Aus der Gegend von Rennes, auch ein Kuhmilchkäse, mit erstaunlich fruchtigen Nuancen, etwas härter, eine traumhafte Textur. Sie werden sehen.«

Die freundliche junge Frau mit kurzen dunklen Haaren, Brille und einem himmelblauen Tuch um den Hals hielt ihm kurzerhand ein Stück hin. Dupin war schon ohne die Ausführungen der Käseverkäuferin begeistert gewesen – der Anblick alleine hatte gereicht –, aber die Beschreibung machte es noch köstlicher.

»Nehmen Sie schon«, wies ihn eine alte, beeindruckend weißhaarige Dame, die hinter ihm in der Schlange stand, in strengem Tonfall und mit hochgezogenen Augenbrauen an.

»Sie stehen vor einem der besten Käsestände der Stadt, junger Mann! Und wir haben viele davon! – Anscheinend sind Sie nicht von hier.« Es klang wie ein Vorwurf.

Die Dame hatte Dupin treffsicher als »Fremden« ausgemacht, auch wenn der Kommissar keinen blassen Schimmer hatte, warum. Zwar befand er sich hier »hoch im Norden«, am östlichen Rand der Kanalbretagne, nicht weit entfernt von der normannischen Grenze; dennoch gehörte Saint-Malo doch eigentlich vollumfänglich zur Bretagne. Jedoch hatte er bereits an Nolwenns und Riwals erster Reaktion auf seine Mitteilung, dass er für einige Tage zu einem Polizeiseminar nach Saint-Malo gehen würde, bemerkt, dass sich die Sache anscheinend komplizierter ausnahm. Die Stadt musste einen ausgeprägten Sonderstatus besitzen, beide – seine wunderbare Assistentin sowie sein erster Inspektor – waren lediglich ein einziges Mal dort gewesen, an jedem anderen Ort der Bretagne hingegen, so Dupins Eindruck, zahlreiche Male. Zudem, auch dies war ziemlich verdächtig, hatten die umfassenden Ausführungen gefehlt, die Dupin für gewöhnlich zu jedem Fleck der Bretagne vorgetragen bekam, sobald er Concarneau verlassen musste. Dafür waren Nolwenn und Riwal augenblicklich auf das Credo Saint-Malos zu sprechen gekommen, das die selbstbewusste Stadt seit Jahrhunderten prägte: *Ni Français, ni Breton: Malouin suis! – Weder Franzose noch Bretone: Einwohner von Saint-Malo bin ich! Malouiner.* Zunächst der Textilhandel und dann vor allem die von den französischen Königen legalisierte Piraterie, das Korsarentum, hatten die Stadt zwischen dem 16. und 19. Jahrhundert märchenhaft reich werden lassen, hatte

Riwal knapp erläutert. Reich, mächtig, unabhängig. Aus einer kleinen Stadt war eine verwegene Seemacht geworden, die mit den anderen Seemächten der Zeit auf Augenhöhe agiert hatte. So hatte sich der malouinische Charakter geformt: siegesgewiss, souverän, stolz. In den Ohren manch anderer – wie Nolwenn und Riwal – klang es wie: hochmütig, überlegen, eingebildet. Außerdem provozierte die eigenwillige, ja unerhörte Behauptung, kein Bretone zu sein, zutiefst. Der andere Teil hingegen, nicht zu den Franzosen zu gehören, weckte wärmste bretonische Sympathien. Die Rebellion gegen alle »Fremdherrschaft«, die unbedingte Liebe zur Freiheit und der trotzige Wille, sie noch um den Preis des Todes zu erkämpfen und zu bewahren, all das war natürlich zutiefst bretonisch, sodass Riwal am Ende seiner ungewöhnlich kurzen Einlassungen zu einem kühnen Paradox gelangt war: dass Saint-Malo eben gerade deswegen, weil es nicht bretonisch sein wolle, eine »ganz besonders bretonische, geradezu urbretonische Stadt« sei. Darüber hinaus hatte er ein denkbar großes Lob ausgesprochen: Die Region stelle – »man muss es fairerweise anerkennen« – das kulinarische Herz der Bretagne dar. »Ein einziges lukullisches Fest! Die gesamte Region wohlgemerkt, Dinard und Cancale eingeschlossen, nicht bloß Saint-Malo.«

»Dieser *Tomme* wird über zehn Wochen mit geheimen Zutaten veredelt!«, unterbrach die Käseverkäuferin Dupins Gedanken. »Bretonischer Käse ist seit ein paar Jahren gewaltig im Kommen, Monsieur. – Vor allem jüngere Affineure beeindrucken mit fantastischen Kreationen.«

Dupin zelebrierte das Probieren an Marktständen. Es gehörte unbedingt zu einem Marktbesuch dazu. Wenn er samstagvormittags aus den Hallen von Concarneau kam, war er satt. Dupin liebte überhaupt Märkte – kulinarische Paradiese,

12

die ob der Vielzahl der Angebote, der Fülle und Überfülle, einen süßen Taumel auszulösen vermochten. Zum festen Bestandteil der reichen Marktkultur gehörten auch Stände mit Küchenutensilien, vor allem Töpfe und Messer; Dupin hatte ein Faible für gute Messer.

Der *Marché de Saint-Servan* in Saint-Malo war ein besonders bemerkenswerter Markt. Schon wegen seiner Lage mitten im Zentrum des stimmungsvollen Stadtteils, dazu das ausnehmend schöne Gebäude. Aus den Zwanzigern, vermutete Dupin. Der Boden war mit großen beigen Kacheln ausgelegt, entlang der Gänge Säulen aus rostfarbenem Klinkerstein. Das Eindrucksvollste: Glas, wo es nur ging, von überall flutete Licht herein. Die Fenster- und Türrahmen waren in einem maritimen Türkisgrün gehalten, in den Gängen und auch über Sophies Käsestand dekorative Metallbögen.

»Ich nehme gerne ein größeres Stück«, Dupin war hingerissen.

»Darf es noch etwas sein, Monsieur?« Die Verkäuferin lächelte erwartungsfroh. »Ich hätte da noch einen …«

Jetzt war es Zeit für die Stimme der Vernunft.

»Nein, danke. Das war's für heute.«

Sie wog die Stücke in eindrucksvoller Geschwindigkeit ab und packte sie, nicht weniger fix, in eine hellblaue Papiertüte mit der Aufschrift »Les Fromages de Sophie«, die Dupin vergnügt entgegennahm.

Ihm war durchaus bewusst, dass es keine gute Idee gewesen war, so viel Käse zu kaufen, eigentlich überhaupt Käse zu kaufen. Sie würden in den nächsten Tagen ohne Frage genügend zu essen bekommen. Im übervollen Zeitplan des Seminars – vier Seiten im Querformat – war für jeden Abend ein Restaurantbesuch vorgesehen.

Dupins Laune hatte sich während des Marktbesuches erheblich aufgehellt; er hatte ihn mit zwei *petits cafés* im *Café du Théâtre* begonnen, direkt an der Ecke des mit Bäumen gesäumten Platzes vor den Markthallen. Bei seiner Ankunft heute Morgen um 7 Uhr 58 auf dem Campus der Polizeischule hatte sich seine Laune sehr tief im Keller befunden, um während des Vormittags noch weiter zu sinken, durchgehend, bis zur Mittagspause. Immerhin: Es war ein strahlender Sommertag. Alle in Concarneau hatten den Kommissar, auch jetzt noch, Anfang Juni, vor der Kälte und dem Regen »im hohen Norden« gewarnt; doch gerade waren es 28 Grad, die Sonne stach und der Himmel war ein einziges kräftig leuchtendes Blau.

Das aktuelle Stimmungshoch würde leider nur von kurzer Dauer sein. In zwanzig Minuten ging es weiter in der Polizeischule. Waren Veranstaltungen dieser Art für Dupin grundsätzlich ein Albtraum, würde sich diese ganz bestimmt noch schlimmer gestalten als alle anderen zuvor. Vor einem Monat war der Präfekt unangekündigt in Concarneau aufgetaucht, freudestrahlend hatte er vor Dupin gestanden: »Ich habe Neuigkeiten, eine große Ehre für Sie, mon Commissaire.« Dupin hatte sich nicht vorstellen können – nicht vorstellen wollen –, was der Präfekt meinen könnte, aber Schlimmstes befürchtet. Und natürlich war es eingetreten. In der ersten Juniwoche würde an der *École de Police de Saint-Malo,* einer der renommiertesten Polizeischulen des gesamten Landes, ein »einzigartiges Seminar« stattfinden. Jede Präfektin, jeder Präfekt der vier bretonischen Départements – drei Frauen und ein Mann – hatte eine Kommissarin oder einen Kommissar bestimmen können, mit dem sie oder er gemeinsam teilnehmen würde. Schlimmer konnte es wirklich nicht kommen, ein nicht auszuhaltender Gedanke: Locmariaquer und er, zusammen, vier ganze Tage, Montagfrüh bis Donnerstagabend, viele, viele Stunden. So lange wie noch nie. Für gewöhnlich schaffte es Dupin, die Begegnungen mit dem Präfekten drastisch kurz zu halten. Den behaglichen Sonderstatus, den Dupin längere Zeit wegen eines attraktiven Jobangebots aus Paris innegehabt hatte, hatte er mit dessen endgültiger Absage im letzten Spätherbst eingebüßt – und der Präfekt seine Beißhemmung. Der aufreibende Kleinkrieg hatte längst wieder eingesetzt. Locmariaquers abschließender Satz hatte allem noch die Krone aufgesetzt: »Sie sollten wissen, dass diese außerordentliche Veranstaltung auch eine Anerkennung des unermüdlichen Engagements von Ihnen allen darstellt. – Die Kollegen in Saint-Malo haben sich deswegen ein äußerst attraktives Begleitprogramm ausgedacht, Sie werden sehen.«

Zur »intensiven Teambildung« war die gemeinsame Unterbringung in der Polizeischule vorgesehen gewesen. Schlagartig war eine Schreckensvorstellung durch Dupins Kopf gegeistert: Präfekte und Kommissare in Doppel- oder Mehrbettzimmern, gewiss mit gemeinschaftlicher Nutzung der Sanitärbereiche. Nachdem Dupin zunächst erwogen hatte, im kommenden Monat einem schweren grippalen Infekt anheimzufallen – was allerdings einem Hausarrest gleichgekommen wäre –, war er umgehend tätig geworden und hatte im Internet nach einem netten, kleinen Hotel Ausschau gehalten. Rasch hatte er eines gefunden, die *Villa Saint Raphaël*, ein hübsches *Maison d'hôtes* mitten in Saint-Servan. Freilich war Locmariaquer alles andere als glücklich gewesen, als er davon Wind bekam, doch Dupin nahm es gerne in Kauf.

Er war nach einer beschaulichen Fahrt durch das einsame bretonische Inland gestern Abend in Saint-Malo eingetroffen und hatte festgestellt, dass er es mit seiner Unterkunft besser nicht hätte treffen können; sein Zimmer – direkt unterm Dach – war wunderbar, genau wie die gesamte *Villa Saint*

Raphaël und ihr großer Garten. Worum es in diesem »einzigartigen Seminar« genau gehen würde, war Dupin noch immer nicht klar. Weder die vorab zugesandten Unterlagen noch die aufrichtig leidenschaftlichen einführenden Worte der gastgebenden Präfektin des Départements Ille-et-Vilaine am heutigen Morgen hatten es aufzuklären vermocht. Die Präfektin hatte etwas von der »Verbesserung der operativen, praktischen Arbeitsbeziehungen« zwischen den vier Départements erzählt, um lächelnd hinzuzufügen, dass »das Wichtigste jedoch sei, sich in der entspannten Atmosphäre Saint-Malos besser kennenzulernen« und »ein paar vergnügliche und konstruktive Tage miteinander zu verbringen«. Sie hatte es ernst gemeint. Und es passte zu dem tatsächlich imponierenden Begleitprogramm, von dem Nolwenn und Riwal geargwöhnt hatten, dass es den stolzen Malouinern dabei nicht zuletzt um Selbstdarstellung ging. »Die machen noch aus einem Polizeiseminar eine PR-Show ...« Eine böswillige Interpretation, fand Dupin. Wäre Concarneau der Austragungsort, würden sie gleichfalls alles aufbieten, was die Region hergab. Der ewige Wettkampf der bretonischen Stämme: Wer war der beste, wer der bretonischste von allen? Eine uralte Tradition.

Wie auch immer, es war eine kuriose Vorstellung: all die Präfekten und Kommissare auf einem Haufen, an einem Ort. Dupin hatte unwillkürlich an das Druidentreffen bei Asterix und Obelix denken müssen.

Mit einem tiefen Seufzer steuerte Dupin auf den Hallenausgang zu. »Punkt vierzehn Uhr geht es weiter!«, hatte ihn Locmariaquer beim Verlassen des Seminarraums ermahnt. Immerhin war es nicht weit zur Polizeischule, deren Terrain weitläufig war wie ein kleines Dorf. Vier Hektar, hatte die Präfektin erklärt, in allerbester Lage, nicht weit von der weltberühmten Altstadt Saint-Malos – *intra muros* – und dem ebenso berühmten Stadtstrand entfernt.

Dupins Blick blieb an einem Stand mit köstlich aussehenden Wurstwaren hängen. Bretonische Würste, ganze Schinken, roh, gekocht, geräuchert.

»Was kann ich für Sie tun?«, fragte ein hochgewachsener Verkäufer.

»Ich … «

Hohe, schrille Schreie unterbrachen Dupin.

Sie kamen ganz aus der Nähe, es konnten bloß ein paar Meter sein.

Grässliche Schreie. Schmerzensschreie. Jäh wandte sich Dupin zur Seite. Rechts befand sich ein imposanter Gewürzstand.

Am hinteren Ende des Standes, neben einer der Säulen, ging etwas vor sich.

Die Schmerzensschreie verstummten schlagartig, dafür waren jetzt andere, panische Schreie zu hören. Und aufgeregte Stimmen.

Eilig bewegte sich Dupin auf die Szene zu. Bereit einzugreifen, die Muskeln aufs Äußerste gespannt.

Die panischen Schreie kamen von zwei Frauen, denen tiefes Entsetzen ins Gesicht geschrieben stand. Andere Marktbesucher wichen erschrocken zurück oder begannen zu laufen. Chaos brach aus.

Mit einem Mal verstummten die Schreie.

Auf den glänzenden Kacheln – Dupin sah sie erst jetzt – lag eine Frau, gekrümmt, bewegungslos, auf der rechten Körperseite. Ihr weißes Leinenhemd hatte sich auf Brusthöhe dramatisch rot verfärbt. Mehrere Einstiche waren im Stoff zu sehen. Und das Makaberste: Auf Herzhöhe steckte ein Messer.

Im Handumdrehen war Dupin bei ihr, ging in die Hocke,

legte sein Ohr an ihren Mund, suchte ihren Puls am Handgelenk, dann am Hals.

Er holte sein Handy aus der Jeanstasche.

»Commissaire Dupin, ich benötige umgehend einen Krankenwagen, *Marché de Saint-Servan*, bei dem großen Gewürzstand, nicht weit vom Ausgang, eine Frau wurde niedergestochen, nicht ansprechbar«, ein professionelles Stakkato, »Stichwunden in der Herzgegend«, er blickte sich rasch um und bemerkte den Stand mit den Messern, an dem er eben schon vorbeigekommen war, direkt neben dem Gewürzstand, »ein Küchenmesser, es steckt noch im Körper. – Und«, er zögerte kurz, »schicken Sie die Polizei.«

Dupin hatte größte Mühe, einen Puls zu spüren – er war unendlich schwach.

»Ein Arzt? Ist hier ein Arzt?«, rief Dupin – immer noch in der Hocke – so laut er konnte. »Ich bin Polizist. Die Frau ist schwer verletzt.«

Ein paar der Marktbesucher hatten sich neugierig um ihn versammelt, aber niemand machte Anstalten, ihm zu helfen.

Dupin hatte kein gutes Gefühl. Es war äußerst kritisch um die Frau bestellt. Sie gab keinen Laut von sich.

»Da ist sie rausgelaufen. Die Frau, die das getan hat.« Ein Mädchen, vielleicht zwölf oder dreizehn Jahre, war an Dupin herangetreten und zeigte mit der Hand Richtung Ausgang. »Sie ist da raus, gerade erst. Dann ist sie nach links.«

Dupin erhob sich rasch.

»Das stimmt«, neben dem Mädchen tauchte eine kurzhaarige Frau um die vierzig auf, vermutlich die Mutter, »zwei

Frauen haben sich angeschrien. Dann hat die eine plötzlich auf die andere eingestochen. Es ging alles wahnsinnig schnell. Sie hat bei dem Stand nebenan einfach ein Messer gegriffen. – Sie standen hier an der Säule, ich habe es aus dem Augenwinkel gesehen. – Na los, verfolgen Sie sie!«

Dupin zögerte, er konnte die Schwerverletzte nicht so liegen lassen.

»Ich kümmere mich um sie. Ich bin Lehrerin und Ersthelferin an unserer Schule.«

Schon beugte sie sich über die Frau.

Dupin stürzte los. Die Polizei und die Sanitäter würden sicher jeden Moment eintreffen.

Er war ohne Waffe. Ein Fehler.

Er lief dennoch weiter.

Schon hatte er den Ausgang erreicht. Er hielt sich links auf der Rue Georges Clemenceau.

Und tatsächlich – er entdeckte eine hektisch davonrennende Frau.

Dupin beschleunigte.

Am Ende der Straße hatte er bereits ein paar Meter aufgeholt.

Abermals bog die Frau links ab. Rue de Siam.

Dummerweise besaß Dupin bisher nur eine sehr grobe Orientierung in der Stadt, aber sein Gefühl sagte ihm, dass sie sich nicht weit vom Meer befanden, der *Port de plaisance* musste in der Nähe sein, gestern Abend war Dupin an ihm vorbeigefahren.

Die Flüchtige wechselte die Straßenseite. Sie hatte ihren Verfolger bemerkt, ab und an warf sie einen Blick über die Schulter, ohne ihr Tempo zu verlangsamen.

Jetzt bog sie auf eine lange gerade Straße ein.

Der Abstand verringerte sich weiter. Dupin besaß eine

reelle Chance. Er mobilisierte all seine Kräfte. Plötzlich gaben die Häuserzeilen einen weiten Blick auf das Meer und den Freizeithafen frei.

Jetzt erkannte Dupin, was ihr Ziel war. Ein Parkplatz. Die Fahrbahn gabelte sich und schuf einen lang gezogenen Streifen, groß genug für zwei Wagenreihen.

Die Frau rannte noch ein paar Meter, zwängte sich dann in eine Lücke zwischen zwei Autos. Die Rücklichter des einen Wagens leuchteten zweimal kurz auf.

Noch zwanzig Meter. Dupin musste sich beeilen.

Sie saß bereits in ihrem Auto, der Motor heulte auf.

Zehn Meter noch.

Abrupt setzte der Wagen zurück. Die Frau schlug scharf nach rechts ein. Bremste brutal. Im nächsten Moment würde sie den Vorwärtsgang einlegen.

Dupin hatte den Wagen erreicht, ein Land Rover, irgendein kleineres Modell, dunkelblau. Er wusste, er hatte lediglich noch den Bruchteil einer Sekunde. Entschlossen fasste Dupin nach dem Griff der linken hinteren Tür.

In diesem Moment machte der Wagen einen Satz nach vorn. Dupin verlor das Gleichgewicht und musste den Griff loslassen, die Wucht der Beschleunigung riss ihn zu Boden. Während er zur linken Seite abrollte, preschte der Wagen an der Reihe der parkenden Fahrzeuge entlang.

Sofort war Dupin wieder auf den Beinen und spurtete hinterher.

Am Ende des Parkplatzes würde sich die Flüchtige links in den Verkehr einordnen – und vielleicht verlangsamen müssen, hoffte er.

Vergeblich. Der blaue Land Rover gab Gas und fuhr blindlings auf die Straße. Jetzt versperrten die parkenden Autos Dupins Blick. Er hörte bloß noch den hochdrehenden Motor und, einen winzigen Augenblick später, ein heftiges Hupen sowie einen ohrenbetäubenden metallischen Krach, dem auf der Stelle ein weiterer folgte.

Dupin hatte das Ende des Parkplatzes erreicht und lief auf die Straße.

Von dem Land Rover waren bloß noch die Rücklichter zu sehen, am Ende der Straße bog er scharf links ab.

Dupin blickte sich rasch um: Es war zu einem ernsten Zusammenstoß gekommen. Ein Wagen hatte anscheinend versucht, dem Land Rover auszuweichen, und war seitlich in die parkenden Autos gefahren, ein anderer war, diese Kollision sah halb so wild aus, hinten aufgefahren.

Dupin lief auf den ersten Wagen zu. Der Fahrer, ein Mann Mitte dreißig, öffnete die Tür.

»Sind Sie verletzt?«

»Ich – ja – ich meine, nein. Nicht verletzt.«

Dem Mann schien nichts zu fehlen.

Ein Fußgänger, der das Ganze anscheinend beobachtet hatte, kam herbeigeeilt und zog sein Handy hervor.

»Ich rufe einen Krankenwagen.«

Auch in der Gegenrichtung hatten Autos angehalten, einige der Fahrer stiegen hilfsbereit aus.

Dupin bewegte sich zielsicher auf einen kleinen Peugeot zu, mit vielversprechenden Rallyestreifen an der Seite. Ein junger Mann mit kurz rasierten Haaren, der im Wagen sitzen geblieben war und das Fenster heruntergelassen hatte, blickte ihm entgegen.

»Commissaire Georges Dupin«, informierte ihn Dupin ohne weitere Erklärungen. »Ich muss mir kurz Ihren Wagen ausleihen.«

Der Fahrer brauchte einen Moment, ehe er begriff, was Dupin meinte. Körperhaltung, Blick und Tonfall des Kommissars betonten überdeutlich, dass es sich nicht um einen Scherz handelte.

»Ich …«

»Steigen Sie aus.« Ein Befehl, keine Bitte.

Der junge Mann blickte unschlüssig, tat dann aber wie geheißen. Dupin drängte sich an ihm vorbei in den Wagen.

»Und wie kriege ich mein Auto wieder?«

Dupin saß schon am Steuer.

»Holen Sie es später bei der Polizeischule ab.«

Dupin zog die Tür zu, ließ den Motor an und trat das Gaspedal umgehend bis zum Anschlag durch. Ein ohrenbetäubendes Quietschen traktierte die Trommelfelle. Nicht umsonst hießen diese Wagen im Polizeijargon »Krawallwagen«.

Dupin schoss los und bog am Ende der Straße links ab. Ein Gewirr von Straßen und Gässchen tat sich auf, der Land Rover war nicht zu sehen. Dupin ging davon aus, dass die Flüchtige eher die Hauptstraßen bevorzugen würde. Er folgte der breitesten Straße. Nach etwa hundert Metern ging es halb links, dann geradeaus. Jetzt befanden sich zwei andere Wagen vor ihm, entschlossen schoss er in einem Satz an ihnen vorbei, der leichte, kleine Peugeot war unfassbar wendig. Bald stieß Dupin auf einen der größeren Boulevards und entschied sich spontan für die Richtung stadtauswärts.

Mit großer Wahrscheinlichkeit war es sinnlos, was Dupin hier tat, aber jetzt abzubrechen, wäre ihm wie kampfloses Aufgeben vorgekommen.

Er steuerte auf einen großen Kreisverkehr zu, hohe Bäume in der Mitte. Weitere abenteuerliche Überholmanöver wurden fällig, eines gelang nur äußerst knapp.

Hinter dem Kreisverkehr wurde die Straße noch breiter. Dupin musste heftig bremsen – ein Stau.

»Na großartig!«, entfuhr es ihm. Noch immer war von einem dunkelblauen Land Rover nichts zu sehen – was allerdings auch an dem großen Schulbus ein paar Wagen vor Dupin liegen konnte. Es ging nur langsam voran, dann folgte ein weiterer Kreisverkehr. Schließlich verwies ein großes Schild auf die N 176, die »Vierspurige« – die bretonische Autobahn.

Ohne ersichtlichen Grund löste sich der Stau plötzlich auf. Im Nu zeigte der Tacho des Peugeots 120 Stundenkilometer an. Dupin würde sich in wenigen Augenblicken entscheiden müssen: Fuhr er Richtung Mont Saint-Michel und in die Normandie, nach Osten also, oder Richtung Saint-Brieuc, nach Westen?

»Verdammt.«

Er hatte den Fluch gerade ausgestoßen, als er einen höher gebauten dunklen Wagen auszumachen meinte, der weit vor ihm Richtung Saint-Brieuc auf die N 176 auffuhr. Dupin hielt sich ebenfalls rechts. Plötzlich klingelte sein Telefon. Kein guter Zeitpunkt.

Dupin gab Vollgas, der Motor unterstrich es mit markanten Geräuschen.

Die Straße verlief in einer leichten Kurve, jetzt konnte Dupin den Wagen genauer sehen.

Er war es. Eindeutig. Ein Land Rover. Dieses Mal würde er sie nicht wieder verlieren.

Oder doch? So fest er das Gaspedal auch durchtrat, über 170 Stundenkilometer kam er nicht hinaus. Stück für Stück vergrößerte sich der Abstand, ohne dass Dupin auch nur das Geringste daran ändern konnte.

Ihm blieb nichts anderes übrig, als zuzuschauen, wie die Frau in ihrem Land Rover davonzog.

»Das kann nicht wahr sein.« Dupin schlug fest auf das Lenkrad.

Das Spiel war verloren. Sie war ihm erneut entwischt.

»So ein Scheiß.«

Der penetrante Ton seines Handys hob abermals an. Mit der rechten Hand kramte er es hervor. Noch fuhr er mit Höchstgeschwindigkeit auf der Überholspur, wie um die Niederlage nicht besiegeln zu müssen.

»Ja?«, rief er wütend ins Telefon.

»Locmariaquer am Apparat«, ein deutlich ungehaltener Ton, »wir warten hier seit achtzehn Minuten auf Sie. Für den Nachmittag ist Arbeit in Zweiergruppen angesagt. – Wann können wir mit Ihrer illustren Anwesenheit rechnen?«

»Ich bin …« Dupin erwog, einfach aufzulegen. Aber es wäre keine gute Idee. Er kam um dieses Gespräch nicht herum, er würde berichten müssen, was vorgefallen war.

»Dupin – Ihr Verhalten ist infam, Sie …«

»Es gab eine schwere Messerattacke. Auf dem *Marché de Saint-Servan*. Eben gerade. Ich war«, Dupin musste unbedingt klarmachen, dass er nicht anders gekonnt hatte, als sich unmittelbar einzubringen, »quasi Zeuge der Attacke«, es durfte andererseits natürlich auch nicht den leisesten Anschein erwecken, als wäre er irgendwie verwickelt gewesen, »aber natürlich vollkommen zufällig vor Ort. – Eine Frau hat eine andere niedergestochen. Sie ist geflohen, ich war genötigt, die Verfolgung aufzunehmen, in Ausübung …«

»Aha!«, unterbrach der Präfekt ihn, jetzt bereits in einem veränderten Tonfall, »das muss die Angelegenheit sein, wegen der unsere Gastgeberin und ihre Kommissarin eben so schnell aufgebrochen sind. Was genau ist passiert, Dupin?«

»Mehr weiß ich nicht, Monsieur le Préfet«, war Dupins ehrliche Antwort. Es half immer ein wenig, den Titel ins Spiel zu bringen; den Namen des Präfekten konnte Dupin auch nach neun Jahren immer noch nicht richtig aussprechen.

»Wo sind Sie jetzt?«

»Ich befinde mich gerade auf der N176 Richtung Saint-Brieuc, Monsieur le Préfet, ich hatte die Verfolgung aufgenommen, habe den Wagen aber«, er konnte es nicht verschweigen, »leider verloren.«

»Sie haben ihn *verloren? Wie kann das sein?*«

Dupin war auf die rechte Spur gewechselt und hielt nach der nächsten Abfahrt Ausschau. So schwer es ihm fiel, er würde nur noch eines tun können: zurückfahren.

»Ich sitze in einem sehr kleinen Wagen. Bei 170 gibt er auf.«

»Was soll das heißen? Warum fahren Sie einen sehr klei…«

»Ich berichte später, Monsieur le Préfet. Ich habe hier keine Freisprecheinrichtung, ich muss mich auf die Straße konzentrieren.«

»Na gut. Ich sehe Sie dann gleich hier. Ich …«

Dupin legte auf.

Gerade hatte er das Telefon frustriert auf den Beifahrersitz gelegt, als es erneut klingelte.

Eine unbekannte Nummer.

»Ja?«

»Hier Commissaire Louane Huppert«, ein durch und durch sachlicher Tonfall, »Ihre Kollegin aus dem Seminar.«

Die Kommissarin aus Saint-Malo.

»Ich höre.«

»Ich befinde mich am Tatort, Commissaire. Wo es eben zu dem Mord gekommen ist, den Sie …«

»Sie ist tot?«

»Allerdings. Blanche Trouin ist leider noch vor Ort verstorben. Eine Lehrerin behauptet, ein Kommissar aus Concarneau habe ihr die Schwerverletzte überlassen und …«

»War sie schon tot, als die Sanitäter eintrafen?«

Die Kommissarin ging nicht darauf ein.

»… und habe die Verfolgung der Mörderin aufgenommen. Bei der es in der Folge zu einem Unfall zweier Fahrzeuge kam, die Zeugen vor Ort haben meinem Kollegen von filmreifen Szenen berichtet. Das gesamte Stadtviertel befindet sich in Aufruhr. Es …«

»Sie wissen also bereits, wer die Tote ist?«

»Das wissen wir, ja. Und nicht nur das. – Wir wissen auch, wer die Mörderin ist.«

Dupin konnte es nicht fassen. »Sie wissen, wen ich gerade in dem dunkelblauen Land Rover auf der N 176 verfolgt habe?«

»Sie haben was?«

»Wer ist es?«

»Dann stimmt auch die Geschichte mit dem ›geliehenen‹ Wagen? Ein Peugeot 208?«

»Es bestand eine reelle Chance, die Frau zu stellen …« Dupin musste den Grund, aus dem er sich den Wagen geliehen hatte, selbstverständlich möglichst zwingend darstellen. Das Dumme war nur: Wenn er die Chance, sie zu erwischen, als zu realistisch beschrieb, wurde es für ihn in der Folge umso prekärer. »Aber dann ist sie doch entwischt. – Wer ist es?«

»Sie haben sie entkommen lassen?«

»Die Höchstgeschwindigkeit des Wagens, in dem ich sitze, beträgt 170. – Sie kennen sowohl das Opfer als auch die Mörderin?«

»Richtung Saint-Brieuc oder Normandie?«

»Saint-Brieuc.«

»Wo haben Sie sie verloren – ungefähr?«

»Bei der Ausfahrt Richtung Quévert.«

»Gut. – Das Opfer, Blanche Trouin«, kam die Kommissarin nun endlich auf Dupins Fragen zurück, »ist eine bekannte Küchenchefin, sie besitzt ein Restaurant in Dinard. *Le Désir.* – Ein Michelin-Stern. – Vierundvierzig Jahre alt.«

»Und die Täterin?«

»Lucille Trouin.«

Dupin musste sich verhört haben.

»Was?«

»Ihre Schwester. – Zwei Jahre jünger, ebenfalls Küchenchefin, ebenso erfolgreich. Ihr Restaurant befindet sich in Saint-Malo. Noch kein Stern, aber kurz davor, einen zu bekommen.«

Dupin ließ eine Pause entstehen. Die Geschichte klang zu kurios. Mittlerweile war er von der Vierspurigen abgefahren.

»Sie wissen, dass Sie keinerlei Befugnisse hatten für das, was Sie getan haben.«

Es war nicht einmal eine rhetorische Frage, sondern eine einfache Feststellung.

»Das ist mir durchaus bewusst«, es wäre nicht verkehrt, sich in dieser Situation besonders freundlich zu verhalten, »aber ich wollte helfen. Ich war zufällig vor Ort. Und«, das Argument fiel ihm gerade ein, »geht es in unserem Seminar nicht um die Intensivierung der Zusammenarbeit? Ich habe mein Handeln in diesem Geiste verstanden.«

Jetzt hatte er übertrieben.

»Wissen Sie denn schon«, wechselte er schnell das Thema, »was da auf dem Markt geschehen ist? Gibt es bereits Hinweise, warum die Schwester das getan hat?«

»Dupin«, kein Commissaire, kein Monsieur, nichts, »ich möchte Sie bitten, umgehend in die Markthallen zurückzukommen. Zu Blanche Trouins Gewürzstand. – Ich sehe Sie in ein paar Minuten dort.«

»Der Stand, vor dem es passiert ist, gehörte dem Opfer?«

Die Kommissarin hatte bereits aufgelegt.

Immerhin: In Hinblick auf sein »unbefugtes Handeln« war die Unterhaltung einigermaßen harmlos verlaufen.

Er erreichte einen großen Kreisverkehr – es schien hier Hunderte davon zu geben – und orientierte sich. Er musste auf dem schnellsten Wege zurück nach Saint-Servan.

Am besten parkte er dort, wo die Flüchtige geparkt hatte. Lucille Trouin. Die ihre ältere Schwester mitten im Trubel der Markthallen erstochen hatte.

Was war das bloß für eine Geschichte? Morde in familiären Zusammenhängen waren zwar rein statistisch die häufigsten. Aber was war zwischen den beiden Schwestern vorgefallen? Welche grausame Tragödie steckte dahinter?

Knapp zehn Minuten später stellte Dupin den Wagen auf dem Parkplatz beim *Port de plaisance* ab. Ganz in der Nähe hatte der dunkelblaue Land Rover gestanden. Dupin hatte fünf Polizeiwagen mit Blaulicht gezählt, die ihm auf der Einfallstraße mit rasantem Tempo entgegengekommen waren, um der jüngeren Schwester nachzusetzen, auch wenn der Vorsprung uneinholbar schien.

Schon kamen die Markthallen in den Blick.

Dupin erreichte den Gewürzstand. Es roch intensiv nach Koriander, Ingwer, Kardamom, Kümmel, wie ein besonders wild gemischtes Curry. Alles war weiträumig abgesperrt worden, die Händler hatten ihre Stände verlassen müssen.

Die Gruppe, die sich am Tatort versammelt hatte, war beeindruckend groß. Sicher ein Dutzend Polizisten, Leute von der Spurensicherung, Sanitäter mit gleich zwei Krankenwagen, die direkt vor dem Eingang gehalten hatten, der

Gerichtsmediziner, der ein wenig verloren neben der Toten zu warten schien. Ganz am Rand sah Dupin die Ersthelferin mit ihrer Tochter, eine Polizistin kümmerte sich um sie.

Kommissarin Huppert stand etwas abseits, im Gespräch mit einem Sanitäter. Sie war sehr groß, beinahe so groß wie Dupin, schlank, dunkelblonde Haare zu einem Zopf gebunden, höchst aufmerksame, wache grüne Augen.

»Gut, ja. Bringen Sie die Leiche ins forensische Labor.«

Der Sanitäter ging auf den Gerichtsmediziner zu, und Huppert wandte sich an Dupin: »Für die Forensik gibt es eigentlich nichts zu tun. Es ist ja alles bekannt. Das Opfer. Die Todesursache, der Todeszeitpunkt. Sogar die Mörderin. – Es fehlen nur«, sie formulierte es in aller Ruhe, völlig prosaisch, »das Motiv und die flüchtige Täterin. Jeder wusste, dass sich die Schwestern nicht ausstehen können. Aber …« Sie brach ab und blickte Dupin mit ernster Miene an.

»Also Dupin, was haben Sie gesehen? Gehört? – Was haben Sie von dem Vorfall mitbekommen?«

»Ich habe nur Schreie gehört, den Streit und die Tat selbst habe ich nicht gesehen.«

Dupin rekapitulierte das Geschehen mit knappen Worten, von den ersten Schmerzensschreien bis zur Verfolgung zu Fuß und dann mit dem Wagen. Kommissarin Huppert hörte aufmerksam zu.

»Hier vor Ort hat die Ersthelferin übernommen.« Dupin deutete mit dem Kopf in ihre Richtung.

»Ich weiß. Sie hatte keine Chance zu helfen. Als die Sanitäter eintrafen, war Blanche Trouin bereits verstorben.«

Mit der letzten Silbe klingelte Dupins Telefon. Rasch holte er es aus der Hosentasche.

Es war ein unpassender Moment – aber es war Nolwenn.

»Einen Augenblick. Ich bin sofort wieder da.«

Bevor Kommissarin Huppert etwas sagen konnte, trat er ein paar Schritte zur Seite. Er sprach mit gesenkter Stimme:

»Es ist gerade äußerst ungün…«

»Waren Sie das?«

»Was?«

»Diese Verfolgungsjagd auf der N 176?«

»Ich habe nur …«

Sie hatte es vermutlich über die internen polizeilichen Kanäle gehört – der Land Rover war zur Fahndung ausgeschrieben, die gesamte bretonische Polizei würde mittlerweile davon Kenntnis haben.

»Sie haben sie entwischen lassen?«

Nolwenn äußerte sich nicht selten kritisch über Dupins Handeln – aber diese Frage hatte ungewöhnlich scharf geklungen.

»Ich kann Ihnen nur eines sagen«, fuhr sie energisch fort, »halten Sie sich da raus, Monsieur le Commissaire! Dafür ist Saint-Malo zuständig. Die wissen ohnehin alles besser. Außerdem ticken die Uhren da vollkommen anders.«

Seine fabelhafte Assistentin hatte noch nie verlangt, dass er sich aus einer Untersuchung raushielt, ihre zwiegespaltenen Gefühle gegenüber Saint-Malo schienen eigentümliche Züge anzunehmen.

»Ich befinde mich gerade im Gespräch mit der Kommissarin, Nolwenn. Am Tatort.«

»Lassen Sie die Finger von den Ermittlungen, Monsieur le Commissaire. Sie riskieren riesigen Ärger. Konzentrieren Sie sich auf das Seminar, und kommen Sie dann einfach nach Hause.« Etwas versöhnlicher fügte sie hinzu: »Oder konzentrieren Sie sich aufs Kulinarische. Das Begleitprogramm sieht ein paar herausragende Abendessen vor.«

»Ich muss hier weitermachen, Nolwenn.«

Er wartete kurz, bevor er auflegte, er wollte nicht harsch wirken.

»Bis dann, Monsieur le Commissaire.«

Dupin steckte das Handy zurück in die Hosentasche.

Natürlich hatte Nolwenn recht. Der Ärger, den er sich durch seine Einmischung einhandeln könnte, wäre beträchtlich. Während des Telefonates hatte er sich unauffällig umgeschaut, ob er vielleicht die hellblaue Papiertüte mit dem Käse irgendwo sah, die er eben einfach liegen gelassen hatte. Aber sie war nirgends zu sehen.

Er kehrte zu Huppert zurück, die ihn die ganze Zeit im Blick gehabt hatte.

»Meine Mitarbeiterin aus Concarneau …«

»Nolwenn.«

Auf Dupins Miene war ein Anflug von Stolz zu erkennen – Nolwenn hatte anscheinend bretagneweit echte Berühmtheit erlangt.

»Was meinten Sie gerade? Jeder wusste, dass sich die Schwestern nicht ausstehen konnten?«, fragte Dupin.

»Sagen wir mal so, sie standen in starker Konkurrenz zueinander. Auch in der Öffentlichkeit. Es war eine unverhohlene Rivalität.«

»Die Sache muss doch weit über eine gewöhnliche Rivalität hinausgegangen sein. Fast alle Geschwister konkurrieren miteinander. Für eine derart dramatische Zuspitzung muss es einen massiven Auslöser gegeben haben.«

»Unbedingt«, stellte die Kommissarin trocken fest. Sie schien sagen zu wollen: eine banale Erkenntnis.

»Haben die beiden Familie? Beziehungen, Kinder?«

»Beide kinderlos. Die Eltern leben nicht mehr. – Die Ältere war verheiratet, zu ihrem Ehemann fahre ich gleich. Die Jüngere lebt in einer festen Beziehung. Ihren Lebensgefährten besuche ich danach ebenfalls. – Und jetzt bringen Sie den Wagen, den Sie sich *ausgeliehen* haben«, die Kommissarin schien nun allein weitermachen zu wollen, »zur Polizeischule, ganz, wie Sie es dem Besitzer versprochen haben. Und dann geht es weiter im Klassenzimmer.«

Sie schien es nicht provozierend zu meinen, zumindest fehlte ein ironischer Unterton.

»An dem Seminar werde ich ja nun bedauerlicherweise nicht mehr teilnehmen können«, fuhr sie fort und wandte sich von Dupin ab. »Sehr bedauerlich.«

Schon bei der Aufforderung, ins »Klassenzimmer« zurückzukehren, hatte Dupin heftiger Protest auf der Zunge gelegen. Aber, so schwer es auch auszuhalten war: Die Ermittlung war die Angelegenheit der Kommissarin aus Saint-Malo – sie war raus aus dem Seminar, und er hatte es weiterhin am Hals.

Um 15 Uhr 15 hatte Dupin widerwillig und resigniert den Seminarraum B 12 im Hauptgebäude der Polizeischule betreten.

Ohne Kommissarin Huppert und die gastgebende Präfektin aus Rennes waren sie bloß noch zu fünft; die Kommissarin aus dem Morbihan hatte in letzter Minute wegen eines Bootsunfalls die Teilnahme absagen müssen, dabei war sie es gewesen, auf die Dupin am neugierigsten gewesen war. Sie war die Nachfolgerin von Commissaire Sylvaine Rose, die voriges Jahr zur Präfektin des Départements Loire-Atlantique befördert worden war, das zwar zur historischen Bretagne zählte, ihr aber durch eine Verwaltungsreform in den Achtzigern entrissen worden war.

Keiner hatte ein Wort zu dem ganzen Geschehen gesagt,

als Dupin dazugestoßen war, augenblicklich war die Gruppenarbeit fortgesetzt worden. Dupin war dem nicht unsympathisch wirkenden Kommissar aus den Côtes-d'Armor zugeteilt worden, auf bunten Kärtchen hatten sie die verbesserungswürdigen Punkte in der Zusammenarbeit zwischen den Départements notieren sollen. Zudem die »Optimierungspotenziale« in der Zusammenarbeit zwischen den Kommissaren und Präfekten. Dupin war hin- und hergerissen gewesen, keines oder aber Dutzende der Kärtchen zu beschreiben. Er war in seinen Gedanken ohnehin fortlaufend abgeschweift, zu dem fürchterlichen Mordfall. Zu den beiden Schwestern.

Er hatte unter dem Tisch auf seinem Handy im Internet zu den Trouin-Schwestern und ihren Restaurants recherchiert. Alles wirkte enorm beeindruckend; vor allem die ältere Schwester Blanche, das Opfer, schien ein echter Star gewesen zu sein. Sie war, auch durch den ihr vor zwei Jahren verliehenen Michelin-Stern, auf dem Weg gewesen, zu den wirklichen *Grands Chefs* zu gehören, die in Frankreich so angesehen und populär waren wie große Künstler oder Rockstars – und unter denen es noch immer nicht allzu viele Frauen gab. Die Anzahl an Berichten und Interviews war erstaunlich, in renommierten nationalen wie auch internationalen Zeitungen und Zeitschriften. Auch die Artikel über die jüngere Schwester waren zahlreich, Lucille Trouin schien der älteren nur um wenig nachzustehen. Beide Schwestern waren offenbar von ihrem Vater inspiriert worden, der ebenfalls Küchenchef gewesen war, allerdings in einem einfachen, aber höchst beliebten Bistro. Es wurden Äußerungen der beiden zitiert und kommentiert – überwiegend von Lucille Trouin –, in denen die schwesterliche Konkurrenz offen zur Sprache kam. Sie schienen tatsächlich keinen Hehl daraus gemacht zu haben. Die

33

jüngere Schwester hatte nach der Verleihung des Michelin-Sterns an die ältere vollmundig angekündigt, auch bald einen zu erhalten. In einem Interview sprach Lucille Trouin von dem »ungerechten Vorteil« ihrer älteren Schwester, auf eine Rezeptsammlung des Vaters zurückgreifen zu können, die dieser Blanche vermacht hatte. Anscheinend hatte Blanche schon als Jugendliche ihre Kochleidenschaft entdeckt, Lucille hingegen erst mit Mitte zwanzig. Über den Vater selbst hatte Dupin nicht viel gefunden. Abgesehen von der offensichtlichen Konkurrenz der Schwestern hatte Dupin nichts entdeckt, das mit einer derartig brutalen Eskalation in Verbindung gebracht werden konnte. Selbstredend hatte er ebenso geschaut, ob es Neues zur Verfolgung von Lucille Trouin gab, über die allenthalben berichtet wurde. Noch schien die Suche ohne Erfolg.

Mit »positiv-motivierenden« Worten des Coaches war der erste Seminar-Tag um 17 Uhr 15 zu Ende gegangen.

»Kommen Sie, Dupin, jetzt erzählen Sie mal ausführlich, was da los war«, hatte ihn sein Seminar-Partner, Kommissar Gaston Nedellec, aufgefordert, nachdem der Coach den Raum verlassen hatte – alle waren neugierig sitzen geblieben. Bereitwillig hatte Dupin seine Geschichte ein weiteres Mal erzählt. Anschließend waren sie auseinandergegangen.

Um 18 Uhr 30, vor wenigen Minuten, hatte sich das Team – alle sprachen die ganze Zeit nur vom »Team« – an der *Porte Saint-Louis* in der Altstadt einfinden sollen. Den Auftakt des Begleitprogramms bildete eine Stadtführung. Natürlich hatte Dupin erwogen zu schwänzen, es dann aber für unklug befunden, gleich am ersten Abend zu fehlen.

Er war ein paar Minuten zu spät. Schnellen Schrittes lief er auf das Südtor zu, eines von acht mächtigen Toren, durch die man die enormen, haushohen Wehranlagen passierte und in die Altstadt gelangte.

Vom offenen Meer waren starke Böen aufgekommen, voller Salz und Jod, man konnte förmlich sehen, wie sie den Atlantik aufpeitschten, die großen Wellen vor sich her trieben. Der Himmel gab sich weiterhin makellos blau. Linker Hand lag eine massive Mole, die von der Ecke der Stadtmauer in einem eleganten Schwung weit in die breite Rance-Mündung hineinreichte, Richtung Dinard.

Noch hatte die Hochsaison nicht begonnen, aber schon jetzt kamen Besucher von überallher, Saint-Malo war das ganze Jahr über ein beliebtes Ziel, vor allem für kürzere Reisen. An den Molen erkannte man es: wer Bretone war und wer bloß Besucher. Überall in der Bretagne war das gleiche Spiel zu beobachten. Die Unkundigen wagten sich bis zur Spitze der Mole hinaus, um spektakuläre Blicke aufs tosende Meer zu erhaschen. Dann geschah es: Getrieben von der Flut und den peitschenden Böen barsten einzelnen Brecher derart heftig gegen die Mauern, dass sie sich in wilden Fontänen und mit gewaltigen Gischtwolken über die Mole ergossen. Ein Naturschauspiel, das für die Molengänger einem Bad im Meer gleichkam. Wie auch immer man gekleidet sein mochte, man war umgehend pitschnass, durch und durch, bis auf die Unterwäsche und die Strümpfe. Dupin beobachtete ein Paar, das laut aufschrie und panisch davonrannte.

Er erreichte das Stadttor. Das Team hatte sich in dem einigermaßen windgeschützten Durchgang versammelt. Locmariaquer, der in seiner reich dekorierten Uniform übermäßig aufgeplustert aussah, konnte sich die Rüge nicht verkneifen:

»Und wieder warten wir nur auf Sie, Commissaire! – Dieser nette Monsieur hier«, er zeigte auf einen untersetzten

Mann mit schmalen Schultern, wenigen verbliebenen Haaren und runder Brille, der ein altes Tweedjackett trug, »wird mit uns nun einen Rundgang über die Stadtmauern machen. Die berühmte *Tour des remparts*. Und dabei wird er uns etwas über Saint-Malo erzählen. Denn ...«

Eine drahtige Frau, die nicht zum Team gehörte und die Dupin bisher nicht bemerkt hatte, räusperte sich vernehmlich: »Das ist Étienne Monnier, der landesweit renommierte Stadthistoriker von Saint-Malo«, der Mann nickte bestätigend, »uns wird das Privileg zuteil, von ihm höchstpersönlich durch die Etappen unserer glorreichen Stadtgeschichte geführt zu werden.«

»Sie ist eine Assistentin von Commissaire Huppert«, flüsterte Kommissar Nedellec Dupin zu. »Sie vertritt unsere Gastgeberinnen. Übrigens gibt es nichts Neues zur Verfolgung von Lucille Trouin, ich habe eben nachgefragt. Diese Dame würde es wissen, denke ich.«

Dupin nickte freundlich.

»Wenn wir denn nun vollständig sind«, setzte die Assistentin fort, »kommen wir zum Programm für den heutigen Abend. Auf die Stadtführung folgt ein Besuch im *Maison du Beurre* von Yves Bordier, dem weltweit bekannten und vielfach geehrten Butterhersteller. Dort werden wir uns die Ausstellung zur Kulturgeschichte der Butter anschauen, um dann in seinem *Bistro Autour du Beurre* zu speisen.«

Dupin verspürte gewaltigen Hunger, der herrliche selbst gemachte Frühstückskuchen in der *Villa Saint Raphaël* war das Einzige, das er heute gegessen hatte. Natürlich kannte er die Butter von Bordier. Die Manufaktur war legendär. Und Butter stellte für die Bretagne – weit über ihren Status als eines der wichtigsten Lebensmittel hinaus – so etwas wie ein Wahrzeichen dar.

»Ich will Ihnen versichern«, sie machte eine selbstbewusste dramaturgische Pause, »dass uns ein sehr angemessenes Rahmenprogramm gelungen ist. Vor allem, das will ich nicht verschweigen, dank unserer Präfektin. Ein Programm, das Ihnen einige unserer außerordentlichen Attraktionen und Errungenschaften näherbringen wird, insbesondere die kulinarischen. Ich spreche von den Kochkünsten einiger der bedeutendsten *Chefs* der Region – bedeutend nicht bloß für die Region, sondern für die gesamte Bretagne, ja für unsere ganze Nation. Sie alle werden uns ihre gastronomischen Pforten öffnen.« Die Assistentin brach verlegen ab: »Nicht alle mehr, natürlich. Blanche Trouins gastronomische Pforte wird uns nun unglücklicherweise für immer verschlossen bleiben. Und von dem Besuch im *La Noblesse*, Lucille Trouins Restaurant, haben wir kurzentschlossen Abstand genommen.« Ihr war sichtbar unbehaglich zumute. »Wie auch immer, über die Restaurantbesuche hinaus werden Sie einige weitere Spezialitäten Saint-Malos kennenlernen. Viele davon befinden sich in der Rue de l'Orme, wo wir gleich hingehen. So auch das japanisch-bretonische Restaurant von Bertrand Larcher, in dem wir morgen essen werden. – Das Sträßchen stellt so etwas wie das kulinarische Zentrum der Stadt dar.«

Was auch immer man über die Sinnhaftigkeit des Seminars sagen mochte, das Begleitprogramm war eindrucksvoll, musste Dupin anerkennend feststellen – zumindest der gastronomische Teil.

»Die Devise unserer international brillierenden Küche lautet: *Voyages et Aventures*. Reisen und Abenteuer. So formuliert es der *Chef* des *Saint Placide*, wo wir am letzten Abend essen werden. Auch in der Geschichte der Stadt ging es immer wieder ums Reisen, um verwegene Abenteuer. Um Wagnisse und ihr erfolgreiches Bestehen.«

Dupin mochte das Motto, trotz des übertriebenen Pathos. Es passte auf das ganze Leben: Reisen und Abenteuer, das war es.

Die Dame vom Kommissariat setzte sich in Bewegung.

»Los geht's. – Hier entlang. Wir begeben uns auf die Wehrmauern. Jetzt heißt es klettern!«

Steile Stufen, viele davon. Dupin ging sie als Letzter an.

»Ja, also«, der Historiker, der die Gruppe zusammen mit Kommissarin Hupperts Assistentin anführte, übernahm mit sonorer Stimme und ehrwürdigem wissenschaftlichem Duktus, »eine Sache zu dem Mordfall, der uns alle gerade beschäftigt: Ich denke, Sie sind sich alle der Tatsache gewahr, dass es in der Menschheitsgeschichte nur so von Geschwister-Dramen wimmelt, bereits seit der Antike.«

Er war für die pointenlose Mitteilung kurz stehen geblieben.

»So, nun aber zum eigentlichen Sujet«, er setzte sich wieder in Bewegung. »Anders als die Innenstadt blieben die Wehranlagen von den fürchterlichen Zerstörungen im Zweiten Weltkrieg weitgehend verschont, die Mauern gehen teilweise bis auf das 12. Jahrhundert zurück. Die klassizistischen Reederhäuser aus dem 18. Jahrhundert, die das charakteristische Stadtbild ausmachen«, routiniert deutete er mit der rechten Hand auf die Innenstadt Richtung Kirche, »wurden nach dem Krieg allesamt wieder originalgetreu aufgebaut. – Nie, nicht ein einziges Mal, hat ein Feind unsere Mauern im Kampf bezwingen können! Saint-Malo hat immer widerstanden.«

Kommissar Nedellec hatte sich auf Dupins Höhe zurückfallen lassen, die zwei Präfektinnen und Locmariaquer hatten weiter zum ersten Grüppchen aufgeschlossen.

»Chateaubriand, einer der vielen illustren Söhne der Stadt und einer der bewundernswertesten Autoren der französischen Sprache überhaupt, schrieb, dass die *Ville Close* von Saint-Malo, von der Fläche her nicht größer als der Tuileriengarten in Paris, der Welt mehr berühmte Persönlichkeiten geschenkt habe als viele andere, viel größere Städte.«

Es war bemerkenswert, zu welchem Nachdruck die Stimme des Historikers trotz der vielen Stufen in der Lage war.

»Neben den Korsaren, die beinahe über drei Jahrhunderte die Weltmeere beherrschten, erblickten hier weltbekannte Entdecker, Physiker, Ärzte und Schriftsteller das Licht der Welt. Etwa Jacques Cartier, der Kanada entdeckt hat, ein Land, zu dem wir bis heute engste Verbindungen pflegen. Pierre Louis Moreau de Maupertuis erforschte die Arktis, René Duguay-Trouin eroberte Rio de Janeiro. – In Saint-Malo hat man es mit der ganzen Welt zu tun!«

»Trouin. – Wie die beiden Schwestern«, murmelte Kommissar Nedellec.

Sie waren oben auf der erstaunlich breiten Mauer angekommen. Auf beiden Seiten ging es steil hinunter, eine steinerne Brüstung schützte vor dem Abgrund. Der Wind pfiff doppelt so stark wie unten. Ein klarer, belebender Wind.

»Aber«, der Historiker folgte der Mauer Richtung Norden, »fangen wir doch vorne an. – Begonnen hat alles mit einer Siedlung in Saint-Servan, genauer: auf der kleinen Halbinsel Alet, dort drüben«, er deutete in die entsprechende Richtung. »Dort legten die Kelten im ersten Jahrhundert vor Christus einen großen Versammlungsplatz an, der von den Römern nach der Eroberung Galliens zu einer kleinen Stadt ausgebaut wurde.«

Er meinte es wirklich ernst mit dem »Vorne Anfangen«.

Dupin war unauffällig ein paar Schritte zur Seite getreten; es reichte, um im Wind fast nichts mehr zu hören und sich dafür einen Moment von der Aussicht überwältigen zu lassen. Vom berückenden Licht, von den Farben. Natürlich war er davon ausgegangen, dass es einen guten Grund für den poetischen Namen des Küstenstreifens zwischen dem Cap Fréhel und Cancale gab – »Smaragdküste« –, aber eine derart dramatische Entsprechung hatte er sich nicht vorstellen können. Das Meer leuchtete tatsächlich smaragdfarben, geheimnisvoll und intensiv. Heller in seinen Tönen Richtung Ufer, mit rätselhaften dunklen Flecken am Horizont. Es war aufgewühlt, übersät mit hellweißen Gischtkronen – *moutons*, Schafe, wie die Bretonen sie nannten –, die einen furiosen Kontrast erzeugten. Unterhalb der mächtigen Wehrmauern erstreckte sich ein blendend weißer Strand, die Wellen, die sich auf ihm brachen, spülten den Sand immer wieder ins wüste Wasserchaos, sodass es zu einem unruhigen Blitzen und Glitzern kam, es sah aus, als wirbelten Myriaden kleiner Edelsteine durcheinander. Vor der Küste waren mehrere Inselchen zu sehen, deren Anthrazit, Braun und Grün wie impressionistische Farbtupfer aussahen. Auf einer größeren Insel erhob sich ein trotziges, umtostes Fort, eine tollkühne Festung. Gegenüber war Dinard zu sehen, einige der prächtigen Villen stachen hervor. An Dinard vorbei ging der Blick Richtung Westen bis zum Cap Fréhel, das sich weit und majestätisch ins Meer vorschob. Das Panorama, die betörenden Farben, dazu die heftigen Böen und die bereits mit ihrer vollen Kraft aufwartende Abendsonne machten einen geradezu trunken.

Dupin gab sich einen Ruck und folgte der Gruppe.

Über eine schmale, steile Treppe erreichten sie ein höher gelegenes Plateau mit eckigen Rasenflächen und einer Bronzestatue.

»Hier sehen Sie übrigens die Statue des eben erwähnten Kanadaentdeckers Jacques Cartier. Nun aber weiter in der Geschichte: Im sechsten Jahrhundert begab sich der Mönch und

Missionar Maclou, einer der sieben Gründungsheiligen der Bretagne, aus Wales hierher und ging auf der besagten Halbinsel Alet an Land ...«

Es war zu kurios. Nur eine ganz schmale Straße lag unten zwischen der mächtigen Mauer, auf der sie gerade gingen, und den erstaunlich hohen Wohnhäusern – wandte man sich vom Meer ab, schaute man den Menschen direkt in ihre Wohnungen. Ihre Wohnzimmer, ihre Küchen und Schlafzimmer.

Dupin fiel etwas ein. Die Besitzerin der *Villa Saint Raphaël*, in der er übernachtete, stammte aus Saint-Malo und würde mit Sicherheit etwas über die beiden Schwestern wissen. Sie kannte sich aus mit gutem Essen in Saint-Malo, bereits gestern hatte sie Dupin ein Dutzend kulinarische Tipps gegeben, einem war er spontan gefolgt, keine zehn Minuten zu Fuß, am kleinen Hafen von Saint-Servan.

Dupin blieb stehen und griff nach seinem Handy, die Gruppe zog weiter. Kurz begegnete sein Blick dem von Kommissar Nedellec, Dupin meinte, ein verschwörerisches Blinzeln wahrzunehmen. Im nächsten Moment hatte sich Nedellec selbst ein Stück von der Gruppe entfernt.

»*Villa Saint Raphaël*, bonsoir!«

Dupin erkannte die warme Stimme der Hotelbesitzerin. Emmanuelle Delanoë, ungefähr so alt wie Dupin selbst, war eine höchst attraktive Frau, etwas Geheimnisvolles umgab sie, eine besondere Aura.

»Hier ist Georges Dupin, der Commissaire aus ...«

»Natürlich. Wie schön, Sie zu hören. Wie kann ich Ihnen helfen, Monsieur Dupin?«

Ausnehmend freundlich und klar.

»Die beiden Trouin-Schwestern, zwischen denen es heute zu dieser schrecklichen Tragödie gekommen ist – kennen Sie sie?« Er kam sofort auf den Punkt, viel Zeit hatte er nicht.

»Allerdings. Beide, persönlich. Nicht, dass wir befreundet waren, aber wir unterhielten uns gerne, wenn wir uns trafen. Und das taten wir einigermaßen regelmäßig. Es ist keine allzu große Stadt, wissen Sie. Wir haben in der Villa keine eigene Küche, deshalb haben wir unsere Gäste gerne in ihre Restaurants geschickt. Und mein Mann und ich haben dort auch selbst sehr gerne gegessen.«

Dupin hatte richtiggelegen.

»Und fällt Ihnen etwas zu der ganzen Geschichte ein?«

Er hielt inne. Er durfte kein Risiko eingehen, sie würde Gott und die Welt kennen. »Ich bin einfach nur neugierig, Madame, mehr nicht. Mit der konkreten Ermittlung habe ich selbstredend nicht das Geringste zu tun, sie liegt in den hochkompetenten Händen von Kommissarin Huppert.«

»Commissaire Huppert, oh ja«, sagte sie anerkennend.

»Etwas sehr Heftiges muss zwischen den beiden Schwestern vorgefallen sein.«

»Ich weiß nur von einer Sache. Aber deswegen wird Lucille wohl kaum ihre Schwester getötet haben.«

Dupin blieb unwillkürlich stehen.

»Erzählen Sie!«

»Ich habe von meiner Freundin gehört, dass Blanche den Souschef von Lucille abwerben wollte. Colomb Clément. Manche sagen, dass er das noch größere Genie sei. Erst zweiunddreißig Jahre alt, sensationell begabt, ehrgeizig. Auf jeden Fall spielt er eine entscheidende Rolle für das *La Noblesse*, Lucille ist schon längst nicht mehr jeden Abend da.«

Es klang nach einem Ansatz, der verfolgenswert war.

»Weiß Lucille Trouin von diesem Abwerbungsversuch?«

»Das kann ich Ihnen nicht sagen.«

»Wissen andere davon?«

»Ich denke nicht.«

»Es wäre ein schwerer Schlag für Lucille Trouin, oder?«

»Das mit Sicherheit. Aber reicht das als Mordmotiv, Monsieur Dupin?«

»Und woher weiß Ihre Freundin davon?«

»Sie ist die Schwester des Souschefs. Er hat ihr davon erzählt. Auch dass es ganz geheim ist.«

»Wann war das? Und hat Ihre Freundin Ihnen noch mehr erzählt?«

»Vorletzte Woche, glaube ich. Er hat sie besucht. – Sie hat es nur erwähnt, wir haben dann nicht weiter darüber gesprochen.«

»Blanche Trouin hatte ihm also ein ernst gemeintes Angebot gemacht. – Wissen Sie, wann das war?«

»Erst kürzlich, vermute ich.«

»Ich verstehe. – Fällt Ihnen sonst noch etwas Erwähnenswertes ein?«

»Ich glaube nicht, nein.«

Dupin hatte aus dem Augenwinkel gesehen, dass sich die Gruppe bereits ein großes Stück entfernt hatte. »Dann danke ich Ihnen für das Gespräch.«

»Sehr gerne. Kann ich Ihnen sonst noch irgendwie behilflich sein?«

»Danke, nein.«

Eigentlich hätte er natürlich ein paar Rechercheaufträge. Aber: Sie war nicht Nolwenn – und es war nicht sein Fall.

»Bis später, Monsieur Dupin. Bonne soirée!«

Sie hatte aufgelegt.

Dupin verharrte noch einen Moment regungslos. Welche Bedeutung besaß diese unerwartete Information? Besaß sie überhaupt eine? Erst einmal schien es kaum vorstellbar, dass es sich um das Motiv handelte, aber vielleicht hatte diese Sache am Ende das Fass zum Überlaufen gebracht. So etwas gab es. Manchmal summierten sich die Dinge, spitzten sich unversehens zu, und plötzlich …

Dupin machte sich rasch ein paar Notizen in sein kleines rotes Clairefontaine-Heft, dann schloss er zur Gruppe auf.

»Wenden wir uns also endlich dem Thema zu, auf das Sie alle gewartet haben«, kündigte der Historiker mit sichtlicher Freude an. »Den Korsaren! – Die, entgegen einem weitverbreiteten Missverständnis, ganz und gar nicht das Gleiche sind wie Piraten. Piraten kaperten gesetzlos unter der schwarzen Totenkopfflagge, selbstherrlich und martialisch, auf eigene Rechnung – die Korsaren dagegen waren ganz legal im Dienste des Königs und damit ganz Frankreichs unterwegs. Wir Malouiner fuhren mit offiziellen Kaperbriefen!«

»In der Praxis lief es ziemlich auf dasselbe hinaus, oder?« Die eher stämmige, immer etwas mürrisch dreinblickende Präfektin des Départements Côtes-d'Armor schien eine Korrektur für nötig zu halten: »Ich habe letztens gelesen, dass manche Piraten einen strengeren moralischen Kodex verfolgten als die Korsaren, die ihre Mission mit äußerster Grausamkeit und heiligem Eifer ausübten. Außerdem lag das gesamte Korsarentum in den Händen besonders gewiefter malouinischer Kaufleute, sie gründeten für ihre Plünderfahrten sogar Aktiengesellschaften. Viele der reichen Reeder ließen die Keller ihrer Häuser bis unter das Meer ausbauen und miteinander verbinden, sodass riesige Höhlensysteme entstanden, in denen sie bedeutende Teile der Schätze vor dem französischen König versteckten. Unmengen Gold, Silber, Edelsteine.«

Der Historiker zog empört die Augenbrauen hoch. »Ich

denke, wir sollten uns nicht mit tendenziösen Interpretationen befassen. – Dieses stolze Kapitel der Stadtgeschichte …«

Dupin hörte bloß mit einem Ohr zu. Er war in Gedanken immer noch mit der neuen Information beschäftigt. Und der Frage, was er damit tun sollte.

»Neben der höchst ehrenvollen Aufgabe, feindliche Handelsschiffe aufzubringen, die Ladung zu übernehmen, die Besatzung zu entführen und gegen Lösegeld wieder freizulassen, erfüllten die Korsaren eine zweite wichtige Funktion: den eigenen Handelsschiffen Geleitschutz zu geben. Natürlich ging es zumeist um englische Schiffe, bei ihnen war das berüchtigte weiße Kreuz auf blauer Flagge der malouinischen Korsaren besonders gefürchtet. – Tollkühnere Seefahrer haben die Meere nie gesehen.«

Das mit den Engländern hatte damals sicher in der gesamten Bretagne Sympathien geweckt. Und das tat es sicher auch heute noch. Dupin nahm sich vor, es sich für Nolwenn zu merken.

»Ich denke, Sie sollten ebenfalls von dem lukrativen *commerce triangulaire* berichten«, die Präfektin sah sich abermals zu einer Ergänzung verpflichtet, »von dem grausamen Sklaven-Dreiecksgeschäft zwischen Afrika, Amerika und Saint-Malo.«

»Ein dunkles Kapitel, Sie haben recht«, gab der Historiker überraschend souverän zu.

»Mit minderwertigem Getreide und billigem, buntem Glitter erwarb man in Afrika massenhaft Sklaven – das ›schwarze Gold‹ –, die man dann an die riesigen Zuckerrohrplantagen der Neuen Welt mit enormen Gewinnen weiterverkaufte.«

»Ja, eine fürchterliche Geschichte – die aber keinesfalls für das gesamte Korsarentum steht. Die Wirklichkeit hat viele Facetten. Denken Sie bloß an die vielen Köstlichkeiten, die

die Korsaren nach Frankeich und Europa gebracht haben. Der Rum, die Gewürze oder der arabische Mokka – requiriert von malouinischen Korsaren. Man konnte die Kaperschiffe damals bereits riechen, bevor man sie sehen konnte!«

Das mit dem »Requirieren«, fand Dupin, der bei dem Wort Mokka aufgehorcht hatte, war natürlich eine heikle Sache, dennoch würde er es, da es um Kaffee ging, als Punkt für die Korsaren verbuchen.

»Ich will Ihnen abschließend noch ein paar der berühmtesten Korsaren nennen. Zum Beispiel Pierre Porcon de la Barbinais. Eine kuriose Geschichte: Er wurde nach einem gescheiterten Lösegeldhandel mit dem Piratenscheich von Algier vor eine schwere Kanone gespannt und von der abgefeuerten Kugel zerfetzt.«

Ein eigentümliches Verständnis von kurios, fand Dupin.

»Oder auch ...«

Ein besonders unangenehmer, schriller Klingelton unterbrach den Historiker.

Die Assistentin aus dem Kommissariat, die während der Führung erstaunlich still geblieben war, reagierte prompt.

»Ja?«

Sie blieb stehen, das Handy fest ans Ohr gedrückt.

»Oh! Verstehe. – Ja.« Sie hörte eine Weile zu. »Natürlich, ja, das mache ich. Ja. Au revoir.«

Alle schauten sie neugierig an.

»Ich ...« Sie warf einen konfusen Blick in die Runde. »Sie haben sie.« Eine abermalige Pause. »Sie haben Lucille Trouin.«

Dupin hatte nicht so schnell damit gerechnet.

»Sie wurde in Loudéac festgenommen. Am Bahnhof. Jemand hat ihren Wagen erkannt.«

Lucille Trouin hatte es also noch ein ganzes Stück weit geschafft.

»Ein Richter hat bereits die Untersuchungshaft angeordnet«, vervollständigte die Assistentin den Bericht, »sie wird nun rasch dem Haftrichter vorgeführt, aber das sind reine Formalitäten.«

»Und – hat sie sich schon zu ihrer Tat geäußert?«, wollte Kommissar Nedellec wissen.

»Sie wurde erst vor einer halben Stunde verhaftet und wird gerade zurück nach Saint-Malo gebracht.«

»Commissaire Huppert hat noch gar nicht mit ihr gesprochen? Lucille Trouin hat noch kein Wort gesagt?« Dieses Mal war es Dupin, der nachhakte.

»Nein.«

»Ich bin gleich wieder zurück.« Ohne eine weitere Erklärung lief Dupin ein Stück voraus. Er bog – sie hatten das nordwestliche Ende der Festung erreicht – rechts um eine Ecke und holte sein Handy aus der Hosentasche.

»Hallo?«

»Commissaire Huppert – hier Commi… hier Georges Dupin«, er sprach mit leiser Stimme und drehte sich sicherheitshalber noch einmal um. »Ich wollte Ihnen nur kurz etwas sagen.«

»Nur zu.«

»Ich habe eben mit …« Dupin brach ab. Er dachte hektisch nach. Er hatte nicht überlegt, wie er plötzlich und »zufällig« an die Information gekommen sein könnte.

»Ich bin ganz Ohr«, forderte die Kommissarin ihn zum Sprechen auf.

»Ich habe eben mit der Besitzerin eines *Maison d'hôtes* in Saint-Malo gesprochen, ich überlege, Ende des Sommers mit meiner Freundin ein paar Tage hier Urlaub zu machen und …«

»Und?«

»Sie erzählte, dass sie mit der Schwester von Lucille Trouins Souschef befreundet sei. Von dieser Freundin habe sie erfahren, dass Blanche Trouin ihn ihrer Schwester abspenstig machen wollte. Sie hatte ihm wohl bereits ein Angebot gemacht. Erst kürzlich.«

Dupin wartete.

»Das war es, was Sie mir sagen wollten?«

»Höchstwahrscheinlich werden Sie es bereits wissen, ich wollte nur sichergehen.«

»Ich danke Ihnen, Dupin. Bis bald.«

»Warten Sie, was ist mit Lucille Trouin, haben Sie schon …«

Sie hatte aufgelegt.

Er hatte keine Ahnung, was das bedeutete. Hatte sie es nun gewusst oder nicht? Hielt sie es für relevant?

Er seufzte, zog die Schultern hoch und schaute Richtung Meer. Entlang der Wehranlagen blickte man auf schroffe umbrandete Felsen und einen schmalen Strand, der mit wehender Gischt bedeckt war. Eine kecke Möwe kam heruntergeschossen und ließ sich keine Armlänge von Dupin entfernt auf der moosbedeckten Mauer nieder. Herausfordernd starrte sie ihn an.

Dupin drehte sich um, steckte die Hände in die Hosentaschen und lief den Weg, den er gekommen war, zurück.

Dieses Mal war nicht bloß Dupin zu spät, dieses Mal waren sie alle zu spät, das gesamte Team. Mehr als eine halbe Stunde. Der Historiker hatte, sosehr er bei seinen Vorträgen zuletzt auch aufs Tempo gedrückt hatte, deutlich länger gebraucht.

Erst um kurz vor acht erreichten sie ihr Ziel – die Rue de l'Orme.

Es war wirklich der angekündigte Himmel auf Erden. Die Häuser standen hier so eng, dass durch das rötlich gepflasterte Sträßchen kein Auto passte. Eine kulinarische Sensation reihte sich an die nächste: das *Café Breizh*, eine außergewöhnliche Crêperie des renommierten Gastronomen Bertrand Larcher. Nebenan sein japanisch-bretonisches Restaurant, in dem sie morgen Abend essen würden. Gegenüber das *Maison du Sarrasin*, ein kleiner Laden, in dem es alles aus *Blé noir* gab: Chips, Honig, Senf, Kekse, Karamell. Aus Buchweizen wurden auch die herzhaften Crêpes gemacht, die hier im Nordosten *Galettes* hießen. Lucille Trouins Restaurant *La Noblesse* befand sich direkt neben dem *Maison du Sarrasin*. Ein handgeschriebenes Schild hing an der Tür: »Aujourd'hui exceptionnellement fermé – désolé« – heute ausnahmsweise geschlossen. Das Restaurant befand sich in einem der wunderschönen alten Häuser, nicht breiter als zehn Meter, dafür mit mehreren Etagen. Neben dem Restaurant war ein Käsegeschäft, spezialisiert auf bretonischen Käse, das ebenfalls Lucille Trouin gehörte, wie Kommissar Nedellec zu berichten wusste; von dieser Unternehmung der jüngeren Schwester war bisher noch nicht die Rede gewesen. Beide Schwestern hatten ihre Geschäftsfelder offenbar über ihre Restaurants hinaus ausgebaut.

Weiter ging es in der Rue de l'Orme mit einer fabelhaft aussehenden Austernbar mit viel Flair, die Cancale-Austern anbot. Und auch der Küchenchef, von dem die Maxime *Voyages et Aventures* stammte und bei dem sie am letzten Abend zu Gast sein würden, präsentierte in einem eigenen Laden eine seiner Spezialitäten: die *Babas au Rhum*, Napfkuchen aus süßem Hefeteig, der kräftig in Rum getränkt wurde.

Nebenan lag eine großartig rustikale Metzgerei. Es folgten eine feine *épicerie*, ein Geschäft nur mit Rum und ein hervorragend aussehendes Fischrestaurant mit smaragdgrüner Markise.

»Der Rumladen gehört übrigens Lucille Trouins Lebensgefährten«, raunte Commissaire Nedellec Dupin zu. »Er hat sich auf Rum spezialisiert und hier, in Saint-Servan sowie in Dinard und Cancale Läden eröffnet. Zudem vertreibt er den Rum auch online. Und an dem Käsegeschäft seiner Freundin ist er ebenfalls beteiligt.«

Allesamt bemerkenswerte Mitteilungen, nicht bloß weil sie die Umtriebigkeit des Gastronomen-Paares demonstrierten, sondern vor allem weil sie verrieten, dass Dupin nicht der Einzige war, der sich für den Fall interessierte und plötzlich in den Besitz aufschlussreicher Informationen gelangt war.

»Et voilà, da sind wir«, die Dame vom Kommissariat lächelte zufrieden.

Auch das *Maison du Beurre* – außen eine himmelblau gestrichene Holzverkleidung, der Name *Bordier* war in weißen Lettern zu lesen – war nicht besonders groß, es würde gemütlich werden. Drinnen eine Käsetheke mit einer superben Auswahl, gegenüber vom Eingang das Herzstück: die Buttertheke. Auf einer schwarzen Marmorplatte war ein hoher Berg aus Butter zu bestaunen. *Demi-Sel*, halbgesalzen, die bretonische Basis-Version. Um den Buttergipfel herum: eine Auslage mit kleinen hübschen Päckchen der verschiedenen Buttersorten. Unter anderem Zwiebeln aus Roscoff, geröstete Algen, Piment d'espelette, Szechuan-Pfeffer.

Zwei Mitarbeiterinnen hatten sie erwartet, auf ihren Gesichtern ein freundliches Lächeln.

»Bonsoir – wir möchten Sie alle sehr herzlich im Hause

von Yves Bordier begrüßen. – Nach einer kleinen Führung durch die Geschichte der Butter und einen Einblick in die Fabrikation«, die Jüngere hatte die Begrüßung übernommen, sie deutete in den hinteren Bereich, den Dupin ob der zahllosen delikaten Dinge bisher nicht wahrgenommen hatte, »werden Sie im Bistro nebenan einige unserer Spezialitäten probieren können.«

»Wenn Sie sich bitte alle zu mir begeben würden?« Die zweite Mitarbeiterin, mit blonden Locken und einer runden Brille, hatte sich bereits im hinteren Bereich des Ladens postiert.

Die Gruppe schob sich in den abgedunkelten Museumsbereich des *Maison du Beurre*. Die Wände waren mit Leuchtkästen bekleidet, in denen die einzelnen Herstellungsschritte dokumentiert wurden. In der Mitte des Raums standen historische Geräte aus Holz, die zur Butterproduktion gedient hatten.

Die Frau mit den Locken begab sich vor den Leuchtkasten mit der Aufschrift *Der Ursprung der Butter*. »Um 6000 vor Christus entdeckten die nomadischen Jäger und Sammler in Asien und im Vorderen Orient, dass sich eine spezielle Creme bildet, wenn Milch geschüttelt wird – und das ist sie auch schon, die Entdeckung der Butter.« Diese rasche Schlussfolgerung machte Mut. »Beinahe weltweit wurde die Butter das universelle Fett zur Zubereitung von Speisen – mit Ausnahme des mediterranen Beckens, wo das Olivenöl diese Rolle einnahm.«

Die berüchtigte Butter-Olivenöl-Grenze, die Europa und Frankreich selbst in zwei Teile trennte, war eine der schier unendlichen Möglichkeiten, die bretonische Identität zu behaupten.

Dupin meinte auch in den Gesichtern seiner Kollegen zu

erkennen, dass nicht nur er darauf hoffte, es möge bald Essen geben. Ihm war schon ganz flau vor Hunger.

»Im Zuge eines einseitigen Marketings wurden dem Olivenöl alle guten und der Butter alle schlechten Eigenschaften angedichtet. In Wahrheit«, sie sprach jetzt mit leidenschaftlichem Nachdruck, »verhält es sich vollkommen anders. Gute Butter ist, wie die neueste Forschung zeigt, in höchstem Maße gesund. Und wurde zum Synonym der gehobenen Küche. Die gemeine Verleumdung der Butter begann mit den Römern und Griechen«, jetzt ging es doch wieder bedenklich weit zurück, »die sie als ›Fett der Barbaren‹ abtaten – ganz im Gegensatz allerdings zu vielen anderen Hochkulturen, den Ägyptern, Phöniziern oder Karthagern sowie allen Kulturen Mittel- und Nordeuropas, die sich mit Überzeugung der Butter verschrieben …«

Ein lautes Handyklingeln unterbrach sie. Die Dame vom Kommissariat zog ihr Telefon aus der Jackentasche.

»Ja?«

Sie hörte zunächst eine Weile zu. Dann:

»Wirklich? Das war es? – Mehr nicht? Nie?«

Eine längere Antwort am anderen Ende der Leitung.

»Gut. Ja, danke. Bis bald.«

Sie beendete das Telefonat und wandte sich umgehend der Gruppe zu.

»Commissaire Huppert hat Lucille Trouin ein erstes Mal verhört, im Beisein ihres Anwalts. Übrigens wurde der Untersuchungshaft stattgegeben. – Es«, sie stockte, »es ist äußerst seltsam, Lucille Trouin hat angekündigt, nicht auszusagen. Kein einziges Wort, unter keinen Umständen.«

Eine Pause, sie schien nachzudenken.

»Sie hatte es bereits den Polizisten, die sie nach Saint-Malo gebracht hatten, angekündigt. – Es ergibt natürlich keinen Sinn, es könnte ihr erheblich schaden.«

»Das hat sie gesagt?« Die Frage war Dupin herausgerutscht. »Kein einziges Wort, unter keinen Umständen?«

»So sieht es aus.«

»Merkwürdig.« Selbstredend musste auch Locmariaquer einen Kommentar zum Besten geben. »Was soll das bedeuten? Sie will den Grund ihrer Tat nicht nennen? Die Tat nicht mal zugeben?«

Die Dame vom Kommissariat zuckte resigniert mit den Schultern: »Offensichtlich.«

»Wir werden ja sehen«, protestierte die jüngere, rothaarige Präfektin aus dem Morbihan. »Sie wird schon noch zur Vernunft kommen.«

»Vollkommen richtig«, stimmte die stämmige Präfektin der Côtes-d'Armor, Nedellecs Chefin, zu.

»Ich weiß nicht, ich finde, das klingt überhaupt nicht gut.« Locmariaquer wollte ihnen nicht das letzte Wort überlassen, seine Stellungnahme klang so vage wie bedrohlich.

Ein ratloses Schweigen breitete sich aus, das die Vortragende zu nutzen wusste:

»Im Mittelalter«, immerhin ein beachtlicher historischer Schritt nach vorn, »wurde der Verzehr von Butter während der Fastenzeit von der Kirche streng verboten. Es war Anne de Bretagne, die letzte freie bretonische Herzogin, die für ihren Hof und für die gesamte Bretagne das Recht erstritt, das ganze Jahr über Butter essen zu dürfen. Auch das trug natürlich zur Vormachtstellung der bretonischen Butterkunst bei ...«

»Ich muss mich kurz entschuldigen«, unterbrach Kommissar Nedellec den Vortrag und ging zügigen Schrittes Richtung Ausgang. »Ein privater Anruf.«

»Na klar«, murmelte Dupin vor sich hin und ging, in Gedanken mit der neuen Nachricht befasst, die Reihe der Leuchtkästen ab.

»Ich muss auch noch mal telefonieren, dienstlich allerdings«, schloss sich Hupperts Assistentin an.

»Ich möchte«, die Mitarbeiterin ließ sich nicht aus der Ruhe bringen, »auf einen weiteren interessanten Aspekt hinweisen: Butter wurde lange Zeit auch in der Kosmetik als Wundermittel eingesetzt, bis ins 20. Jahrhundert hinein.«

Dupin fuhr sich durch die Haare, es war alles sonderbar. Das, was für gewöhnlich am Ende einer Ermittlung stand, markierte hier den Anfang: Die Täterin war bereits bekannt und verhaftet. Nur hatte sie nicht vor zu sprechen.

Durch ihr Schweigen könnte sich Lucille Trouin tatsächlich selbst schaden. Um eine Tat im Affekt geltend zu machen – und das wäre schließlich der günstigste Fall für sie –, musste sie aussagen. Den Affekt glaubhaft machen. Emotional glaubhaft. Sofort, ganz unmittelbar. – Und genau darauf verzichtete sie. Stand sie unter Schock? Natürlich verstärkte ihr Schweigen die Frage, die sich von Anfang an gestellt hatte: War es überhaupt ein Affekt gewesen? Bloß ein Affekt? Eine Affekthandlung im klassischen Sinne?

Natürlich musste, Dupins Gedanken gingen hin und her, in der Situation auf dem Markt ein Affekt eine große Rolle gespielt haben. Hätte sie vorsätzlich einen Mord begehen wollen, hätte Lucille Trouin für ihre Tat sicher nicht die Öffentlichkeit gewählt. Und öffentlicher als in einer belebten Markthalle ging es kaum. Sie hätte, wie alle kalt berechnenden Mörder, einen »perfekten Mord« im Verborgenen zu begehen versucht. Insofern *musste* die Tat einen Moment des Affektes aufweisen. Aber vielleicht steckte doch mehr dahinter? Ein Motiv, das über einen Affekt hinausging? Etwas Kalkuliertes? Es könnte auch eine Kombination aus Motiv und Affekt gewesen sein, nur: Worin bestanden das Motiv und der Affekt?

»In unserer Manufaktur«, die Vortragende gab noch immer nicht auf, »entfaltet sich das gesamte Savoir-faire der Butterherstellung. Eines der vielen Geheimnisse besteht in der alten Technik eines ganz besonderen, zugleich intensiven wie schonenden Knetens, bei dem mehr Wasser ausgesondert wird als bei anderen Methoden, wodurch die Butter auf ihre Essenz reduziert wird. Am Ende wird die Butter mit speziellen Holzwerkzeugen kräftig geschlagen und erhält so ihre seidenweiche Konsistenz.«

Ein einzelner hoher Ton war zu hören. Dupins Handy, eine SMS.

Nolwenn. Es war nur ein Satz: »Halten Sie sich raus.«

Es war ihr wirklich ernst.

»Am allerwichtigsten ist freilich die Auswahl der Milch. Ihre außerordentliche Qualität und Frische. Was auch bedeutet, dass die Butter im Winter anders aussieht und schmeckt als im Herbst, je nach Jahreszeit finden Sie die jeweiligen Aromen der Wiesen wieder, auf denen unsere Bio-Kühe grasen. Im Bistro werden Sie gleich erleben, wie die Butter des frühen Sommers mit vielen saisonalen Kräutern schmeckt.«

»Wäre das nicht«, räusperte sich die mürrisch dreinblickende Präfektin – die Dupin dennoch oder gerade deswegen durchaus sympathisch war, »der perfekte Moment für den Besuch des Restaurants?«

Dupin war ihr äußerst dankbar.

»Genau das wollte ich Ihnen nun vorschlagen«, lächelte die Mitarbeiterin.

Keine drei Minuten später saß das Team nebenan im Bistro.

Es war ein phänomenaler Raum, ein uriges, großzügiges Gewölbe. Die groben, nur leicht verputzten Steinwände verliehen dem Ganzen Atmosphäre und Wärme. Anthrazitfarbene Stahlträger vom Boden bis zur sehr hohen Decke, Strahler an einer Deckenleiste, die den Ort geschickt in Szene setzten. Mehrere der schwarzen Zweiertische waren zu einer kleinen Tafel zusammengeschoben worden. Sie waren die Einzigen hier unten, in den oberen Räumen des Bistros waren sämtliche Tische besetzt.

Dupin saß zwischen Kommissar Nedellec, der sein »privates« Telefonat beendet hatte, und der Präfektin der Côtes-d'Armor. Nur Kommissarin Hupperts Assistentin fehlte noch.

Dupin war froh über das Brot und die kleinen Granitplatten mit den verschiedenen Buttersorten, die bereits auf dem Tisch standen.

»Ich begrüße Sie sehr herzlich«, eine zierliche Frau Mitte dreißig mit hellbraunen langen Haaren war an ihren Tisch getreten, »mein Name ist Elen Delacourt, ich bin die Chefköchin. Es ist mir eine große Freude, heute Abend für Sie zu kochen.«

»Dann gehören Sie mit Sicherheit zum inneren lukullischen Zirkel der Gegend, oder? Sie kennen die Trouin-Schwestern? Was denken Sie, was hat sich zwischen den beiden abgespielt?«, fragte Kommissar Nedellec ganz unverblümt.

»Zwei fabelhafte Küchenchefinnen«, aufrichtige Bewunderung lag in ihrer Stimme. »Das ist eine absolute Tragödie. Es ist unbegreiflich. Natürlich waren sie Konkurrentinnen. Aber dass es so weit gehen würde, hätte niemand gedacht. Unfassbar.«

Dupin hörte zu, während er die Butter mit den Zwiebeln

aus Roscoff probierte, eine Sensation. Nun machte er sich an die Algen-Butter. Nicht weniger deliziös.

»Kannten Sie die beiden näher, waren Sie befreundet?«, fuhr Nedellec fort.

»Befreundet nicht, wir haben uns als Kolleginnen geschätzt.«

Nedellec bemühte sich um einen umgänglichen Tonfall: »Lucille Trouin ist doch quasi Ihre Nachbarin. Da kriegt man doch ab und zu etwas mit, oder?«

»Was meinen Sie?«

»Von irgendwelchen konkreten Konflikten vielleicht? Aktuellen, brisanten Geschichten?«

»Ich habe nichts gehört, nein.«

Auch die Buchweizen-Butter war ein Gedicht. Mit kleinen gerösteten Buchweizenstückchen.

»Zwischen den beiden muss«, schaltete sich Locmariaquer ein, »etwas äußerst Gravierendes vorgefallen sein.«

»Dessen Aufdeckung«, intervenierte Dupins Nachbarin resolut, »wir getrost Commissaire Huppert überlassen können. Auf jeden Fall werden wir den Fall heute Abend an diesem Tisch nicht klären.«

»Völlig richtig«, bestätigte die rothaarige Präfektin aus dem Morbihan. Eher klein und drahtig sah sie in der prachtvollen Uniform mit goldenen Epauletten etwas verloren aus, machte es aber durch energische Bestimmtheit wieder wett.

Dupin war bei der Yuzu-Butter angelangt. Leicht bitter, eine Mischung aus Limette und Mandarine. So langsam fühlte er sich besser.

»Hier kommen die *Entrées.*« Zwei Kellner und eine Kellnerin waren erschienen.

»Wir beginnen mit *Langoustines rôties* und weißem Spargel, dazu ein Carpaccio aus Schweinefüßchen und eine *mousse de lait fumée*«, führte die Küchenchefin aus, die erleichtert schien, endlich das Thema wechseln zu können. »Als Hauptgang servieren wir eine prachtvolle Lotte aus der Küstenfischerei, mit der Leine geangelt, mit einer *consommé* aus Meeresspinne mit Litschi, dazu *Gargouillou des légumes d'été,* eine Mischung aus Kräutern, Blüten und Sommergemüse, und beenden das Menü mit einem Soufflé aus Süßkartoffeln und Karotten *à l'orange* sowie einem Sorbet aus Frischkäse – und, natürlich, mit einer Käseauswahl. Zu der auch zwei bretonische Käse gehören werden.«

Dupin kam unwillkürlich eine Frage über die Lippen:

»Haben Sie, ich meine das *Maison du Beurre,* sich ebenfalls auf bretonischen Käse spezialisiert, so wie Lucille Trouin?«

»Nicht unbedingt. Aber natürlich nehmen wir nur das Beste in unser Sortiment auf.« Die Küchenchefin lächelte: »Mesdames, Messieurs. Wir wünschen Ihnen *bon appétit.*«

Mit diesen Worten drehte sie sich um und verschwand diskret. Auch die Kellner entfernten sich.

Alle waren im Nu mit den Vorspeisen beschäftigt, niemand hatte wahrgenommen, wie die gastgebende Präfektin das Bistro betreten hatte.

»Bonsoir, liebe Kolleginnen und Kollegen. Ich möchte mich doch zumindest ein paar Minuten zu Ihnen setzen. – Ich komme gerade von einer Besprechung mit Kommissarin Huppert.«

Sie setzte sich auf einen der leeren Plätze. Dupin schätzte sie auf etwa sechzig, mit ihren grauen Haaren und ihrer imposanten Uniform strahlte sie Souveränität und Erfahrung aus.

»Wie schön, dass Sie sich die Zeit nehmen. – Es ist uns eine große Freude.« Locmariaquer gab sich staatsmännisch. Anders als die Präfektin wirkte er in seiner Uniform mit den goldenen Epauletten, goldenen Knöpfen und Aufsätzen an den Ärmeln gockelhaft. Aber das tat er eigentlich immer. Er war sehr groß, ständig ein wenig rot im robusten Gesicht, hatte einen auffällig ovalen Kopf und eine Glatze. »Und natürlich sind wir neugierig. Wie steht es um die Ermittlungen? – Eben erst haben wir den Fall diskutiert.«

»Die Untersuchung läuft auf Hochtouren, noch gibt es aber keinen Hinweis auf irgendein wirklich plausibles Motiv beziehungsweise keinen plausiblen Auslöser für eine Affekttat. Obwohl Kommissarin Huppert seit heute Nachmittag bereits mit einigen Personen gesprochen hat. Eben, wie Sie wissen, endlich auch mit Lucille Trouin selbst, die aber jede Aussage verweigert.« Sie schüttelte den Kopf.

Die Kellnerin erschien mit einem Teller für die Präfektin, die es mit einem dankbaren Lächeln quittierte.

»Essen Sie bitte weiter, liebe Kolleginnen und Kollegen!« Mit diesen Worten griff sie selbst zur Gabel. »Außerordentlich köstlich, ja wirklich!«

»Mit wem hat Commissaire Huppert gesprochen?« Dupin hatte bereits den letzten Bissen der *Langoustines* gegessen.

Die Präfektin nahm bedächtig eine zweite Gabel, sie ließ sich Zeit mit ihrer Antwort. »Zunächst natürlich mit Kilian Morel, dem Ehemann des Opfers Blanche Trouin. Er befindet sich in einem regelrechten Schockzustand. Nur zu verständlich, er hat anscheinend keinerlei Vorstellung, was geschehen sein könnte. Genauso wenig wie der langjährige Lebensgefährte von Lucille Trouin, den Commissaire Huppert im Anschluss gesehen hat. Charles Braz.«

»Der Kerl hat keine Ahnung, was zwischen den beiden Schwestern vorgegangen sein könnte?« Nedellec wollte es nicht glauben. »Er hat keine Ahnung, was seine Freundin dazu gebracht haben könnte, ihre eigene Schwester zu erstechen?«

»Nein. Er wirkte völlig fassungslos. – Lucille Trouin hatte ihn zuvor aus dem Kommissariat angerufen. Der eine Anruf, den Sie tätigen darf. Sie hat sich auch Monsieur Braz gegenüber mit keinem Wort zu der Tat geäußert.«

»Mit wem wurde sonst bereits gesprochen?«, kam Dupin auf seine Frage zurück.

»Mit Flore Briard, der besten Freundin von Lucille Trouin«, gab die Präfektin bereitwillig Auskunft. »Sie ist ebenfalls in der Gastronomie tätig. In Dinard. Sie hat zwei originalgetreu nachgebaute Korsarenboote gekauft, auf denen abends auf höchstem Niveau gekocht wird. Sie arbeitet teilweise mit Lucille Trouin zusammen. – Aber auch sie ist ratlos, was zwischen den Schwestern vorgefallen sein könnte.«

Dupin hatte reflexhaft zu seinem Notizheft gegriffen, dann aber innegehalten. Es war nicht ratsam, sich hier vor aller Augen Notizen zu machen. Es wäre besser, das Gespräch setzte sich ungestört im Konversationston fort.

»Blanche Trouin hatte zwei engere Freunde«, fuhr die Präfektin fort, »die theoretisch von sich zuspitzenden Spannungen gewusst haben könnten: Walig Richard, ein Antiquitätenhändler, und Joe Morel, der Bruder ihres Mannes, der offenbar eine Art Vertrauter ist. Auch mit ihnen hat Kommissarin Huppert bereits gesprochen, wenn auch bloß telefonisch. – Ergebnislos.«

Huppert war schnell. Und die Präfektin erstaunlich auskunftsfreudig, ganz im Sinne des geforderten neuen Teamgeistes.

»Kommissarin Huppert hat auch mit Colomb Clément gesprochen, Lucille Trouins Souschef. Die beiden sehen sich naturgemäß häufig.«

Dupin war ganz Ohr.

»Blanche Trouin hatte ihm ein vertrauliches Angebot gemacht, zu ihr zu wechseln. Damit ist er gegenüber der Kommissarin ganz offen umgegangen. Er ist sich ziemlich sicher, dass Lucille nichts davon wusste. Ihrem Mann hat Blanche Trouin, so die Aussage des Souschefs, die Huppert bereits überprüft hat, von ihrem Vorstoß erzählt. Ob sie es auch ihren Freunden Richard und Joe Morel erzählt hat, wissen wir derzeit noch nicht.«

»Wann genau hat die Kommissarin mit dem Souschef gesprochen?«

Zum ersten Mal zeigte sich auf dem Gesicht der Präfektin eine leichte Verwunderung.

»Ich weiß es nicht, Commissaire.«

»Vielleicht wussten es die Freunde«, rutschte es Dupin heraus, »und sie haben nicht dichtgehalten. Ich meine ja nur«, er durfte nicht übereifrig erscheinen, »Lucille Trouin könnte durchaus Wind davon bekommen haben.«

»Wir wissen es im Augenblick nicht«, stellte die Präfektin nachdrücklich fest. »Weitere Personen, die den beiden nahestanden, haben wir nicht ausfindig machen können. Viel Privatleben hatten beide Schwestern nicht, sie waren, wie man heute so sagt, ausgesprochene Workaholics. – Kommissarin Huppert ist übrigens bereits im Besitz der Verbindungsnachweise von Blanches Mobiltelefon.«

»Wie steht es mit Familie?«, fragte Nedellec, ohne eine Pause entstehen zu lassen.

»Die Eltern sind verstorben. Außer einer dreiundneunzigjährigen Tante, der Schwester des Vaters, gibt es niemanden mehr. Wohnt in Rothéneuf, im Osten Saint-Malos. Wohl sehr verwirrt, fortgeschrittene Demenz. Auf jeden Fall, sagte Commissaire Huppert, schien sie nicht wirklich zu verstehen, was vorgefallen ist. Sie konnte nicht helfen.«

Dupin hatte, so unauffällig es ging, nun doch ein paar

Dinge notiert, das rote Clairefontaine lag auf seinem Oberschenkel. Dabei war ihm aufgefallen, wie Nedellec unter dem Tisch auf seinem Handy tippte.

»Wir versuchen gerade, in der Gastronomieszene herauszufinden, ob jemand von irgendeinem konkreten Konflikt zwischen den Schwestern jenseits der allgemeinen Konkurrenz wusste – bisher ohne Ergebnis.«

Rundherum strahlten die Teller leer und blitzblank – die Vorspeisen hatten offenbar allen geschmeckt. Wie auf ein geheimes Zeichen erschienen die Kellner und räumten ab.

»Das nimmt sich alles äußerst mysteriös aus«, sinnierte Locmariaquer mit bedeutungsschwerer Stimme.

»Wenn nur die beiden Schwestern von der Sache wussten, um die es ging, wobei die eine jetzt tot ist und die andere kein Wort sagt – dann wird es kompliziert«, fasste Nedellecs Chefin die Lage mit unwirscher Miene zusammen.

»Hat eigentlich irgendjemand im Marktgewühl«, es war Dupin schon die ganze Zeit durch den Kopf gegangen, »etwas von der Auseinandersetzung zwischen den Schwestern verstehen können? Hat sich jemand gemeldet?«

»Die Zeugen, die uns bekannt sind, haben nur etwas wie ›Das ist zu viel‹ gehört. Eine Mitarbeiterin am Gewürzstand von Blanche Trouin will ein ›Ich hasse dich‹ vernommen haben. – Mehr leider nicht, alles sehr unspezifisch.«

Es belegte zumindest die äußerst heftigen Emotionen.

»Es passierte alles sehr schnell, innerhalb weniger Minuten, so die bisherige Rekonstruktion von Commissaire Huppert. Blanche Trouin stand vor dem Gewürzstand, als ihre jüngere Schwester auftauchte. Sie haben sich etwas abseits an eine Säule gestellt, wo es dann passiert ist. Auch die anderen Verkäuferinnen wussten nichts von einer Zuspitzung irgendwelcher Querelen, Blanche Trouin sei den Morgen über ›ganz normal‹ gewesen, sehr gut gelaunt eigentlich, das war sie offenbar meistens.«

Die Präfektin setzte ab. Mit einem Mal wirkte sie erschöpft.

Nedellecs Stirn lag in Falten: »Hat denn Blanche Trouin regelmäßig selbst an ihrem Gewürzstand verkauft? Sie hatte doch sicher Besseres zu tun. Oder war das nur zufällig gestern früh der Fall?«

»Sie hat das Verkaufen geliebt,« die Präfektin war hervorragend informiert, »sie war jeden Montag auf dem Markt. Das wussten alle, montags hat ihr Restaurant Ruhetag.«

»Könnte es eigentlich«, Dupin wusste nicht, wie er es formulieren sollte, aber die Frage war ihm seit heute Nachmittag durch den Kopf gegangen, »auf dem Gebiet des Kochens selbst irgendeinen Konflikt gegeben haben?«

»Was meinen Sie damit?«

Er konnte es nicht genauer sagen. Aber immerhin war das Kochen die Leidenschaft der Trouin-Schwestern, ihre Obsession. Berufung und Beruf.

»Die Kochstile und Kochphilosophien der beiden haben sich erheblich unterschieden«, holte die Präfektin kundig aus, »Blanche Trouin steht für ingeniöse Verfeinerungen bodenständiger Aromen und Produkte, zuweilen durchaus avantgardistisch – man denke nur an ihr Mispelkonzentrat –, aber äußerst streng in der regionalen Beschränkung der Auswahl sämtlicher Grundstoffe, beim *Terroir* und *Merroir* gleichermaßen. Das ist ihr Credo. Hinzu kommen fantasievolle, dabei durchweg kalkulierte Akzente aus ihrem reichen Gewürzfundus. Im Grunde ist Blanche Trouin eine herausragende Vertreterin der Nova-Regio-Küche. Sie besitzt einen eigenen Garten, aus dem sie den größten Teil ihres Gemüses bezieht.«

Die Präfektin hielt inne und trank einen Schluck Wasser.

»Lucille Trouins erster Leitsatz ist dagegen die Entwicklung höchster geschmacklicher Finesse, Differenzierung und Binnendifferenzierung, gerne mit diversen Mikroelementen. Gleichgültig woher die Produkte kommen. Das kann die ganze Welt sein, mit traditioneller bretonischer Küche hat es bewusst nichts zu tun. Sie sucht völlig neuartige Geschmacksbilder und beherrscht dabei das gesamte Spektrum von klassisch über puristisch bis äußerst progressiv.«

Dupin hatte die Ausführungen der Präfektin nur zum Teil verstanden, dennoch war es interessant gewesen. Sie enthielten vermutlich Grundlegendes, denn die gegensätzlichen Kochstile würden mit den Unterschieden ihrer beiden Persönlichkeiten in Verbindung stehen.

»Wir servieren nun den Hauptgang«, die beiden Kellner und die Kellnerin waren zurück. Im Handumdrehen stand ein Teller vor Dupin.

»Wir wünschen *bonne continuation.*«

Der Seeteufel mit *consommé* aus Meeresspinne und Litschi war eine wunderbare Idee, und das *Gargouillou*, das Gemüse mit den Blüten, war besonders hübsch anzusehen, beinahe zu schade zum Essen. Aber nur beinahe.

»Lassen wir diesen schrecklichen Fall für eine Weile beiseite«, beschied die gastgebende Präfektin, »und widmen uns dem Genuss.«

Um 22 Uhr 10 hatte das Team das *Bistro Autour du Beurre* verlassen – der Seeteufel war einer der besten gewesen, den Dupin je gegessen hatte. Um halb elf hatte Dupin den Hof der *Villa Saint Raphaël* betreten. Um ihn ein paar Augenblicke später doch wieder zu verlassen.

Er hatte kurzerhand entschieden, sich noch auf ein Glas ins *Bistrot de Solidor* zu setzen, am gemütlichen Hafen von Saint-Servan, dort, wo er schon am Vorabend auf Empfehlung der Hotelbesitzerin gewesen war. Eine famose Empfehlung. Und es war nur ein kurzer Spaziergang dorthin.

Dupin saß am Fenster. Mit Blick auf das Meer und den Kai am Ende des Hafens. Die Sonne war erst vor Kurzem untergegangen, der Himmel zartrosa, ein paar verwischte Streifen über dem Horizont in einem kräftigeren Ton.

Dupin mochte Saint-Servan und seinen äußersten Zipfel am Meer, die – offenbar berühmte – Halbinsel Alet, schon jetzt ein Kandidat für seine Liste mit Lieblingsorten. Die schmalen Sträßchen, der Hafen, die kleinen Geschäfte, die wunderschönen alten Häuser, ehemalige Fischerhäuser, aber auch versteckte Villen. Überall Gärten, kleine und größere Parks. Nicht zu vergessen die Markthallen – in denen das Leben morgen wie gehabt weitergehen würde – und das *Café du Théâtre* direkt am Markt, in dem er heute Mittag seinen Kaffee getrunken hatte. Von den Malouinern für die Welt und ihn gekapert. Saint-Servan fühlte sich schon jetzt an wie ein vertrautes Viertel.

Der überaus zugewandte Besitzer des Bistros hatte Dupin zu einem besonderen Rum überredet – »das Getränk der Stadt, und zwar nicht erst, seit es überall Mode wurde«, hatte er klargestellt –, »ein alter *J.M*«, pur, ohne Eis. Von einem Dorfpfarrer 1790 auf Martinique kreiert, noch zur Zeit der Korsaren. Der Bistrobesitzer hatte Dupin die ganze Geschichte erzählt. Aus nichts als frisch gepresstem Zuckerrohrsaft hergestellt, »nicht aus der billigen Melasse«. Im Glas ein goldenes Braun, etwas Kupfer, etwas Bronze.

»Aromen von Zimt, Bratapfel und Koriander, perfekt ausbalanciert mit Vanille und gebratenen tropischen Früchten«, schwärmte der Bistrobesitzer, »geschmeidig-weiches Bouquet, mit Mokkatönen, getrockneter Aprikose und flambierter Banane. Sehr lang und harmonisch im Abgang mit einem Anflug von Minze.«

Dupin trank einen großen Schluck. Und war beeindruckt. Der Bistrobesitzer sah es an seinem Gesicht.

»Ein Nektar-ähnlicher Trank, hab ich recht? – Aus einer elysischen Quelle, er schenkt einem das Vergessen aller irdischen Leiden.«

Schöner konnte kein Versprechen sein.

Und es passte zu Dupins Entschluss. Es ergab keinerlei Sinn, in diesem sondersamen Fall im Verborgenen ermitteln zu wollen. Dupin konnte, ganz anders als bei seinem Fall an der rosa Granitküste, mit niemandem eine »zufällige« Konversation führen, schon gar nicht mit den Personen, mit denen sich die Kommissarin gerade beschäftigte. Er konnte sich keinerlei Kollisionen leisten. Zudem wäre es völlig unkollegial. Und die Kommissarin machte einen kompetenten Eindruck.

Dupin ließ einen weiteren Schluck Rum die Kehle hinunterrinnen. Sein Blick schweifte durch das hübsche Bistro. Er legte den Kopf in den Nacken und schloss die Augen.

Das Dumme war, dass ihm nicht nur seine *déformation professionnelle* keine Ruhe ließ, sondern dass er sich persönlich herausgefordert fühlte, zu ermitteln. Nahezu verantwortlich. Der Mord war schließlich vor seiner Nase passiert. Und er hatte bei der Verfolgung der Täterin eine Schlappe hinnehmen müssen.

Dupin schaute in den rosafarbenen Abendhimmel. Er wandte sich ab. Sein Blick und der des Besitzers, der an der Bar stand, trafen sich. Dupin nickte. Eine minimale Geste in Richtung seines leeren Glases. Der Besitzer verstand sofort.

Rum gehörte bisher nicht zu Dupins Repertoire, zu Unrecht, fand er an diesem Abend.

Langsam überkam ihn eine behagliche Müdigkeit.

Bald läge er im Bett.

DER ZWEITE TAG

Häufig geschah es nicht, diese Nacht war es geschehen: Dupin hatte, unbeeindruckt von den Ereignissen des Tages, fabelhaft geschlafen. Tief und fest, ruhig und ohne eine einzige Unterbrechung. Der Rum hatte ein Wunder vollbracht.

Die Welt war an diesem Morgen voller Wasser, es musste bereits seit Stunden heftig geregnet haben. Und das tat es noch immer. Die Pfützen im Garten waren längst zu kleinen Teichen geworden, zu Wasserlandschaften mit Gras-Inselchen hier und dort. Aber auch das Wetter vermochte Dupins überraschend gute Laune nicht zu beeinträchtigen. Ebenso wenig der Gedanke an das Seminar und die getroffene Entscheidung, sich aus den Ermittlungen rauszuhalten. Traurig war nur, dass er, ein Nachteil des festen Schlafs, Claires Anruf verpasst hatte. Was ihm, aus verschiedenen Gründen, bereits ein paarmal passiert war, seit Claire Anfang der vergangenen Woche zu ihrer zweiwöchigen kardiologischen Fortbildung nach Boston aufgebrochen war. Jetzt war sie es, die tief und fest schlief, der Zeitraum, in dem sie miteinander sprechen konnten, war klein. Claire hatte eine Nachricht hinterlassen, laute Musik und heitere Stimmen waren zu hören gewesen. Sie war mit Kollegen – Dupin hatte vor allem Männernamen verstanden –

in einer Bar gewesen. Er hatte ihr an den ersten Tagen ein paar Nachrichten geschrieben, aber sie hatte nur einmal geantwortet. Claire mochte keine SMS.

Dupin war um Punkt sieben aufgestanden und hatte im gemütlichen Frühstücksraum einen großen *café au lait* getrunken. Dazu hatte er ein großzügiges Stück des selbst gebackenen Frühstückskuchens gegessen, heute in einer Variation mit Beeren. Um dann auf dem Weg zur Polizeischule spontan am *Café du Théâtre* anzuhalten – direkt vor der Tür war ein Parkplatz frei gewesen, ein eindeutiges Zeichen. Er hatte an der Bar rasch einen *petit café* getrunken, der Fernseher lief, selbstverständlich wurde, wie überall, immer noch von dem gestrigen Drama berichtet.

Mit nur minimaler Verspätung war Dupin in der *École de Police* angekommen.

Die Aufgabe des Morgens war, aus der beeindruckenden Fülle aller gestern ausführlich diskutierten »spannenden Punkte« – wie Zuständigkeitskonflikte, Personalmangel, Geldmittelverteilung – die pro Themenkreis wichtigsten zu bestimmen. Ihnen würde man sich dann für den Rest des Seminars intensiv widmen.

»Frisch ans Werk!«, spornte Locmariaquer die kleine Runde an, nachdem der Coach das Programm für den Vormittag erläutert hatte.

Das Seminar ging bereits zwei Stunden, es war kurz nach zehn. Der Regen platzte immer noch vom Himmel herunter. Der Raum war hoffnungslos überhitzt, die Luft muffig.

Dupins gute Laune war aufgebraucht. Gerade hatte der Coach – eine der regelmäßig zwischengeschalteten »Learning Interventions« – den systematischen Unterschied zwischen Effizienz und Effektivität ausgeführt. Eine eifrige Diskussion war im Gange.

»Man kann extrem effizient sein, aber dennoch extrem ineffektiv. Schauen Sie sich doch mal die Welt an!«, merkte die Präfektin aus dem Morbihan treffend an. Genauso war es, fand Dupin.

»Ich würde es umgekehrt sagen«, führte Locmariquer engagiert aus, »ohne Effizienz keine Effektivität.«

»Sehen Sie, lieber Kollege«, setzte die Präfektin in mittlerweile einigermaßen scharfem Ton zur Gegenrede an, »man ...«

Jemand riss die Tür des Seminarraums auf.

Ein kantiges »Guten Morgen« war zu hören, die gastgebende Präfektin stürmte mit düsterer Miene herein, Kommissarin Louane Huppert einen Schritt hinter ihr.

»Wie schön, Sie zu sehen, Mesdames«, begann Locmariaquer, »es ist ...«

»Es gibt einen weiteren Toten«, schnitt sie ihm das Wort ab, »eindeutig Mord.«

Einen Moment lang war es vollkommen still. Alle hatten in ihren Bewegungen innegehalten. Wie eingefroren.

»Das kann doch nicht wahr sein!« Locmariaquer durchbrach als Erster die Stille.

Die Präfektin und die Kommissarin machten keinerlei Anstalten, sich zu setzen.

»Das überrascht mich nicht«, murmelte Commissaire Nedellec halblaut, »die Geschichte ist noch nicht vorbei, im Gegenteil.«

»Allerhand«, die Stirn der stämmigen Präfektin der Côtes-d'Armor lag in tiefen Falten, »das wächst sich ja wirklich aus.«

»Fürchterlich.« Auch im Gesicht ihrer rothaarigen Kollegin aus dem Morbihan spiegelte sich tiefe Betroffenheit.

»Wer ist es?«, wollte Dupin wissen.

»Kilian Morel, der Ehemann von Blanche Trouin«, antwortete Kommissarin Huppert.

»Wo ist es passiert?«, fragte Kommissar Nedellec.

»Nicht weit von dem gemeinsamen Haus des Ehepaares. Bei La Moinerie. Das Restaurant von Blanche Trouin liegt ja in Dinard, das ist nicht weit. – Morel hat sich im Restaurant seiner Frau um Personal und Buchhaltung gekümmert. Ein Spaziergänger hat ihn gefunden.«

»Sein Bruder«, Dupin dachte laut nach, er wusste selbst nicht, wie er auf den Punkt kam, »ist doch ein Freund und Vertrauter von Blanche Trouin, oder?« Es war nicht leicht, den Überblick zu behalten.

Kommissarin Huppert beließ es bei einem »Exakt«.

»Das heißt«, die Gesichtszüge der gastgebenden Präfektin hatten sich noch weiter verfinstert, »dass es einen zweiten Täter gibt. – Jemanden, der gezielt gemordet hat.« Sie atmete tief ein und aus. »Ich würde mich gerne ein paar Minuten mit meinen Kolleginnen und Kollegen Präfekten besprechen. Wenn die Kommissare so freundlich wären, uns diese Gelegenheit zu geben.«

Fragende Blicke lagen auf der Präfektin.

»Wir brauchen nicht lange.« Eine abermalige Aufforderung.

Nedellec und Dupin erhoben sich. Zusammen mit Commissaire Huppert verließen sie den Raum.

»Was soll das?«, wandte Nedellec sich an die Kommissarin, sobald er die Tür hinter sich geschlossen hatte. Sie standen in einem langen Gang, weiße Wände, Holzboden, es roch nach Bohnerwachs.

»Ich muss telefonieren.« Huppert sprach ausgesprochen freundlich, aber nicht minder bestimmt.

»Kommen Sie, erzählen Sie uns, worum es geht«, beharrte Nedellec.

»Sie erfahren es früh genug.«

Mit diesen Worten drehte sich die Kommissarin um und lief den Gang entlang zur Treppe.

»Vielleicht«, sagte Dupin hoffnungsfroh, »brechen sie das Seminar ab.«

Ganz ausgeschlossen war es nicht, der Fall wuchs ihnen über den Kopf.

Nedellec zog die Augenbrauen hoch.

»Entschuldigen Sie mich, Dupin, ich muss ebenfalls kurz einen Anruf tätigen.« Ehe Dupin etwas sagen konnte, war auch Nedellec verschwunden.

Dupin stellte sich ans Fenster. Der Regenspuk hatte sich verflüchtigt, es musste in den letzten Minuten passiert sein, plötzlich war keine einzige Wolke mehr zu sehen. Die Sonne strahlte wie selbstverständlich, als wäre es nie anders gewesen. Sie schien auf eine durch und durch nasse Welt, die gleißenden Reflexionen im nassen Innenhof blendeten heftig.

Jetzt war auch Blanche Trouins Ehemann tot. Es war grausamer Wahnsinn. Gestern noch mochten sie heiter zusammen gefrühstückt haben, nun waren sie beide tot.

Dieser Fall besaß schon jetzt enorme Ausmaße, er würde die gesamte Bretagne beschäftigen, so viel war klar.

»Wir haben unsere Unterredung beendet.« Die gastgebende Präfektin stand im Flur und blickte abwechselnd in beide Richtungen. Aus der einen näherte sich Kommissar Nedellec, aus der anderen Dupin. Hinter Nedellec folgte Kommissarin Huppert.

»Wir haben uns beratschlagt«, hob die Präfektin an, nachdem sie alle wieder den Seminarraum betreten hatten. Kommissarin Huppert blickte ausdruckslos an die Decke, auf Locmariaquers Gesicht lag eine Art zufriedenes Grinsen, es sah befremdlich aus. »Commissaire Dupin, Commissaire

Nedellec«, es würde dem Ton nach eine klare Instruktion folgen, »Sie werden in diesem dramatischen Fall ab sofort zusammen mit Commissaire Huppert ermitteln. Fortan bilden Sie drei ein Team. Sie berichten an uns vier«, ein strenger Gesichtsausdruck. »Wie könnte es uns besser gelingen, die Kooperation zwischen den Départements zu stärken, als durch eine echte gemeinsame Ermittlung. Zumal in einem derart komplizierten Fall.«

»Was?« Dupin hatte mit vielem gerechnet – aber nicht damit.

»Ich begrüße das sehr.« Nedellec äußerte umgehend seine tiefe Zufriedenheit.

Der Rat der Präfekten nickte pathetisch. Natürlich musste auch Locmariaquer noch seinen Senf dazu geben:

»Ein noch nie da gewesenes Ereignis! Historisch!«

Dupins Gefühle waren, vorsichtig formuliert, äußerst zwiegespalten. Natürlich war es besser als das Seminar. Und natürlich entsprach es seinem Bedürfnis, unbedingt selbst ermitteln zu wollen. Aber die Vorstellung einer »Teamermittlung« mit drei Kommissaren und vier Präfekten ging ihm ganz und gar gegen den Strich. Es hatte lange gedauert, bis Dupin, vom Naturell her ein ausgeprägter Einzelgänger, in der Lage gewesen war, mit Nolwenn, Kadeg und Riwal zusammenzuarbeiten. Wie sollte das jetzt aus dem Stand heraus gehen? Mit völlig neuen Kollegen? Und dann noch auf Befehl?

»Unter Ihnen dreien wird es keine offizielle Leitung geben, wir haben in Absprache mit Kommissarin Huppert, die dem Ganzen übrigens ausdrücklich zugestimmt hat«, alle Blicke schwenkten von der Präfektin zur Kommissarin, auf deren Gesicht man nichts, aber auch gar nichts lesen konnte, »entschieden, es ganz Ihnen zu überlassen, wie Sie sich organisieren.«

Immerhin. Das klang schon ein bisschen besser. Nach etwas mehr individueller Freiheit zumindest.

»Bei den Abendessen werden Sie uns jeweils gemeinsam Bericht erstatten, uns auf den neuesten Stand bringen«, vervollständigte die Präfektin. »Wir vier haben beschlossen, das Seminar vorläufig fortzusetzen, mit einem etwas veränderten Schwerpunkt. Wir werden uns um ein paar der entscheidenden administrativen Fallstricke kümmern, die eine gesamtbretonische polizeiliche Zusammenarbeit im Alltag erschweren. Formale Dinge.«

»Ich denke, wir werden auch hier zu historischen Ergebnissen kommen.« Locmariaquer lehnte sich zurück und strahlte über das ganze – wie üblich gerötete – Gesicht.

»Sie machen mir einen äußerst unglücklichen Eindruck, Commissaire Dupin.« Die gastgebende Präfektin hatte ihn direkt angesprochen. »Missbehagt Ihnen unsere Entscheidung?«

Locmariaquer brummte mit bedrohlichem Timbre, ehe Dupin etwas erwidern konnte:

»Ich bin mir sicher, dass auch das Finistère aufrichtig begeistert ist von unserer Entscheidung.«

Dupin rang sich zu einem gequälten »Unbedingt« durch.

»Na gut, dann ist ja alles besprochen. – Lösen Sie den Fall! Zeigen Sie uns den außergewöhnlichen bretonischen Teamgeist!«

Wieder musste Locmariaquer das letzte Wort haben: »Die gesamte Bretagne blickt auf Sie. Seien Sie sich dessen gewahr. – Es ist ein Segen und ein Fluch. Und enttäuschen Sie uns nicht.«

Er war ein Meister der subtilen Motivation.

»Auf geht's«, Kommissarin Huppert setzte sich energisch in Bewegung, »ich bringe Sie während der Fahrt zum Tatort auf den aktuellen Stand.«

Noch bevor sie die Tür erreicht hatte, stellte sie klar: »Wir nehmen meinen Wagen.«

Nedellec und Dupin folgten ihr.

Es fühlte sich ganz und gar unwirklich an. Eben noch hatte er in einem muffigen Seminarraum gesessen, jetzt stand Dupin auf einem atemberaubenden Strand und sah hinaus aufs Meer.

Blendend weißer feiner Sand, Dünen, die das Land dahinter abschirmten, bewachsen mit dichtem Gras. Der Himmel war triumphal blau – bis auf eine einzelne, selbstbewusste weiße Wolke über dem Meer, seltsam dreieckig, wie ein rätselhaftes Zeichen. Sanfter Wind umwehte die Büschel des Dünengrases zu gelb-grün-braunen Verwischungen. Unweit vom Ufer: eine wildromantische Insel, beinahe rund, steil ansteigende, schroffe Felsen, mit neongelben Flechten bewachsene Steinblöcke hier und dort. Auf einem der Felsen stand eine einsame Kapelle aus glänzendem Granit, nur ein paar Meter in Länge und Breite, dafür ungewöhnlich hoch, ein Spitzdach, aufwendig verziert. Zwischen Insel und Strand, geschützt vor dem allerschlimmsten Tosen des Meeres, lag ein Dutzend Boote an bunten Bojen. Im Osten ein steinerner Landvorsprung, von dem aus man einen wunderbaren Blick auf das nahe Sables-d'Or-les-Pins besaß.

Es war berückend. Eine vom leichthändigen Sommerlicht erdachte und gemalte Landschaft.

Die Fahrt hierher hatte beachtliche Nerven gekostet, fünfzig geschlagene Minuten waren sie unterwegs gewesen. Sie hatten, es gab keinen anderen Weg, über die Rance gemusst, über die einzige Brücke, die hinüberführte und die streng genommen keine Brücke war, sondern der Damm des berühmten Gezeitenkraftwerks. Umfangreiche Bauarbeiten am Damm hatten zu einem Stau geführt – und die in einer gemütlichen Kolonne fahrenden Wagen des Oldtimer-Klubs aus Dol-de-Bretagne, uralte Peugeots, Renaults, Citroëns. Sympathische ältere Leute. Echte Passionierte, keine reichen Snobs. Unübersehbare Aufkleber auf einigen Wagen erklärten ihr Zusammenkommen: *Journées Nationales des Véhicules d'Époque.* Die nationalen Oldtimer-Tage. Am letzten Wagen hing eine Fahne mit der Maxime: »Reisen statt rasen«, und darunter: »Auf das Tempo kommt es nicht an«. Dupin spürte, wie sein Blutdruck anstieg. Dennoch konnten die Kommissare nur eines tun: sich gedulden. Kommissarin Huppert legte Nedellec und Dupin während der Fahrt den bisherigen Stand der Ermittlungen dar. Nedellec und auch Dupin – er war sich lächerlich vorgekommen, aber es gab keine andere Möglichkeit – hatten sich eifrig Notizen gemacht. Fünf eng beschriebene Seiten waren es geworden.

Dupin atmete ein paarmal tief ein und aus. Der Strand, das Meer, die Dünen, der Himmel, die Farben – die Landschaft war überwältigend. Zudem hatte sich seit gestern der Sommer eingefunden, daran konnte auch der nächtliche Platzregen nichts mehr ändern. Jedes Jahr konnte man die Tage seiner Ankunft genau bestimmen. Der Sommer am Meer erzeugte in Dupin ein beinahe euphorisches Gefühl, das Gefühl von großer Freiheit.

Dupin besann sich.

Die Leiche lag ungefähr zwanzig Meter entfernt. Ein gelbes Zelt mit zwei offenen Seiten war über sie gespannt, Nedellec stand daneben – ebenso die drei Gendarmen aus Sables-d'Or-les-Pins, die bereits wenige Minuten nach dem Anruf

76

des Spaziergängers vor Ort gewesen waren – und machte sich Notizen.

Kommissarin Huppert hatte den gesamten Strandabschnitt sperren lassen. Die Spurensicherung war bereits im Einsatz, der erstaunlich unkomplizierte Gerichtsmediziner hatte eine erste Untersuchung abgeschlossen und den Eintritt des Todes auf ungefähr 8 Uhr 30 geschätzt, plus-minus eine Stunde.

Kilian Morel lag am Rande der Dünen, neben einem kleinen grünen Beiboot mit Plastikrollen am Heck, beide Arme ausgestreckt, die rechte Hand im Sand vergraben. Es sah so aus, als hätte er noch die Düne hochkriechen wollen.

Er war erstochen worden, so wie seine Frau am Tag zuvor, nur fehlte dieses Mal die Tatwaffe. Vier Stiche, einer hatte, so die Einschätzung des Gerichtsmediziners, unmittelbar das Herz getroffen. »Wahrscheinlich eine Perikardtamponade.« Das Blut hatte das beigefarbene, im Brustbereich zerfetzte Hemd tiefrot gefärbt. Vom Kragen bis zur dunkelblauen kurzen Leinenhose. Eine große Menge Blut war im Sand versickert. Ein brutaler Anblick.

Blanche Trouins Ehemann hatte ein paar Pfunde zu viel, aber er war nicht dick, eine durchschnittliche Körpergröße, längere, volle dunkelblonde Haare, ein eher fülliges Gesicht. Ein wenig jungenhaft trotz seiner siebenundvierzig Jahre.

Ihm und seiner Frau gehörte eines der Segelboote, die während des Sommers im Schutz der kleinen Insel lagen. Luftlinie seien es keine zweihundert Meter bis zu ihrem Haus, hatten die Gendarmen gesagt. Er hatte vermutlich zu seinem Boot gewollt. Gestern Nacht hatte ihn sein Bruder Joe angerufen und ihm vorgeschlagen, vorbeizukommen und ihm Gesellschaft zu leisten. Huppert wusste es von Joe Morel selbst, mit dem sie eben auf der Fahrt telefoniert hatte, um ihm die schreckliche Nachricht zu überbringen. Kilian Morel hatte das Angebot seines Bruders abgelehnt und gesagt, dass er allein sein wolle, dass er sich aber in den nächsten Tagen über Besuch freuen würde. Joe Morel, der Huppert zunächst zutiefst erschüttert, dann aber einigermaßen gefasst erschienen war, hatte sich gut vorstellen können, dass sein Bruder nach der Tragödie mit seiner Frau genau das getan hätte: mit dem Segelboot rausfahren und die einsame Weite suchen.

Im Sand nahe der Leiche hatte man lediglich ganz undefinierte Fußspuren feststellen können, unförmige Mulden, die eventuell vom Täter stammen könnten. Oder vom Opfer. Ein Strand lieferte selten brauchbare Spuren. Ein Handy hatte man bei der Leiche nicht gefunden.

»Und?« Louane Huppert stand plötzlich schräg hinter Dupin. Sie war wie aus dem Nichts aufgetaucht. »Was denken Sie?«

»Entweder«, improvisierte Dupin, »wusste der Mörder, dass Morels Boot hier lag. Oder er ist seinem Opfer von dessen Haus aus gefolgt. Auf jeden Fall wusste er, wo Kilian Morel und Blanche Trouin wohnen.«

»Das trifft auf alle Personen zu, die wir zurzeit im Blick haben.« Huppert stellte sich direkt vor Dupin. Ihr Zopf fiel ihr nach vorne über die Schulter. »Ich meinte es grundsätzlich: Haben Sie schon irgendeine Idee zum Fall? Sie haben während der Fahrt fast nichts gesagt.«

»Aber emsig mitgeschrieben.« Nedellec war zu den beiden gestoßen, er schien nichts verpassen zu wollen.

»Nein. Keine Idee.«

»Hängen Sie«, fragte Huppert in ihrem typisch prosaischen Ton, »noch der Sache mit dem Souschef nach? Lucille Trouin müsste davon erfahren haben, damit die Sache brisant würde. – Und selbst dann müsste nicht unbedingt mehr dahinterstecken.«

Genauso war es.

»Übrigens hat mir der Souschef nicht von sich aus davon erzählt, als ich mit ihm heute Nachmittag gesprochen habe. Ich habe ihn nach Ihrem Hinweis noch einmal angerufen. Da ging er dann aber sehr offen und souverän mit dem Thema um.«

»Eigentlich«, brummte Dupin, »hätte er den Punkt von selbst ansprechen müssen.«

»Blanche Trouin hat sich vor einem Monat das erste Mal bei Colomb Clément gemeldet. Sie hat sich dann spätabends mit ihm in einer Bar getroffen. Außerhalb Dinards. Clément hatte sich Zeit zum Nachdenken erbeten. Er hat Blanche Trouin letzten Donnerstag angerufen, um ihr zuzusagen. Sie hat ihm umgehend einen Vertrag zukommen lassen, er hat ihn bereits unterschrieben. Blanche Trouin wollte es ihrer jüngeren Schwester selbst sagen, behauptet Clément, was ihm wohl sehr recht war, er hatte Angst vor dem Gespräch. Lucille Trouin, ich zitiere, könne ›sehr aufbrausend‹ werden. – Ob Blanche Trouin das bis gestern Mittag schon getan hatte, wissen wir nicht. Das könnte uns bloß ihre Schwester selbst erzählen. Ich habe sie ausdrücklich danach gefragt. Vergeblich, wie Sie wissen.«

»Gibt es bei Blanche Trouins Verbindungsnachweisen irgendwelche Auffälligkeiten?«, wechselte Nedellec das Thema.

Dupin hatte die Frage schon im Wagen stellen wollen.

»Schwer zu sagen im Moment. Keine Telefonate mit ihrer Schwester, einige mit ihrem Freund Walig Richard, dem Antiquitätenhändler, vor allem in den letzten zwei Wochen – in denen es aber um nichts Besonderes ging, wie Monsieur Richard gestern sagte. – Einige mit ihrem Mann, aber keines gestern. Eines letzte Woche mit Joe Morel«, Huppert schien über ein außergewöhnliches Gedächtnis zu verfügen, »zwei Telefonate mit der Haushälterin ihrer Tante, da ging es um Besuche, sagte die Haushälterin. Vier Telefonate mit dem Souschef«, sie blickte zu Dupin, »die zeitlich zu dem Vorgang der Abwerbung passen, wie er sich uns im Augenblick darstellt, Clément hat sie alle bestätigt. – Natürlich dutzend andere Telefonate mit Lieferanten, Händlern und so weiter, sie war viel beschäftigt.«

Dupin hatte sich alles notiert. Nichts davon wirkte auf den ersten Blick ungewöhnlich.

»Der Antrag auf Herausgabe der Verbindungsnachweise ihres Mannes ist ebenfalls gestellt.«

»Wir brauchen die Alibis aller Personen, die wir auf der Liste haben«, kam Nedellec auf den nächsten elementaren Punkt zu sprechen. »Wo haben sie sich am heutigen Morgen zur fraglichen Zeit aufgehalten?«

»Ich habe bereits auf jede Person einen Kollegen angesetzt.«

Das klang gut.

»Und wir werden mit jedem auch noch einmal persönlich sprechen«, Dupins eisernes Prinzip.

Er merkte, dass er immer noch unsicher war, wie das mit der Ermittlung als Team laufen würde. Die schlimmste Vorstellung war für ihn, alles immer zusammen zu tun. Eigentlich wären grundsätzliche Fragen zur Vorgehensweise zu klären. Das Dumme war nur: Wenn er ausdrücklich fragte, würde er auch eine ausdrückliche Antwort bekommen und mögliche Spielräume verlieren, die es gab, solange alles im Vagen verblieb.

»Wir sollten nur vermeiden, dass die Leute mit drei Kommissaren gleichzeitig sprechen müssen.«

Er war froh, dass Huppert es selbst formuliert hatte.

»Wir werden sehen, wie wir es machen.«

Es blieb vage, Dupin war zufrieden.

Huppert marschierte los.

»Ich denke, wir sollten uns jetzt das Haus des Ehepaars ansehen. Zwei Polizisten aus Sables-d'Or-les-Pins warten dort bereits auf uns.«

Sie stapfte durch den schweren Sand. Die beiden Kommissare hinterher.

»Diese Rezeptsammlung des Vaters, von der Sie eben im Auto sprachen«, wollte Nedellec von der Kommissarin wissen, »vermuten Sie sie in Blanche Trouins Haus?«

»Ich weiß es nicht. Vielleicht. Warum?«

»Nur so.«

»In Blanche Trouins Restaurant in Dinard war sie jedenfalls nicht, die Spurensicherung hat es sich bereits genau angesehen. Ich habe ihren Mann gestern nach den Rezepten gefragt, er sprach von einer Kladde, die Blanche Trouin in einem hellblauen Karton aufbewahrte. Er wusste aber nicht, wo sie sein könnte.«

Von diesen Details hatte Huppert auf der Fahrt eben noch nichts berichtet.

»Hat Kilian Morel noch etwas zu dieser Sache gesagt?«

Dupin fragte nur sicherheitshalber.

»Er hat bloß bestätigt, dass seine Frau oft von den Rezepten gesprochen und sie als Inspirationsquelle gesehen hat. Er schätzte die Anzahl auf etwa achtzig bis hundert.«

»Wissen wir«, Nedellec bevorzugte auf einmal das feierliche »wir«, »schon über sämtliche geschäftliche Aktivitäten der beiden Schwestern und ihrer Männer Bescheid? Über die Restaurants hinaus, meine ich?«

»Ich denke schon. Wir haben eine Liste erstellen lassen. Die können Sie jederzeit haben.«

»Ich würde gerne den beiden Freunden von Blanche Trouin einen Besuch abstatten.« Nedellec hatte offenbar schon einen Plan. »Zuerst Joe Morel. Er könnte eine entscheidende Rolle spielen. Als Vertrauter von Blanche und Bruder des Ermordeten. – Anschließend diesem Antiquitätenhändler, Walig Richard. Als enge Freunde müssten sie doch etwas über aktuelle Differenzen der Schwestern wissen.«

Sie hatten den Strand verlassen und folgten einem sandigen Weg durch die hohen Dünen, es musste aus der Ferne aussehen wie ein fröhlicher Sommerspaziergang. Ein Stück hinter ihnen folgten die Beamten der Spurensicherung.

»Joe Morel und Richard wissen nichts, behaupten sie. – Wie gesagt, ich habe gestern mit beiden gesprochen.«

»Sie haben telefoniert«, präzisierte Nedellec die Mitteilung der Kommissarin. »Gesehen haben Sie gestern nur Blanche Trouins Mann und Lucille Trouins Lebensgefährten. Und Lucille Trouin selbst.«

»Diesen Aspekt des Falls«, sagte Huppert gelassen, »haben Sie ja offenbar schon aufgeklärt, werter Kollege. Mit wem ich telefoniert und wen ich persönlich gesehen habe.«

»Und die Tante«, kam es Dupin plötzlich in den Sinn. »Haben Sie mit ihr telefoniert oder sie besucht?«

»Ich war bei ihr.« Dupins Nachfrage schien die Kommissarin ebenso wenig zu irritieren. »Ihre Nichte ist ermordet worden. – Es war ein kurzer Besuch. Die Tante ist dement. Ich bin mir unsicher, ob sie die Bedeutung der Nachricht wirklich verstanden hat.«

Huppert blieb abrupt stehen, Nedellec und Dupin taten es ihr gleich.

»Da ist es. Das Haus der beiden Opfer.«

Sie blickten auf einen modernen Bungalow, aus hellem Granit, der sich aber durch die natürliche Farbe des Steins und die flache Architektur erstaunlich harmonisch in die Natur einfügte. Einige zerzauste Meereskiefern standen großzügig verteilt um das Haus herum, dazwischen befanden sich Rasenflächen. Ganz am Ende des Grundstücks, das mit Bambuszäunen eingefasst war, lag ein Gemüsegarten. Weit und breit war kein anderes Haus zu sehen, nur Bäume und brachliegende Felder.

Das Auffälligste am Haus war sein Grundriss, er entsprach einem lang gezogenen Rechteck, an das links und rechts, je ein wenig in den Garten versetzt, Quadrate angefügt waren.

Zwei Polizisten standen vor der hellgrauen Eingangstür.

Der ein paar Meter steil abfallende Weg, über den sie kamen, gabelte sich, ein Pfad lief parallel an den Dünen entlang, der andere direkt auf das Haus zu. Von Westen führte eine schmale, unbefestigte Straße zum Haus. Vor dem Bambuszaun befand sich ein Parkplatz, gerade groß genug für einen einzigen Wagen, einen dunkelgrauen Citroën DS 5.

»Ich würde«, setzte Dupin an, »dann später mit dem Lebensgefährten von Lucille …«

Sein Handy unterbrach ihn.

Nolwenn. Ein ganz und gar ungünstiger Zeitpunkt.

»Bin gleich wieder da«, Dupin machte kehrt und lief den Dünenweg zurück.

»Ja?«

»Die allmächtigen Götter haben entschieden, sie wollen es nicht anders. Dann soll es so sein. Kein spektakulärer Fall ohne Sie, das ist offenbar Ihr Schicksal.« Ihr Tonfall war kämpferisch, Nolwenn war wieder ganz sie selbst: »Das Commissariat de Police Concarneau steht zur Verfügung, Monsieur le Commissaire! Alle vereint, wann immer Sie uns brauchen. Saint-Malo hin oder her.«

»Ausgezeichnet.«

Die Mitarbeiter der Spurensicherung kamen Dupin entgegen.

»Im Internet ist bereits vom bretonischen ›Dream-Team‹ die Rede, von den ›furiosen Drei‹. Dem ›Brit-Team‹.«

Es klang, als hätte Locmariaquer mit der Presse gesprochen.

»Wir wurden angehalten, als Team zu arbeiten.«

»Sie werden es überleben. – Denken Sie an das Finistère! Wir stehen für das Finistère!«

Es war ein bisschen unheimlich, für einen Moment hatte Nolwenn wie der Präfekt geklungen.

»Und wie gesagt: Wir sind da, wenn Sie uns brauchen, Monsieur le Commissaire.«

»Danke, Nolwenn.« Es kam aus tiefstem Herzen.

»Bis später.«

Schon hatte sie aufgelegt.

Ein Lächeln huschte über Dupins Gesicht. Dann beeilte er sich, zu den beiden anderen Kommissaren aufzuschließen. Es ging um das Finistère. Ihr Heimat-Département! Der Wettstreit der bretonischen Stämme hatte begonnen.

Die beiden Polizisten nickten höflich, als die kleine Gruppe sie erreichte.

»Ich schaue mich draußen etwas um«, sagte Nedellec und lief schnurstracks um das Haus herum. Huppert trat kommentarlos zur Haustür. Sie war unverschlossen, so war es oft auf dem bretonischen Land. Behutsam trat die Kommissarin ein – um im nächsten Moment unvermittelt stehen zu bleiben. Dupin wäre beinahe in sie hineingelaufen.

»Sieh einer an«, kam es Huppert trocken über die Lippen.

Es herrschte ein fürchterliches Chaos. In der offenen Küche waren die Schränke aufgerissen, Schubladen waren herausgezogen, Fächer geleert, die Inhalte lagen wild durcheinander auf dem Parkettboden. Im riesigen Wohnraum, in den die Küche überging, sah es nicht besser aus. Die Kissen der zwei Sofas in edlen, pastelligen Blautönen waren über den Boden verteilt, ebenso wie alles, was sich auf dem langen, jetzt leer gefegten Esstisch aus hellem Naturholz befunden haben musste. Eine der Stehlampen war umgekippt.

»Hier hat jemand ordentlich gewütet.« Die Kommissarin schritt auf die Mitte des Raums zu.

»Huppert! Dupin! Hierher! Kommen Sie!«

Nedellecs Aufforderung hallte durch das ganze Haus. Seine Stimme kam eindeutig aus dem Innern des Hauses, obwohl er sich doch eben noch draußen befunden hatte.

Rechts war eine angelehnte Tür zu sehen.

»Das müssen Sie sich anschauen!« Seine Stimme kam von dort. »Es war jemand im Haus! Hier wurde rücksichtslos nach etwas gesucht.«

Kommissarin Huppert machte keine Anstalten, Nedellecs Aufforderung zu folgen. Sie ging nach links, wo sich am Ende der Küchenzeile eine weitere Tür befand, die zu dem linken quadratischen Anbau führte.

Dupin hatte sich, wenn auch ein wenig widerwillig, zur rechten Tür begeben und trat ein. Das Schlafzimmer. Von hier ging es durch eine Schiebetür auf eine kleine Holzterrasse. Durch sie musste Nedellec ins Haus gekommen sein. Vom Schlafzimmer aus gelangte man außerdem, exakt wie auf der anderen Seite, in den zweiten Anbau.

»Sehen Sie!« Nedellec deutete auf den geöffneten Wandschrank. Der Kommissar stand inmitten von Bergen herausgerissener Kleidung. Auch die beiden eleganten Holznachttischchen standen sperrangelweit auf. Ein heilloses Durcheinander.

»Im Wohnzimmer das Gleiche«, teilte Dupin ihm mit.

»Wer immer es war, er scheint vollkommen willkürlich vorgegangen zu sein, er hatte keinen Anhaltspunkt, wo er suchen sollte.«

Nedellec ging auf die Tür zum Anbau zu. Dupin folgte ihm. Das Schlafzimmer würden sie der Spurensicherung überlassen.

»Nicht schlecht.«

Nedellec war in der Tür stehen geblieben. Es war eine einzige riesige Küche. Eine Hightech-Küche. Edelstahl, hellgrauer Steinboden. Ein kolossaler Gasherd, professionelle Dunstabzugshauben, ein überdimensionales Spülbecken, zwei Spülmaschinen, matte Edelstahlschränke, zwei offene Regale, bis zur Decke gefüllt mit Dutzenden kleinen Glasbehältern, diverse Küchengeräte und -utensilien auf Edelstahlarbeitsplatten. Darüber hingen Pfannenheber, Löffel, Kellen. Neben der Tür ein hoher Kühlschrank.

Wer auch immer das Haus durchsucht hat, war auch hier zugange gewesen, allerdings schien das Chaos etwas weniger ausgeprägt. Die Schränke standen offen, die meisten voller Lebensmittel, auch der Kühlschrank war geöffnet. Aber nur wenig war herausgenommen worden.

»Und, meine Herren?« Kommissarin Huppert trat ein. »Ah, das Küchenlabor von Blanche Trouin.« Sie blickte sich beeindruckt um. »Hier war sie also kreativ. – In dem anderen Anbau befindet sich übrigens das Büro ihres Mannes. Auch dort wurde alles durchsucht.«

Nedellec sah in den Kühlschrank. »Der Täter hat also etwas gesucht, was sich bei beiden hätte befinden können. Was auch immer es war.«

Huppert stellte sich vor einen der Schränke. »Ich habe die

Spurensicherung gebeten, nach der Rezeptsammlung Ausschau zu halten.«

Dupin stand vor Regalen mit kleinen Gläsern. Es waren Gewürze. Diverse Gewürze mit den schönsten poetischen Namen. *Garam Masala, Drachenfeuer-Curry, Harissa, Blanches Provence, Curry Corsaire.* Gewürze aus aller Welt und offenbar auch Eigenkreationen. »Le monde des épices« war auf hübsch gestalteten Etiketten zu lesen.

»Wenn die Rezepte denn überhaupt hier im Haus sind«, murmelte Nedellec.

»Falls sie überhaupt von Bedeutung für unseren Fall sind«, ergänzte Huppert. Sie runzelte die Stirn und ging auf einen weiteren Schrank zu. »Sieht das alles nicht ein wenig zu sehr durchwühlt aus? Vielleicht will uns jemand täuschen? Auf eine falsche Fährte locken?«

»Oder jemand hatte nicht viel Zeit, wollte aber trotzdem auf Teufel komm raus finden, was er suchte«, entgegnete Nedellec.

Beides war denkbar.

»Ich sehe mir einmal Kilian Morels Büro an.« Dupin ging zurück durch Schlafzimmer und Wohnzimmer.

Morels Büro schien auch eine Art Lager zu sein. Entlang einer ganzen Wand waren Industrieregale bis zur Decke eingepasst worden. Dupin sah verschiedenste *Blé-noir*-Produkte, es erinnerte ihn an das auf Buchweizen spezialisierte Geschäft in der Rue de l'Orme. Das Regal daneben war voller Wein, das nächste voller Rum. Dupin warf einen Blick auf die Etiketten: *Opthimus, Diplomatico, Elements Eight.* Auch der göttliche Rum aus dem *Bistrot de Solidor* war dabei: *J. M.*

»Tja, Saint-Malo und der Rum.«

Wie aus dem Nichts war Kommissarin Huppert hinter ihm

aufgetaucht. Ihr Gesicht war ernst, ihre Tonlage sachlich wie immer.

»Ich habe übrigens eben mit einem Mitarbeiter von Blanche Trouins Restaurant telefoniert. Kilian Morel war offenbar im Begriff, einen Onlineshop für Rum und andere Spezialitäten aus Saint-Malo aufzubauen, wo auch die Gewürzmischungen von Blanche verkauft werden sollten. – Die Weine sind anscheinend fürs Restaurant bestimmt.«

»Das heißt, er konkurriert mit Charles Braz, dem Lebensgefährten von Lucille Trouin.«

»Rum ist eine große Sache hier in der Gegend, viele handeln damit. Er wird es nicht speziell auf seinen Schwager abgesehen haben. – Aber wer weiß«, Huppert hielt kurz inne, »vielleicht spielt es doch eine Rolle. Vielleicht hat die Rivalität auch die Männer ergriffen.«

Nedellec trat ein. »Wir sollten uns besprechen, wie wir weiter vorgehen. Ich werde als Nächstes …«

»Weiß Lucille Trouin eigentlich schon vom Mord an ihrem Schwager?« Es war Dupin gerade erst eingefallen, sie hatten seltsamerweise noch nicht darüber gesprochen; was auch für einige andere Themen und Routinen galt, eine Folge des ungeordneten Beginns der Ermittlungen.

»Ich bin umgehend zu ihr gefahren, als ich die Nachricht bekam. Ihr Anwalt war wie immer dabei. Sie hat erneut kein Wort gesagt. Sie bleibt bei ihrem Schweigen. – Die Untersuchungshaft wird übrigens auf mein Ersuchen vorerst im Kommissariat hier in Saint-Malo vollzogen und nicht wie üblich in Rennes. So können wir Lucille Trouin jederzeit befragen. Auch wenn es hier etwas provisorisch ist.«

Es war eine absurde Vorstellung, die die Ermittlung wie ein kontinuierlicher dunkler Bass im Hintergrund begleitete: Lucille Trouin saß in Polizeigewahrsam, als sichere Mörderin ihrer Schwester. Sie kannte den Grund, warum sie ihre Schwester getötet hatte. Und wusste eventuell auch, warum ihr Schwager ermordet worden war. Wahrscheinlich sogar. Und wer es getan hatte. Der Fall könnte schon gelöst sein. Aber sie schwieg beharrlich. Es war anzunehmen, dass beiden Taten ein und dasselbe Motiv zugrunde lag – zumindest dass es irgendeinen Zusammenhang gab.

»Also«, Nedellec wurde unruhig, »wie wollen wir verfahren? Ich werde jetzt Morels Bruder und dann dem Antiquitätenhändler einen Besuch abstatten. – Ich schlage vor, wir teilen uns auf.«

Der Kommissar sprach Dupin aus der Seele.

»Was mit der zwingenden Konsequenz einhergehen muss«, Kommissarin Huppert hob die Stimme, »dass wir uns genau absprechen. Jeder muss wissen, wen der andere wann trifft und was dabei herauskommt.«

Dupin bezweifelte stark, dass das möglich war.

»So machen wir es, wir informieren einander zügig, sobald es etwas Neues gibt«, bekräftigte er dennoch rasch.

»Und wir treffen uns regelmäßig«, stellte Huppert klar. »Das gesamte Dream-Team«, sie verzog keine Miene, dafür grinste Nedellec. »Ansonsten SMS und wenn notwendig Anrufe, auch als Schaltung zu dritt.«

Dupin nickte. Das ging alles in die richtige Richtung, so langsam konnte er sich die Gemeinschaftsermittlung vorstellen.

»Alle halten sich an die Regeln, vor, sagen wir, ›ungewöhnlichen‹ Aktionen sprechen wir uns ab«, Dupin glaubte, bei Huppert einen Blick speziell in seine Richtung bemerkt zu haben, »und damit meine ich alles, was über reguläre Ermittlungsgespräche hinausgeht. – Wen werden Sie als Erstes befragen, Dupin?«

Er hatte schon eine Weile darüber nachgedacht: »Lucille Trouins Lebensgefährten, Charles Braz.«

»Ich rufe Ihnen beiden einen Wagen, der Sie zum Kommissariat fährt, damit Sie Ihre Autos abholen können.«

Verdammt, Dupin hatte es ganz vergessen. Er war ja gar nicht mit seinem Wagen hergekommen.

»Ich lasse Ihnen die Liste mit den Alibis für den heutigen Morgen zukommen, sobald ich sie habe. Und bohren Sie selbst noch mal nach. – Meine Assistentin wird Ihnen außerdem die Daten aller bisher relevanten Personen zukommen lassen. – Bis später.«

Mit diesen Worten wandte sie sich ab und ließ die beiden Kommissare zurück.

»Und mit wem werden Sie sprechen, Commissaire Huppert?«, rief Nedellec ihr hinterher.

Sie warf einen kurzen Blick über die Schulter.

»Erst einmal mit niemandem.«

Schon war sie aus der Tür.

Was hatte sie vor? Eines stand zumindest fest: Das Département Ille-et-Vilaine besaß einen massiven Heimvorteil.

Ein paar Minuten später lief Dupin die schmale Straße vor dem Haus entlang, das Telefon am Ohr. Die Liste, die Kommissarin Huppert versprochen hatte, war bereits in seinem Mailpostfach angekommen.

»Hallo?« Charles Braz hatte augenblicklich abgehoben.

»Monsieur Braz, hier ist Commissaire Dupin, ich leite … Ich bin einer der leitenden Kommissare der Untersuchung«, er tat sich noch ein bisschen schwer, »ich würde Sie gerne sprechen. In einer Dreiviertelstunde?«

»Sehr gerne, Monsieur. – Keine Kommissarin Huppert mehr?«, fragte Charles Braz freundlich.

»Doch, doch. Wir haben das Team nur – erweitert.«

90

»Gut. Wo wollen wir uns treffen? Ich bin zu Hause.«

Dupin sah, wie ein Polizeiwagen auf das Sträßchen bog.

»Ich komme zu Ihnen. Ich habe die Adresse.«

»Dann erwarte ich Sie.«

»Bis gleich.«

Dupin drückte die Aus-Taste, um sofort die nächste Nummer zu wählen.

»Nolwenn?«

»Monsieur le Commissaire! – Wir sprechen gerade über den Fall. Ich sitze hier mit der ganzen Mannschaft: Le Menn, Nevou und Kadeg.«

Dupin war ein wenig gerührt, wenn er daran dachte, wie sie alle beisammensaßen.

»Ich schicke Ihnen eine Liste mit allen Personen, um die es bisher geht. Ich bin an allem interessiert, was Sie finden können.«

»Wir legen sofort los.«

»Einen Moment«, Dupin tippte auf seinem Handy herum, »da habe ich sie … und schon ist sie unterwegs. – Ich werde mit allen persönlich sprechen. Als Erstes mit dem Lebensgefährten von Lucille Trouin, der …«

»Charles Braz. Von ihm habe ich schon im Internet gelesen. An meinem Bildschirm hängt bereits ein kleines Personen-Tableau, das ich gleich ergänzen werde. – Dieser Braz hat sich auf Rum spezialisiert. Vielleicht ist er ja auch an dem Käsegeschäft und dem Restaurant seiner Freundin beteiligt, das konnte ich allerdings bisher nicht herausfinden.«

Nolwenns unheimliches Tempo – es war wie bei Lucky Luke, den Dupin in seiner Kindheit glühend verehrt hatte. Lucky Luke zog den Revolver schneller als sein eigener Schatten.

»Versuchen Sie, etwas über die Geschäfte des ermordeten

Ehemanns, Kilian Morel, herauszufinden. Er baut gerade einen Onlineshop mit bretonischen Spezialitäten auf, unter anderem mit Rum.«

»Wird gemacht. – Ah, Ihre Liste ist da. – Wen sehen Sie danach? Haben Sie schon eine Reihenfolge?«

Dupin sah auf die Liste. »Flore Briard, die enge Freundin von Lucille Trouin. Dann Clément, den Souschef. Da gibt es eine Sache zu klären.«

Dupin erläuterte es mit knappen Worten.

»Verstehe. – Was ist mit der dreiundneunzigjährigen Tante, die hier vermerkt ist? Vielleicht ging es um eine Erbschaft.«

»Im Augenblick ist alles möglich.«

Dupin fiel ein, dass sie in ihrem Dreierkreis auch darüber kein Wort verloren hatten. Dabei war es ein naheliegender Punkt.

»Gut. – Dann begibt sich das Team Finistère mal an die Recherche. Nur Riwal ist gerade nicht da, er kämpft mit dem Dachs. Bis später, Monsieur le Commissaire.«

Nolwenn hatte aufgelegt.

Der Dachs! Dupin hatte ihn vollkommen vergessen. Dabei war es im Kommissariat das brandheiße Thema der letzten Wochen gewesen, mehr noch: eine veritable Realityshow mit täglich neuen Folgen. Riwals Garten, sein Heiligtum, wurde angegriffen. Insbesondere die Erdbeeren. Und das ausschließlich nachts. Zunächst hatte Riwal nicht gewusst, wer der Angreifer war, erst eine Hightech-WLAN-Kamera und eine Nachtschicht hatten Klarheit gebracht. Umgehend hatte er mit Abwehrmaßnahmen begonnen, selbstredend ohne dem Tier Schaden zufügen zu wollen. Da Dachse, so die von ihm konsultierten Experten, weder Lärm noch Licht mochten, hatte Riwal es in der »ersten Phase« genau damit versucht: mit einem Radio, das, in den Erdbeerbeeten platziert, mehrere

Nächte hindurch auf voller Lautstärke gelaufen war, dann mit einem – von einem Bewegungsmelder gesteuerten – Flutlicht. Beides hatte den Dachs kaltgelassen. Folglich waren immer schwerere, am Ende jedoch ebenso wirkungslose Geschütze aufgefahren worden, etwa eine ausgeliehene Katze, die für ein paar Tage und Nächte durch Riwals Garten hatte streifen sollen – fraglich, ob sie es tat –, oder auf dem Grundstück verteilte Menschenhaare, die Riwal von seinem Frisör bekommen hatte. Beides konnten Dachse nicht riechen, im Internet waren beide Methoden als todsicher angepriesen worden. Dupin fand, es nahm langsam seltsame Züge an.

Das Haus von Charles Braz lag ziemlich genau in der Mitte des Quai Solidor, direkt am Plage de Solidor. Die Bucht, gesäumt vom hübschen Kai, bildete einen geradezu vollkommenen Halbkreis. Bei Ebbe lag sie vollständig trocken und Dutzende Boote, träge zur Seite gekippt, schienen sich bis zur nächsten Flut auszuruhen. Entlang des Strandes verlief eine Promenade. Das eine Ende der Bilderbuchbucht markierte eine imposante Kirche, das andere ein alter Wachturm, der *Tour Solidor*.

Es herrschte eine entspannte, heitere Stimmung, die lauschige Bucht, ganz am Rande von Saint-Servan, besaß den Charme des Verborgenen. Und des echten Lebens, das hier tagein, tagaus seinem immer gleichen Rhythmus folgte. *Les gens du coin*, die Leute des Viertels, kamen hierher. Es war eine beschauliche Welt. In einem der gemütlich aussehenden Cafés könnte Dupin den ganzen Tag sitzen, sich die Sonne ins Gesicht scheinen lassen und dem bunten Treiben zusehen.

Das Haus mit der Nummer zwölf war weiß gestrichen, drei Etagen, mit Stuck-Verzierungen um die Fenster. Unten ein Ladengeschäft für Rum. Helles, gebleichtes Holz, kräftig leuchtende karibische Töne, ein Türkisblau, ein tiefes Hellblau, ein sonniges Gelb, ein frisches Grün.

Dupin war im Begriff, die Klingel zu betätigen, als sich sein Handy meldete.

Riwal. Sein erster Inspektor. Der sich doch eigentlich auf Dachsjagd befand.

»Bonjour, Chef!«

»Was gibt's?«

»Ich bin gerade zurück ins Büro gekommen, war kurz im Baumarkt, um einen Elektrozaun zu kaufen. Den Tipp habe ich von einer Spezialseite im Internet, *dachs-im-garten-was-tun.com*.«

»Verstehe.« Dupin würde kein weiteres Wort dazu sagen. »Sonst noch etwas?«

»Na, wenn das kein großartiger Fall ist, Chef.«

»Wie bitte?«

»Die Crème de la Crème.« Riwal war aufrichtig begeistert. »Sie ermitteln in den erlesensten gastronomischen Sphären. Und denken Sie an die herausragenden Restaurants, die Sie besuchen werden! – Ich gratuliere.«

Dupin war zu perplex, um zu antworten.

»Natürlich handelt es sich um eine fürchterliche Tragödie.« Riwal wurde mit einem Mal sehr ernst. »Erbitterte Rivalitäten zwischen Geschwistern können die Hölle bedeuten. Die Verletzungen mehren sich über die Jahre. Sie gehen immer tiefer, weiter, eins führt zum anderen, eine grausame, zwangsläufige Kaskade. Und dann – dann ist alles möglich.«

Es waren düstere Sätze. Aber manchmal hatte man sich genau dorthin zu wagen: in die finstersten Winkel der menschlichen Seele.

»Selbst ein Mord?«

Dupin lief in Richtung des Wachturms.

»Sagen wir so: Wenn es einmal so weit gekommen ist und der Hass sich tief im Herzen eingenistet hat, braucht es manchmal bloß noch einen Anlass, der für Außenstehende lächerlich erscheinen mag.«

Dupin wusste, was er meinte.

»Allerdings sieht die Sache nach dem Mord an Kilian Morel nun völlig anders aus«, nahm Riwal Dupins Einwand vorweg. »Wollen Sie vor Ihrem Besuch bei Charles Braz noch etwas mehr über Rum wissen, Chef? Nolwenn hat mich gerade auf den neuesten Stand gebracht.«

Dupin zögerte. Es wäre ein Fehler, Ja zu sagen. Aber es war anscheinend auch ein Fehler, nichts zu sagen.

»Seit Jahrhunderten ist Saint-Malo der Rum-Umschlagplatz Nummer eins. Der Rum kommt vor allem aus der Karibik, zu der Saint-Malo enge Beziehungen pflegt, denken Sie nur an die Französischen Antillen. Nicht umsonst führt die härteste Segelregatta der Welt, die *Route du Rhum*, von Saint-Malo nach Guadeloupe. In der anspruchsvollen Gastronomie geht es mittlerweile vornehmlich um den *Rhum agricole*, Rum aus landwirtschaftlicher Herstellung, der im Gegensatz zum industriellen Rum direkt aus frisch gepresstem Zuckerrohrsaft gewonnen wird und nicht aus Melasse, einem eingekochten und haltbar gemachten Sirup. – Das müssen Sie sich unbedingt merken. Es gibt sogar ein *AOC*-Gütesiegel, mit dem unter anderem Rum aus Martinique, Guadeloupe oder Haiti geadelt wird.«

»Danke, Riwal, ich denke, ich bin jetzt umfassend informiert.«

»Wissen Sie, was das Wort Rum bedeutet? Sehr lustig – *Tumult*. Vom englischen Wort *rumbullion*. Äußerst passend, oder?«

Ein hoher Piepton war zu hören, direkt an Dupins Ohr. Eine SMS.

»Riwal, ich muss weiter.«

»Und wir recherchieren weiter.«

Dupin hatte schon wieder kehrtgemacht und lief zurück zu Charles Braz' Haus. Rasch warf er einen Blick auf die Nachricht. Sie kam von Nedellec.

»Neuigkeiten! Joe Morel war früher einmal mit Lucille Trouin liiert. Ein Jahr lang. Endete vor neun Jahren. Sie hat ihn für Charles Braz verlassen.«

Dupin blieb unwillkürlich stehen. Diese Neuigkeit hatte es in sich.

Die jüngere Schwester war mit dem Bruder des Ehemannes der älteren Schwester zusammen gewesen. – War Joe Morel schon damals ein guter Freund, ein Vertrauter von Blanche Trouin gewesen? Und zugleich der Geliebte ihrer verhassten Schwester? Es war schwer vorstellbar. Aber – so war das Leben, es spann oft merkwürdige Fäden. Allerdings war das alles nun schon sehr lange her. Brisant würde es nur, wenn die Zuneigung zwischen den beiden wieder aufgeflammt wäre. Wenn sie wieder zusammengekommen wären. Aber selbst dann: Wie sollte das zu Blanche Trouins Tod geführt haben? Oder dem ihres Mannes? Wie auch immer. In der ersten Phase einer Untersuchung war es wichtig, allem, was interessant schien, ohne Ausnahme und ohne vorschnelle Bewertung nachzugehen. Man verstand die Zusammensetzung eines Puzzles erst, wenn man mehrere Teile besaß, die sich, wenn man Glück hatte, plötzlich und unerwartet fügten.

Charles Braz war ein auffallend attraktiver Mann. Schlank, feingliedrig, aber nicht schlaksig, sondern geschmeidig, elegant. Hochgewachsen, sicher eins fünfundachtzig, wuschelige schwarze Haare, an den Seiten bereits silbrig grau. In perfekt harmonierende Farben gekleidet, ein Polohemd in Petrol, eine edle Stoffhose in einem dunklen Blau. Auf Hupperts Liste stand das Alter: fünfundvierzig.

Braz hatte den Kommissar ausgesprochen freundlich an der Wohnungstür im ersten Stock begrüßt und ihn in ein großes Zimmer geführt.

»Sie halten es gewiss für schwer vorstellbar, dass ich, der langjährige Lebenspartner von Lucille, keinerlei Erklärung für das fürchterliche Drama habe, das sich gestern ereignet hat. Es wäre doch anzunehmen, dass ich wüsste, was sich zwischen den beiden Schwestern abgespielt hat.« Er war vor einem der beiden großen Fenster stehen geblieben, die einen Blick auf die Bucht und die malerische Rance-Mündung freigaben, und schaute Dupin ernst an.

»Sie treffen ins Schwarze, Monsieur Braz. Selbstverständlich kommt es der Polizei komisch vor.«

Dupin fixierte die Augen seines Gegenübers.

»Das verstehe ich gut.« Braz machte einen niedergeschmetterten Eindruck.

Der Raum war im gleichen Stil eingerichtet wie das Ladengeschäft unten, gebleichtes, helles Holz, allerdings andere Farben, geschmackvolle Grautöne. Ein tiefes Sofa, ein passender Sessel, ein Beistelltisch, ein Sideboard. Übergroße Schwarz-Weiß-Fotografien, die moderne Segelboote im imposanten Kampf mit den Elementen zeigten.

Braz hatte Dupins umherschweifenden Blick bemerkt.

»Ich segele. Die Bilder stammen von einer Regatta.«

»Und Sie haben wirklich keine Ahnung, was vor sich gegangen sein könnte?«, kam Dupin auf ihr Thema zurück.

»Nein. Ich kann mir beim besten Willen nicht ausmalen, was Lucille zu einer so grausamen Tat getrieben haben könnte.« Braz war nun tiefes Entsetzen anzumerken, auf seinen Zügen, in seiner Stimme, seiner Körperhaltung. »Es ist ein Albtraum.«

»Erinnern Sie sich an irgendeinen Streit der Schwestern in den letzten Tagen oder Wochen, eine heftige Auseinandersetzung?«

»Wirklich nicht, nein. Was ich natürlich wusste, was jeder wusste: Sie konnten sich nicht leiden, und das ist vorsichtig formuliert. Sie sahen die Dinge grundlegend anders, die Menschen, die Welt, das gesamte Leben. Schon seit ihrer Kindheit. Sie …«

»Sie haben sich beide dem Kochen verschrieben, sind berühmte Küchenchefinnen geworden, sind in der Gegend geblieben, aus der sie kommen … Worin genau liegen die grundlegenden Differenzen?«

»Das ist bloß die Oberfläche. Die Differenzen liegen in ihren grundlegenden Haltungen, Einstellungen und Ansichten. In ihrem Charakter. Ich kenne *nur* Differenzen. Dass beide in der Gastronomie tätig sind, sogar in derselben Region, hat es nur noch schlimmer gemacht.«

Braz sprach jetzt ruhig, analytisch. Klug.

»Nennen Sie ein paar Beispiele.«

»Lucille ist ungeheuer ehrgeizig. Sie will Großes erreichen. Und sie steht offen dazu. Sie schuftet wie verrückt. – Blanche hingegen hasste Ehrgeiz, sie machte die Dinge, weil sie sie liebte, aus Leidenschaft, sagte sie. Sie hatte beeindruckende Talente in den Schoß gelegt bekommen und wollte sie einfach mit Lust entfalten. Sie hatte nicht geplant, berühmt zu werden, Sterneköchin, das ist alles wie nebenbei passiert, und es interessierte sie alles nicht. Das erzählte sie jedenfalls«, Braz gab es ohne Wertung wieder, »und so wirkte es auch. Lucille hingegen …« Er zögerte, setzte neu an: »Sehen Sie, für mich ist das äußerst schwer. Ich liebe Lucille, über alles.«

Er entfernte sich vom Fenster, nahm auf dem Sessel Platz, aber nur auf der Kante, eine unentspannte Haltung.

»Die beiden haben – hatten ihre festgefahrenen Wahrnehmungen. Wenn ich Ihnen das so erzähle«, es bekümmerte ihn, »dann erzähle ich natürlich, wie Lucille die Dinge sah. Zu einem großen Teil zumindest. Ich erzähle Ihnen Lucilles Perspektive.« Er hatte sich wieder erhoben und begann, im Raum hin und her zu laufen. »Selbstverständlich habe ich auch meine eigene. Ich will aber nicht unsolidarisch wirken. Ich stehe zu Lucille.«

Dupin verstand, was er meinte.

»Zur Aufklärung des Geschehens sollten Sie alles sagen, was Sie denken, Monsieur Braz. Am Ende hilft es auch Ihrer Lebensgefährtin.«

Ob dieser Satz stimmte, hing natürlich von den Beweggründen Lucille Trouins ab, die bisher im Dunkeln lagen.

»Ich denke, dass Lucille alles, was Blanche betrifft, extrem sieht. Alles wird sofort drastisch interpretiert. Vor allem immer persönlich genommen. Das galt allerdings für beide: Was immer die eine sagte oder tat, bezog die andere in erster Linie auf sich. – Zum Beispiel als Blanche anfing, sich auf Gewürze zu konzentrieren. Bis dahin hatten beide dieselbe Bezugsquelle, ein kleines Unternehmen bei Dinard. Blanche hat es dann gekauft, und Lucille suchte sich sofort einen anderen Gewürzlieferanten. Sie hat es als persönliche Aggression gedeutet. Sie dachte, Blanche habe es nur aus einem Grund getan: um ihr zu schaden. – Was in dieser überspitzten Weise bestimmt nicht der Fall war, da bin ich mir sicher.« Eine noble Verteidigung der schlimmsten Gegenspielerin seiner Lebensgefährtin. »Das habe ich Lucille auch gesagt. Aber ihr Wahrnehmungsmuster war zu starr. – Und das ist nur ein Beispiel.«

Es war ein gutes Beispiel.

»Es ist wirklich kompliziert. Das Schwierige ist, dass es immer mehrere, oft auch widersprüchliche Beweggründe für alles menschliche Handeln gibt.« So ähnlich sah Dupin es auch. »Als Blanche die Gewürzfirma gekauft hat, wollte sie damit gewiss nicht in erster Linie Lucille schaden. Aber sie hat es in Kauf genommen. Wer weiß, vielleicht ja auch mit etwas Schadenfreude. – Man steht selten auf festem Boden.«

»Haben Sie weitere Beispiele für Differenzen?«

»Lucille liebt teure, schicke Kleidung, Blanche war immer ganz einfach gekleidet. Lucille fährt immer exquisite Autos, Blanche fuhr einen ramponierten alten Renault. Sie galt immer als bescheiden, machte kein großes Aufhebens um sich, schien im Reinen mit sich, ausgeglichen, war fast freundschaftlich im Umgang mit ihren Angestellten. Lucille ist in allem das Gegenteil. Sie ist, nehmen wir nur den letzten Punkt, sehr autoritär mit ihren Mitarbeitern. Wenn auch fair und zuverlässig.« Er war wieder am Sessel angekommen, setzte sich erneut, wieder bloß auf die Kante. »Sie können die Reihe der Gegensätze beliebig fortsetzen.«

Dupin hatte sich bisher nicht vom Fenster wegbewegt, er konnte es eigentlich nicht ausstehen, wenn andere im Raum hin und her liefen. Das war seine Sache.

»Und die Eifersucht, der tiefe Neid, der Argwohn, diese ganze erbitterte Rivalität – das war bei beiden gleich stark ausgeprägt, denken Sie?«

»Unbedingt. Sie haben sich gegenseitig nichts gegönnt. Beide fühlten sich immer benachteiligt, zu kurz gekommen, übergangen – die andere hatte immer mehr, Schöneres, Besseres.« Dupin meinte bei Charles Braz abermals eine gewisse Distanz zu seiner Lebensgefährtin wahrzunehmen, vorgespielt oder aufrichtig. »Ich kenne so viele Geschichten. Schon aus ihrer Kindheit. Die eine wurde in der Wahrnehmung der anderen immer mehr geliebt von den Eltern. Die Leistungen stärker anerkannt, stärker hervorgehoben. Fortwährend kam es zu tiefen gegenseitigen Kränkungen«, Braz klang jetzt wie ein erfahrener Psychologe. »Auf jeden Fall ist es zu einer endlosen Kette von Verletzungen gekommen. Ein Teufelskreis.«

»Würden Sie sagen, dass sie sich gehasst haben? Ging es so weit, Monsieur Braz?«

Hass war kein leicht zu definierendes Wort, aber es meinte etwas, das kein anderes Wort festzuhalten vermochte, etwas, das weit über andere negative, aggressive Empfindungen hinausging. Es markierte etwas Entgrenztes, Blindes, Obsessives, Gewalttätiges.

»Ja«, bestätigte er gedämpft, »ich denke schon.«

Dupin warf einen flüchtigen Blick in den Himmel. Anscheinend hatte der Wind gedreht, vom Land zogen dickbäuchige, pechschwarze Wolken auf. Noch waren es bloß vereinzelte Ungetüme, die die Böen mit Tempo über den Himmel pusteten, aber bereits jetzt sah es bedrohlich aus.

Er wandte sich vom Fenster ab. »Lucille Trouin hat Sie gestern Abend nach ihrer Festnahme aus dem Kommissariat angerufen. Haben Sie sie gefragt, warum sie es getan hat?«

»Ja. Aber …« Er stockte, es ging ihm nahe. Schien ihn zu zerreißen. »Sie hat kein Wort dazu gesagt. Sie hat überhaupt nur ganz wenig gesagt. Dass ich ihren Anwalt anrufen solle.

Und dass ich heute vorbeikommen soll, um ihr ein paar Sachen zu bringen. – Sie darf ja einen Besuch empfangen in der Untersuchungshaft.«

»Hat Lucille Trouin Sie auch schon von der Flucht aus angerufen?«

»Nein.«

»Wann haben Sie vor, sie zu besuchen?«

»Gleich nach unserem Gespräch. Ich habe das bereits mit Commissaire Huppert geklärt.«

Die Kommissarin hatte davon nichts erwähnt.

»Ich möchte, dass Sie sich danach sofort bei mir melden, Monsieur Braz.«

»In Ordnung.«

»Etwas ganz anderes«, Dupin lief nun im Zimmer auf und ab. »Wo waren Sie heute Morgen? Zwischen 7 Uhr 30 und 9 Uhr 30?«

»Hier. Zu Hause. Den ganzen Morgen. Ich bin nur einmal raus, um Baguette zu kaufen. Ich habe mit zwei Freunden telefoniert, von meinem Handy aus, und mit Lucilles Anwalt. Zweimal, ungefähr um sieben und um elf Uhr.«

»Diese Anrufe werden wir dann ja alle auf den Verbindungsnachweisen sehen können.«

»Ja. – Mit dem einen Freund habe ich vielleicht um halb elf gesprochen, mit dem Anwalt etwa um elf und danach mit einer Freundin.«

Dupin seufzte leise. In Hinblick auf Charles Braz' Alibi bedeutete das bloß eines: Es war schwammig, äußerst schwammig. Nur mit Glück würden sie – abgesehen von den Anrufen und dem Bäcker – seine Aussage überprüfen können. Er hätte es durchaus nach La Moinerie und zurück schaffen können. Genau zwischen 7 Uhr 30 und 9 Uhr 30. Es hätte gereicht. Für beides: den Mord und die Suchaktion im Haus.

»Fällt Ihnen zum Mord an Kilian Morel etwas ein, Monsieur Braz?«

»Gar nichts. Das macht alles noch viel mysteriöser. Man muss ja einen Zusammenhang mit dem gestrigen Geschehen annehmen – aber welchen? Es ist alles unbegreiflich. Ich kann mir, wie gesagt, nicht einmal bei Lucille vorstellen, dass sie …« Die Stimme brach. Braz fuhr sich durch die Haare.

Dupin blieb vor einem Bild stehen, das ein kleines Segelboot in alarmierender Schräglage in einem Wellental zeigte.

»Wie war Ihr Verhältnis zu Kilian Morel, zu Ihrem – sozusagen – Schwager?«

Charles Braz zog die Augenbrauen hoch. »Gut. Wir haben uns aufgrund der besonderen Umstände eher selten gesehen. Meist nur bei offiziellen Anlässen. Und dann haben wir bloß ein paar freundliche Wort gewechselt.«

»Wann haben Sie ihn das letzte Mal getroffen?«

»Vor drei oder vier Monaten.«

»Und da haben Sie über Ihre gemeinsame Passion für Rum gesprochen?«

»Über alles Mögliche, er ist – er war ein eher ruhiger und, so habe ich es immer empfunden, sehr sympathischer Mann. An vielen Themen interessiert. Auch an Rum.«

»Sind Sie nicht irritiert gewesen, als er begann, Ihnen Konkurrenz zu machen?«

»Nein, gar nicht. An der Smaragdküste gibt es so viele Rumhändler.«

Er wirkte tatsächlich gelassen.

»Hauptsächlich arbeitete er im Restaurant mit«, berichtete Charles Braz. »Er kümmerte sich um die kaufmännische Seite, aber auch um die Weinkarte, er kannte sich richtig gut aus.«

»Wo steht eigentlich Ihr Auto, Monsieur Braz?«

Dupin hatte es eben schon fragen wollen.

»Mein Auto? – Ziemlich genau vor dem Haus. Ein wenig rechts. In Richtung des Wachturms. Ein Volvo. XC60.«

»Da stand er den ganzen Vormittag? Sie sind heute noch nicht damit gefahren?«

»Nein. Er steht da seit gestern.«

Auch das würden sie nur schwerlich nachprüfen können.

»Sie sprachen eben davon«, Dupin wechselte erneut das Thema, »dass Sie heute früh mit zwei Freunden telefoniert haben. Mit wem genau?«

»Mit ...«

Dupins Handy unterbrach Braz' Antwort.

»Entschuldigung.« Dupin warf einen Blick auf das Display. Nolwenn.

»Einen Moment, bitte.«

Bevor Charles Braz überhaupt reagieren konnte, verließ Dupin den Raum und ging durch den Flur ins Treppenhaus.

»Ja, Nolwenn?«

»Also. Ein paar Infos von uns, Monsieur le Commissaire«, Nolwenn hatte die Maschine angeworfen, sie verlor keine Zeit.

Dupin klemmte das Telefon zwischen Ohr und Schulter und holte sein Notizheft und seinen Stift heraus.

»Über Kilian Morel, Blanche Trouins Mann – unseren neuen Toten –, ist so gut wie nichts im Internet zu finden, er wird ein paarmal in einem Bericht über seine Frau erwähnt, das war's. Er scheint sich im Hintergrund gehalten zu haben. Sein Shop ist am 7. Januar online gegangen und wurde auf seinen Namen eingetragen. Sieht ziemlich professionell aus. – Charles Braz, der Freund von …«

»Ich bin gerade bei ihm.«

»Ich weiß. – Wir haben ein paar Interviews gefunden, da geht es um den Rum und das Segeln, irrelevant für uns. In einem sagt er, dass er mit dem ›Business‹ seiner Lebensgefährtin wenig zu tun habe. Außer dem Rumgeschäft sind keine Unternehmungen unter seinem Namen zu finden. – Weiter zu diesem Antiquitätenhändler, Walig Richard, dem Freund der Ermordeten. Er hat zwei Läden, einen in Saint-Suliac und einen in Saint-Malo. Außerdem ist er Hobbywinzer, offenbar eine echte Passion.«

»Hier gibt es Weinanbau? In der Bretagne?«

»Aber natürlich, Monsieur le Commissaire, in der Bretagne«, ein pikierter Tonfall. »Ein einziger, aber recht großer Weinberghügel an der Rance, direkt bei Saint-Suliac. – Erinnern Sie sich nicht an den großen Aufmacher des *Télégramme* letzte Woche – über all die Spezialitäten, die nun auch bei uns wachsen?«

Eine rhetorische Frage. Wie sollte er sich nicht daran erinnern? Eine ganze Mittagspause lang hatte Riwal die wissenschaftlichen Fakten des Artikels begeistert erörtert. Durch den Einfluss des Golfstroms und die Klimaveränderungen der letzten Jahre gedieh in der Bretagne mittlerweile so gut wie alles. Ananas, weißer Tee, Reis, Aloe vera, Bananen, Szechuan-Pfeffer, sogar Safran und Ingwer, Piment, Zitronengras, Vanille. Und auf einer bretonischen Wiese stehen vierundsechzig Büffel – für bretonischen Büffel-Mozzarella, *Mozza Breizh*.

»Soll ich Sie mit Riwal verbinden, Monsieur le Commissaire? Er erläutert Ihnen das mit dem Wein ganz genau.«

»Vielleicht später.«

»Dann zurück zum Antiquitätenhändler: In den wenigen Dokumenten, die es über ihn gibt, steht leider nichts Bemerkenswertes. Es geht um den Antiquitätenmarkt und den Weinanbau, so was. – Über den Souschef Colomb Clément ist dagegen einiges zu finden, auch ein paar Interviews. Klingt vielversprechend, ein aufsteigender Stern in der Gastronomie. Berichte über die Freundin von Lucille Trouin, Flore Briard, die mit den kulinarischen Bootsfahrten, sind eher rar. Ein einziges längeres Interview. Sie stammt aus sehr reichem Hause, Eltern tot, ein hübsches Ding, Anfang vierzig, teurer Geschmack. Sie besitzt eine der prachtvollsten Villen der gesamten Küste. Und davon gibt es Massen dort oben.«

»Ich treffe sie am Nachmittag.«

Dupin hatte Madame Briard auf der Fahrt von La Moinerie hierher erreicht. Und sich für sechzehn Uhr bei ihr zu Hause in Dinard verabredet.

»Zu guter Letzt zu der Tante: Eines Tages wird es auf jeden Fall eine beachtliche Erbschaft geben, wer immer sie erhalten wird. Zumindest eine Immobilie. Die Dame residiert nämlich ebenfalls in einer außergewöhnlichen Villa. Über die Tante selbst ist im Netz nichts zu finden.«

»Was ist mit dem Bruder des Ermordeten, Joe Morel? Er war vor zehn Jahren mit Lucille Trouin zusammen.«

»Oh, oh. Das sind diese Geschichten. – Er besitzt eine beliebte Austernbar in Cancale. Riwal kennt sie.«

Cancale unterlag bei Nolwenn und Riwal offensichtlich nicht demselben Bannspruch wie Saint-Malo.

»Selbstverständlich haben wir bei allen Personen überprüft, ob sie je mit dem Gesetz in Konflikt geraten sind. Fehlanzeige. Unbescholtene Bürger, nach allem, was wir bisher wissen.«

Es waren keine außerordentlichen Neuigkeiten dabei, schon gar nichts Brisantes, aber für Dupin war es dennoch wertvoll, etwas mehr über den Personenkreis, mit dem sie sich beschäftigten, zu erfahren.

»Danke, Nolwenn.«

»Es ist nicht einfach, wenn wir so weit entfernt sind. Saint-Malo ist doch fremd.«

Saint-Malo war auch nicht weiter entfernt als andere Orte, an denen Dupin in den letzten Jahren – mit Nolwenns tatkräftiger Assistenz – ermittelt hatte. Es war nie ein Thema gewesen.

»Wir forschen weiter, Monsieur le Commissaire.«

Eine Minute später stand Dupin erneut im Wohnzimmer von Charles Braz.

»Wir waren bei Ihren Freunden stehen geblieben, mit denen Sie heute Morgen telefoniert haben«, nahm Dupin den Faden umgehend wieder auf. Er hatte sich die Fragen, die er Braz stellen wollte, in seinem Clairefontaine notiert.

»Sie haben recht.« Charles Braz hatte sich jetzt zwischen den beiden Fenstern mit dem Rücken an die Wand gelehnt, er sah müde aus.

»Zuerst habe ich länger mit Eric gesprochen, einem alten Freund, der in Cancale wohnt. Wir sind in Dinan aufgewachsen, ein Stück die Rance runter.«

Dupin wusste, wo Dinan lag, und verwechselte es auch nicht mit Dinard. Er machte sich dennoch eine Notiz.

»Dann mit Flore Briard, Lucilles bester Freundin, auch eine Freundin von mir.«

»Die reiche Erbin. – Die beiden arbeiten auch zusammen, richtig? Bei den kulinarischen Bootsfahrten entlang der Smaragdküste?«

»Ja, Lucille und ihr Souschef entwerfen die Menüs für diese

Fahrten. Vor allem er. Auf dem Boot gibt es dann jeweils einen eigenen Koch, der bei Flore angestellt ist. Aber natürlich wird Lucille für die zur Verfügung gestellten Rezepte bezahlt, Flore wirbt ja auch damit.«

Auch in dieser Hinsicht war der Verlust des Souschefs an die ältere Schwester ein empfindlicher.

»Wusste Ihre Lebensgefährtin davon, dass Blanche Trouin ihren Souschef abwerben wollte?« Huppert hatte mit Charles Braz gestern nicht darüber reden können, sie hatte die Information ja erst später erhalten.

»Eine Abwerbung? Durch Blanche?« Er schien aufrichtig verwundert. »Lucille hat nichts davon erzählt. Aber das wäre wirklich infam. Das würde Lucille in große Schwierigkeiten bringen, für Colomb findet sich so leicht kein Ersatz«, er löste sich von der Wand, lief zum Sessel und setzte sich. »Stimmt das wirklich? Wann soll das geschehen sein?«

»Sie hat kein Wort davon erwähnt?«

»Nein.«

Er schien es wirklich nicht zu wissen.

»Wir haben uns in letzter Zeit sehr wenig gesehen, muss ich zugeben. Ich war viel unterwegs, erst vor Kurzem in Paris. Auf einer Gastronomiemesse. – Lucille erzählt überhaupt wenig von sich. Es dauert manchmal Wochen, bis sie mit etwas rausrückt, das sie belastet. Gegenüber Flore, ihrer besten Freundin, ist es genauso.«

Mit dieser Behauptung brachte sich Charles Braz in eine strategisch komfortable Situation. Doch vielleicht war es auch einfach die Wahrheit.

»Mit der Abwerbung von Clément«, Braz wirkte bei dem Thema persönlich angegriffen, »hätte Blanche Lucille erheblich geschadet. – Das wäre wirklich ein persönlicher Angriff gewesen. Wie sollte Lucille das anders verstehen?«

Dieses Mal bezog er eindeutig Stellung.

Eine Weile schwiegen sie.

Abermals wechselte Dupin das Thema: »Sind Sie an den Geschäften Ihrer Lebensgefährtin in irgendeiner Form beteiligt? Oder sie an Ihren?«

Dupins Handy piepste.

Eine SMS von Commissaire Huppert.

»Besprechung am Telefon, dringend. – Fünfzehn Uhr.«

Dupin warf einen Blick auf die Uhr. 14 Uhr 25. Um fünfzehn Uhr säße er bereits im Auto, um zu Flore Briard zu fahren. Kein Problem also – und ein *petit café* am Kai wäre ebenfalls noch drin.

Er bedeutete Charles Braz, fortzufahren.

»In keiner Weise. Das würde Lucille nie wollen. Und ich auch nicht.« Ein bisschen leiser fügte er hinzu: »Ich habe vor fünf Jahren einen Kredit von ihr bekommen. 150 000 Euro. Um mein Geschäft auszubauen. Ende letzten Jahres habe ich ihn vollständig zurückbezahlt. – 250 000 habe ich selbst eingebracht, ich war früher Innenarchitekt – Architekt, streng genommen. Es lief gut. Und«, das erste Mal zeigte sich die Andeutung eines Lächelns, »es läuft auch jetzt gut. Ich meine: das Geschäft mit dem Rum.«

»Und jeder von Ihnen besitzt sein eigenes Haus?«

»Ja. Das hier gehört mir. Lucille wohnt zweihundert Meter entfernt in ihrem eigenen. Wir – wir sind beide sehr selbstständige Menschen.« Die Aussage war ihm wichtig. »Ich habe Lucilles Käseladen in der Rue de l'Orme eingerichtet. Und ihr Restaurant nach dem Umbau vor drei Jahren. Dafür hat sie mich selbstverständlich bezahlt.«

Braz schien um Transparenz bemüht.

»Madame Trouins Käseunternehmung – wie groß soll die werden? Möchte sie expandieren?«

»Sie will nach und nach mehrere Geschäfte in der ganzen Bretagne etablieren, acht oder neun. Auch noch ein weiteres hier in der Gegend, größer als das in der Rue de l'Orme.«

Das Vorhaben belegte Lucille Trouins Ehrgeiz auf einschlägige Weise.

»Wie weit sind die Pläne gediehen?«

Er zögerte. »Ich glaube, sie wollte nächstes Jahr anfangen.«

»Wir wissen, dass es einen Streit um die Rezepte des Vaters gab.« Dupin musste das Gespräch ein wenig zuspitzen.

»Und wie, ja.« Braz atmete tief ein, auch das war anscheinend ein sehr emotionales Thema. »Eine Verletzung, die Lucille nie überwinden wird, glaube ich. Sie hat Blanche erst Anfang des Jahres einen Brief geschrieben, in dem sie sie aufgefordert hat, die Rezeptsammlung endlich auch ihr zur Verfügung zu stellen.«

»Wie erklären Sie sich diese enorme Bedeutung?«

»Rein emotional. Psychisch. Es ist kein Wunderrezept dabei. Sie sind das Vermächtnis des Vaters, seines Schaffens. Die symbolische Übergabe des Stabes gewissermaßen. Wer von den beiden Schwestern sie besitzt, besitzt auch seine Anerkennung. Das Groteske ist: Lucille hätte sie gar nicht bekommen können, der Vater war bereits tot, als sie richtig zu kochen begann. – Ich denke«, es hielt ihn nicht mehr auf dem Sessel, er stand auf, »dass die Rezepte in der Aufbauphase von Blanches Restaurant, das sich anfänglich in Saint-Malo befand, tatsächlich auch eine konkrete Rolle spielten: Sie halfen ihr, rasch bei der einheimischen Bevölkerung Fuß zu fassen, da ihr Vater und seine Küche äußerst beliebt gewesen waren. Es war natürlich eine wunderbare Geschichte, auch für die Presse.«

»Die Rezepte haben Blanche Trouin also immer noch inspiriert?«

»Dazu kann ich nichts sagen. – Ich glaube, die Bedeutung der Rezepte liegt in etwas anderem.«

Dupin schritt auf Charles Braz zu und blieb erst kurz vor ihm stehen. Er fixierte ihn. »Es muss Sie doch befremdet haben, dass Ihre Lebensgefährtin und der Bruder von Blanches Mann eine Beziehung hatten, bei dem komplizierten Verhältnis der Schwestern?«

Braz zeigte keine besondere Reaktion: »Das ist eine Ewigkeit her. Sie sind zusammen zur Schule gegangen. – Ich persönlich hatte nie Kontakt mit Joe Morel.« Sein Tonfall machte klar, dass es für ihn dazu nichts weiter zu sagen gab.

»Waren Blanche Trouin und Joe Morel schon damals eng befreundet?«

»Waren sie, ja.«

»Dann muss es für Blanche Trouin sehr kompliziert gewesen sein.«

Braz' Augen verdunkelten sich. »Ja. Ich denke, dass es für Blanche damals dramatisch gewesen sein muss. Sie kann es bloß als mutwilliges Eindringen von Lucille in ihr Leben betrachtet haben. Als einen perfiden Versuch, ihr etwas wegzunehmen. – Blanche wollte, dass ihr Mann Einfluss auf seinen Bruder ausübte, was er auch versucht hat. Vergeblich.«

Braz und Dupin standen sich immer noch direkt gegenüber.

»Haben Ihre Lebensgefährtin und Joe Morel noch Kontakt?«

»Nein.«

Wenn das der Wahrheit entsprach, könnte die Geschichte wirklich bedeutungslos sein. Wie dem auch sei: Dupin musste das Gespräch zum Abschluss bringen, vor allem, wenn er vor dem nächsten Termin noch schnell einen Kaffee trinken wollte.

»Ich … Ich denke, Monsieur le Commissaire, dass …« Braz

schien auf einmal unbehaglich zumute zu sein, er sprach mit unsicherer Stimme. »Ich sollte Ihnen noch etwas sagen.« Er wirkte einen Moment selbst fast ein wenig erschrocken. »Lucille wäre gewiss nicht damit einverstanden, aber ich denke, ich bin verpflichtet, es Ihnen mitzuteilen.«

Er holte tief Luft.

»Ich hätte es gestern schon Ihrer Kollegin sagen sollen, aber da war ich überfordert. Und ich habe keinen Zusammenhang gesehen – auch heute sehe ich den nicht, aber ...«

»Erzählen Sie einfach.«

»Lucille hat mir letzte Woche abends beim Essen gesagt, dass sie vielleicht ein Problem habe. Ein – wirtschaftliches.«

»Inwiefern?«

»Sie hat es nicht ausgeführt.«

»Sie hat Ihnen weiter nichts gesagt? Nur das?«

Es klang unglaubwürdig.

»So ist es manchmal mit ihr. Wie gesagt, es fällt ihr nicht leicht, sich zu offenbaren. – Sie will ihre Probleme alleine lösen, das ist ihr wichtig. Das kenne ich.«

»Sie hat danach kein Wort mehr darüber verloren?«

»Nein.«

»Wann war das?«

»Mittwochabend.«

Fünf Tage, bevor sie ihre Schwester ermordete.

Dupin wandte sich ab. Er begann erneut im Raum hin und her zu laufen.

So interessant diese Neuigkeit auch war – sie würden auch an dieser Stelle nicht weiterkommen.

»Was ist mit der Tante der beiden?« Der letzte Punkt, den Dupin notiert hatte. »Kennen Sie sie?«

»Lucille hat mich ein einziges Mal zu einem Besuch mitgenommen, vorletztes Jahr. Da war sie schon sehr verwirrt. Und verschroben. Sie lebt in ihrer eigenen Welt. Ohne ihre Haushälterin wäre sie längst in einem Heim.«

»Das Anwesen in Rothéneuf muss einige Millionen wert sein. Wird Lucille es erben?«

»Sie erbt gar nichts. Auch Blanche hätte nichts geerbt. Alles geht an eine jüngere Schwester der Tante, die mit drei Kindern und vielen Enkeln in Kanada lebt, in Quebec, und die sie dort bis vor ein paar Jahren jeden Sommer besucht hat. Lucille und Blanche kennen sie gar nicht. Commissaire Huppert hat gestern bereits nach einem möglichen Erbe gefragt.«

Was natürlich erklärte, warum die Kommissarin den Punkt ihnen gegenüber erst gar nicht angesprochen hatte, das potenzielle Motiv hatte sich in Luft aufgelöst.

»Gut, Monsieur Braz. Das war es für den Moment. Ich danke Ihnen. Es waren äußerst wertvolle Informationen.« Dupin hatte es ein wenig seltsam betont, so als hätte Braz mehr gesagt, als er hatte sagen wollen.

»Gerne, Monsieur le Commissaire. Ich hoffe inständig, dass Sie –«, Braz schien nicht zu wissen, welche Worte er wählen sollte, »den Fall bald klären können.«

Dupin verließ das Zimmer. Braz begleitete ihn.

Sie erreichten die Wohnungstür.

»Wir werden uns bald wieder bei Ihnen melden. Und rufen Sie an, wenn Ihnen noch etwas in den Sinn kommt. Was immer es sein mag.«

Dupin war nach Süden unterwegs, in Richtung des Gezeitenkraftwerks, dessen Damm Saint-Malo und Dinard verband, und über den er heute bereits zweimal gefahren war.

Es war exakt 15 Uhr 02, als er sich aus seinem Wagen in das angeordnete Telefongespräch einwählte. Im Stehen hatte er zwei exzellente *petits cafés* getrunken, sie waren bitter nötig gewesen. Unter welch aberwitzigen Umständen diese Ermittlung auch zustande gekommen sein mochte, Dupin spürte, wie die spezielle fiebrige Stimmung von ihm Besitz ergriff, in die er während eines Falles geriet.

»Endlich.« Huppert war sofort dran. »Kommissar Nedellec ist bereits eingewählt. Ich habe es eilig. – Lucille Trouin ist quasi bankrott.«

»Was?«, rutschte es Dupin heraus.

»Ich habe mit ihrer Bank, dem Bürgermeister, dem Liegenschaftsamt und einem Immobilienmakler gesprochen. Lucille Trouin hat ein riesiges Grundstück bei Rothéneuf gekauft. Von der Stadt. Rund zweihundertfünfzig mal zweihundert Meter. Direkt am Meer, in der Nähe des *Le Bénétin* – ein Restaurant direkt am Meer. Sie hatte vor, auf dem Grundstück eine Art Flagship-Store für bretonischen Käse zu errichten. Einschließlich eines Restaurants. Alles streng ökologisch, nachhaltig, nur mit regenerativen Energien betrieben. Ein Projekt, von dem nur ganz wenige wissen. Sie hat schon Mitte des letzten Jahres erste vertrauliche Gespräche geführt. Eigentlich war es gar kein Baugrundstück, aber dennoch war der Bürgermeister sehr angetan, die Stadt ist höchst interessiert an Projekten mit hohem Umweltbewusstsein. An nachhaltigem Tourismus. Anfang des Jahres wurde bei einer diskreten Vorprüfung grünes Licht gegeben, da hat sie das Grundstück gekauft.« Huppert raste durch ihren Bericht. »1,1 Millionen Euro. – Sie hat 500 000 Euro Eigenkapital eingebracht, auch indem sie ihr Haus beliehen hat. Und sie hat zwei große Kreditverträge über insgesamt 600 000 abgeschlossen. Für den Bau hätte sie noch einmal 500 000 Euro aufgenommen.

Sie hatte bereits einen renommierten Architekten im Sinn. – Ihr Restaurant ist übrigens nur gemietet.«

Jetzt machte sie doch eine kleine Pause.

»Vor vier Wochen ist dann ein Gutachten von der Umweltbehörde beim Liegenschaftsamt eingetroffen. Auf dem Grundstück nistet die extrem seltene Rosenseeschwalbe. Damit ist das ganze Projekt hinfällig. Sie hat keine Chance. Aber das Grundstück gehört jetzt ihr. Ein äußerst attraktiv gelegenes Grundstück, mit dem sie allerdings nichts, aber auch gar nichts anfangen kann. Insofern ist es vollkommen wertlos. Und es kommt noch schlimmer: Die Bank drängt nun auf eine schnelle Rückzahlung, da die Bedingungen der Kreditvergabe nicht erfüllt wurden. – Die Stadt hatte Lucille Trouin ausdrücklich auf diese noch ausstehende ökologische Begutachtung hingewiesen, aber das hat sie anscheinend ignoriert.«

»Interessant«, kommentierte Nedellec lakonisch.

»Ein erster Durchbruch.« Dupin meinte es ernst. Das war mehr als interessant.

Und die Neuigkeiten passten perfekt zu dem, was Charles Braz gerade erzählt hatte. Vor allem lieferten sie – möglicherweise – etwas ganz Entscheidendes: das Dringliche, das Akute, das bisher gefehlt hatte. Einen möglichen Grund für die plötzliche Dynamik. Zusammengefasst bedeutete das nichts anderes als: Lucille Trouins Existenz stand auf dem Spiel, für sie ging es, wie es aussah, um alles. Wodurch ein anderer möglicher Beweggrund ins Spiel kam als nur die Konkurrenz der Schwestern.

»Ich komme gerade von Charles Braz. Lucille Trouin hat ihm letzte Woche von einem wirtschaftlichen Problem erzählt, allerdings ohne konkret zu werden. Behauptet er zumindest. – Natürlich könnte sie das gemeint haben.«

»Ist das denn glaubhaft, Dupin?«, grummelte Nedellec.

»Seine langjährige Lebensgefährtin geht bankrott und erzählt ihm nichts? Wusste er denn von dem Grundstück und dem Projekt dort?«

»Anscheinend nicht. Er sprach nur von ihrer Idee eines zweiten, großen Käsegeschäfts in der Gegend und mehreren weiteren Läden in anderen bretonischen Städten. – Aber er kannte anscheinend keine Einzelheiten.«

»Er kann uns das Blaue vom Himmel erzählen«, bemerkte Nedellec.

»Nur Lucille Trouin selbst könnte uns dazu Auskunft geben«, stellte Huppert fest.

»Ich rede noch einmal mit ihm.« Es war beides vorstellbar: dass Braz tatsächlich nichts wusste – und dass er gelogen hatte.

»Woher wissen Sie, dass dieser Verlust Lucille Trouin in den Ruin treibt?«, hakte Nedellec nach. »Vielleicht verfügt sie über Rücklagen?«

»Wie gesagt, ich habe mit ihrer Bank gesprochen, ich kenne den Direktor. Die Situation wird sie voraussichtlich ruinieren. – So eine Situation lässt Menschen beinahe alles tun.«

»Aber inwiefern hätte der Mord an der eigenen Schwester das Problem lösen können? – Wie hätte Lucille dadurch an eine große Summe Geld gelangen sollen?« Dupin dachte laut nach.

Huppert blieb ruhig. »Wir werden sehen. Ich verfüge auch über Informationen zu den finanziellen Verhältnissen von Blanche Trouin und ihrem Mann. Da sieht alles sehr solide aus. Es gibt ein beachtliches Guthaben, über eine halbe Million. Das Haus und das Restaurant sind bereits abbezahlt.«

»Dupin hat recht«, stimmte Nedellec zu. »Als offensichtliche Mörderin konnte sie jedenfalls nicht auf das Erbe hoffen.«

»An den Besitz ihrer Schwester wäre sie so oder so nicht gekommen. Das ist testamentarisch sonnenklar. Alles ging an ihren Mann«, sagte Huppert. »Und die Tante vererbt alles an ihre jüngere Schwester in Kanada.«

Letzteres deckte sich mit dem, was Dupin von Charles Braz erfahren hatte.

»Dann kommen wir endlich zu meinem Punkt«, Nedellec war ungeduldig geworden, »zu der früheren Beziehung zwischen Joe Morel und Lucille Trouin.«

Dupin war mittlerweile auf den Damm aufgefahren.

»Wie sollte ein Szenario aussehen, in dem diese alte Geschichte heute noch von Brisanz wäre?«, fragte Huppert kühl.

»Blanche Trouin muss es damals jedenfalls als gewaltigen Vertrauensbruch empfunden haben. Als Kränkung, als bewusste Attacke. Versetzen Sie sich doch nur einmal in diese Dynamik der Eifersucht und Rivalität hinein.«

»Das glaube ich ja«, beharrte Huppert, »aber es würde für die Gegenwart doch nur eine Rolle spielen, wenn sie wieder zusammengekommen wären. – Es hat sich doch gezeigt, dass es Lucille, wenn es denn ihre Absicht gewesen sein sollte, nicht gelungen ist, die Freundschaft zwischen Blanche Trouin und Joe Morel zu zerstören. – Dupin, Sie waren doch gerade bei Charles Braz, was hat er dazu gesagt?«

»Es war dramatisch, hat er gesagt. – Er sieht aber keine Bedeutung für die Gegenwart. Lucille Trouin und Joe Morel haben keinen Kontakt, behauptet er zumindest.«

»Sehen Sie, Nedellec, da haben Sie es.«

»Und seit wann glauben wir unhinterfragt den Aussagen eines Verdächtigen?«

Ein guter Punkt. Eine kurze Gefechtspause.

»Sie haben recht«, lenkte Huppert großmütig ein. »Es ist

gut, dass wir davon wissen. Ich habe jetzt abermals ein Telefonat mit dem Bürgermeister. Wir reden später weiter. Ich schlage vor, wir treffen uns um achtzehn Uhr. Für 19 Uhr 30 ist der Rapport bei den Präfekten angesetzt. Wir sollten uns dafür gut abstimmen.«

»Und wo treffen wir uns?« Nedellec wirkte noch nicht versöhnt.

»Ich habe gleich noch in Dinard zu tun. Wie wäre es, wenn wir uns im *Restaurant du Petit Port* treffen«, schlug Huppert vor. »Sie finden die Adresse im Netz.«

»Gut.« Es passte perfekt zu Dupins Plänen.

»Übrigens«, brummte Nedellec, »habe ich Blanche Trouins Freund, diesen Antiquitätenhändler, bisher nicht erreichen können.«

Die Mitteilung blieb ohne Widerhall.

»Im *Petit Port*, um achtzehn Uhr«, wiederholte Huppert. »Dann besprechen wir auch alle anderen Dinge.« Im nächsten Moment hatte sie aufgelegt.

Dupin war fast auf der anderen Seite des Damms angekommen, rechts erstreckte sich das Meer, die Bucht zwischen den beiden Städten, links eine gemessene Flusslandschaft. Dupin schätzte die Breite der Rance hier auf einen Kilometer.

Erst vor ein paar Wochen hatte er – im Zusammenhang mit der Klimadiskussion – einen Artikel über das pionierhafte Gezeitenkraftwerk und die revolutionäre energetische Nutzung der atlantischen Kräfte gelesen. Es war, bereits 1961 erbaut, das erste seiner Art auf der Welt und vermochte bis zu

350 000 Einwohner mit grünem Strom zu versorgen. Dank der immensen Gezeitenunterschiede flossen zweimal täglich gigantische Wassermassen durch die Turbinen des Damms, eine beeindruckende Vorstellung.

Die schwarzen Wolkenungetüme am Himmel waren so jäh wieder verschwunden, wie sie aufgetaucht waren. Nicht eines mehr war zu sehen, nur noch strahlendes Blau – ein Azur, dessen Ton sich immer weiter zu intensivieren schien. Die irren Wetterwechsel schienen hier oben noch verrückter zu sein als bei ihnen im südlichen Finistère.

»Monsieur Braz?«

»Ja?«

Dupin hörte Motorengeräusche, Charles Braz saß offenbar ebenfalls im Wagen.

»Commissaire Dupin hier. Es scheint mir«, er kam sofort auf den Punkt, »wenig glaubwürdig, dass Sie keine Kenntnis von dem Kauf des Grundstückes in Rothéneuf Anfang dieses Jahres besessen haben.«

»Wovon?«

»Ich denke, Sie wissen, wovon ich spreche.«

»Nein, absolut nicht.«

»Ich glaube Ihnen nicht, Monsieur Braz.«

»Aber so ist es, Monsieur le Commissaire.« Ein verzweifeltes Beharren.

»Ihre …«

Dupin musste scharf bremsen. Auf den letzten Metern des Damms war es zu einem Stau gekommen. Wieder, Dupin konnte es nicht glauben – sie waren doch erst heute Morgen dieselbe Strecke gefahren –, sah er die Oldtimer-Kolonne vor sich. Er kam nur wenige Zentimeter hinter einem Citroën-Avant-Traction-Cabriolet zum Stehen. Die Mitfahrer auf der Rückbank, zwei ältere Damen, drehten sich um und winkten ihm fröhlich zu. Ein Aufkleber an der ausladenden Heckklappe erklärte: »Hier fahren neunzig Jahre Automobilgeschichte.«

Dupin riss sich zusammen und kam zum Thema zurück: »Ihre Lebensgefährtin hat für 1,1 Millionen Euro ein Grundstück gekauft, auf dem sie ein großes Käsegeschäft und ein zweites Restaurant errichten wollte. Ein riesiges Projekt – und sie hat Ihnen nichts davon erzählt?«

»Ich versichere es Ihnen.«

Braz wirkte niedergeschlagen, Dupin konnte es hören. Traurig.

»Auch nicht davon, dass das Grundstück nicht bebaut werden darf und sie nun ein quasi wertloses Grundstück besitzt, für das sie zwei Kredite aufgenommen hat?«

Eine Zeit lang waren nur gedämpfte Motoren- und Verkehrsgeräusche zu hören.

»Ich habe Ihnen gesagt, dass Lucille vorhatte, das Käsegeschäft auszubauen. Das ...«

»Ihre Lebensgefährtin steht vor dem Bankrott. – Darum geht es, nicht um das Käsegeschäft.«

Dupin war hinter dem Damm rechts abgebogen und befand sich bereits im Stadtgebiet von Dinard, man konnte es an der Vielzahl der Villen und Parks erkennen.

»Wir – Lucille und ich ...« Braz sprach mit gebrochener Stimme, es war schwer, ihn überhaupt zu verstehen. »Wir hatten ein paar Schwierigkeiten im letzten Jahr. Mit unserer Beziehung. Und haben zuletzt eine – eine Pause eingelegt. Vielleicht habe ich nicht mehr alles gewusst. Sogar – entscheidende Dinge nicht.«

»Ging diese Pause von Madame Trouin aus? War sie es, die mit der Beziehung nicht mehr – zufrieden war?« Dupin sprach etwas behutsamer als zuvor.

»Ja«, wieder klang er elendig. »Aber sie konnte mir nicht sagen, warum. Oder – sie wollte es nicht.«

»Haben Sie sich richtig getrennt?«

»Nein. Das nicht. Aber wir haben uns seitdem nur sehr selten gesehen. Alles ist in der Schwebe. – Sie hat gesagt, sie braucht Zeit.«

Das waren diese fatalen Sätze.

Im Leben von Lucille Trouin war in letzter Zeit so einiges vorgegangen. Und es war unerlässlich, ein genaues Bild davon zu bekommen. So war es immer. Es ging um das, was ein berühmter Kommissar einmal die »Atmosphäre des Verbrechens« genannt hatte. Diese zu erspüren, so Dupins Überzeugung, war die wichtigste Arbeit während einer Ermittlung. Man musste ein Gefühl für die Hauptfiguren des Dramas entwickeln.

»Gut, Monsieur Braz. – Sie werden von uns hören. – Sind Sie auf dem Weg zu Lucille Trouin?«

»Ich bin gleich da.«

»Melden Sie sich direkt nach dem Besuch, ja?«

»Selbstverständlich.«

Dupin fuhr langsam, alles war jetzt Tempo-30-Zone. Er folgte dem Navigationssystem, der Anzeige nach müsste er in drei Minuten da sein. Unvermittelt, er war auf die Avenue George V abgebogen, gab die zuvor geschlossene Häuserzeile den Blick auf das Meer frei. Man sah die traumhafte Bucht zwischen Saint-Malo und Dinard. Keine zwei Kilometer trennten die beiden Städte, jetzt war es Saint-Servan, das genau gegenüberlag, Dupin entdeckte den Kai, den Turm, den Hafen, wo er gerade gewesen war, rechts die imposante Kirche.

Ein kleines Stück weiter Richtung offenes Meer war die *Ville Close* von Saint-Malo zu bewundern, trotzig thronte sie mit ihren gewaltigen Wehrmauern auf der Insel. Er erspähte die Mole, auf der die Touristen gestern von den Atlantikbrechern erwischt worden waren. Rechts davon der große Hafen, man sah die Fähren, die nach Guernsey und Jersey übersetzten – es waren bloß rund fünfzig Kilometer bis zu britischem Territorium. Den exquisitesten Blick auf Saint-Malo, hieß es, habe man von Dinard, aus keiner Perspektive nehme es sich so beeindruckend aus. Dupin wusste nun, dass es stimmte.

Es war eine perfekt geschützte, sanfte Bucht, die sich Richtung Saint-Malo erstreckte, hier lagen die prachtvollsten, berühmtesten Villen von Dinard. Mit den Wolken war auch der Wind verschwunden und das Meer nichts als sachtes Plätschern. Die geringere Wassertiefe und der sandige Meeresboden verliehen dem Wasser einen hellen, besonders edlen Smaragdton. Es mussten Hunderte Boote sein, die in der Bucht lagen. Ein Meer aus Booten, wild gesetzte weiße Tupfer, bis nach Saint-Malo rüber. Viel Grün, Wäldchen und Wiesen direkt an den Ufern der Bucht. Majestätische Meereskiefern. Dupin hatte das Fenster heruntergefahren: Er hörte das Plätschern des Meeres, Boote, die ab und an träge an Stege stießen, die unaufgeregten Glöckchen an den Masten der Segelschiffe. Ein behaglicher Teppich aus Klängen. Müßiggängerisch. Eine Bucht von sagenhafter Schönheit und Eleganz.

Dupin bog ab, die einigermaßen steil ansteigenden Straßen wurden immer schmaler und verwinkelter, das Ambiente noch stimmungsvoller, noch prächtiger. Er fuhr über eine abenteuerlich kleine Brücke. Die Rue Coppinger zog sich bis zur Pointe du Moulinet hoch, den letzten Teil einer felsigen Landzunge, hundert Meter über dem Meer, schätzte Dupin – als hätte die Natur an dieser ohnehin schon perfekten Stelle noch an einen Aussichtspunkt gedacht.

Hier musste die Villa von Flore Briard liegen. *La Garde.* Jede Villa hier besaß einen Namen. Dupin fuhr mit Schritttempo, rechts erschien ein kleiner Park mit einem schlichten, halbhohen Holztor. »Privé«.

Dupin hielt an, stellte den Motor ab und stieg aus.

Auf der anderen Seite der Straße ging es schwindelerregend in die Tiefe, ein sagenhafter Blick auf Dinard, den berühmten Plage de l'Écluse, einen weitläufigen Stadtstrand mit Bilderbuchpromenade. Gegenüber, am anderen Ende der Bucht, ein weiterer felsiger Vorsprung und wieder: prächtige Villen auf herrschaftlichen Grundstücken. Reiche Familien von überall her – vor allem aus der Hauptstadt – verbrachten hier die Sommerfrische. Auch in Dupins bourgeoiser Pariser Familie hatte es eine Villa in Dinard gegeben, sie hatte dem Bruder seiner Mutter gehört; da sich die beiden Geschwister jedoch nicht besonders verstanden, hatten die Dupins ihre Ferien aus Prinzip nicht in Dinard, sondern im normannischen Honfleur verbracht, einem weiteren glanzvollen Urlaubsziel der Pariser.

Dupin schritt auf das Tor zu, als sich sein Handy meldete.

Eine lokale Nummer.

»Ja?«

»Guten Tag, Monsieur le Commissaire, ich bin eine Mitarbeiterin von Flore Briard. Ich soll Ihnen mitteilen, dass sie Ihnen leider erst um siebzehn Uhr zur Verfügung stehen wird. Es tut ihr sehr leid, soll ich Ihnen ausrichten.«

»Na gut.«

Es lohnte sich nicht, sich zu ärgern.

»Vielen Dank. Au revoir, Monsieur.«

Schon hatte sie aufgelegt, sie schien genauso beschäftigt zu sein wie ihre Chefin.

Dupin war stehen geblieben.

Ihm war schon eben etwas durch den Kopf gegangen. Das könnte er mit der plötzlich frei gewordenen Stunde anfangen. Er schaute etwas auf seinem Handy nach. *Le Désir.* Blanche Trouins Restaurant in Dinard. Dupin würde es sich einmal ansehen. Nur, um sich ein Bild zu machen. Es war immerhin ein zentraler Ort im Leben der beiden Opfer gewesen.

Da war es: Rue du Maréchal Leclerc. Vielleicht zehn Minuten zu Fuß, wahrscheinlich war es einfacher, den Wagen gleich hier stehen zu lassen, als im Ort nach einem Parkplatz zu suchen. Und ein Spaziergang tat immer gut. Wie auch ein weiterer *café*. Man musste während einer Ermittlung – eine lebenswichtige Regel – jede Gelegenheit nutzen, die sich bot. Dupin hatte auf dem Weg hierher ein Café gesehen, das ganz nach seinem Geschmack zu sein schien.

Es war eine gute Idee. So würde er auch zum Nachdenken kommen.

Lächelnd lief er los.

Das erneute Klingeln seines Handys bereitete dem Lächeln ein rasches Ende.

Riwal. Der anscheinend vorhatte, sich häufiger zu melden.

»Chef!«

»Ja, Riwal, was gibt's?«

Dupin lief ein paar äußerst steile Stufen hinunter. Er wollte den Weg direkt am Meer nehmen.

»Trouin – wissen Sie eigentlich, woher der Name kommt?« Eine rhetorische Frage, der Inspektor fuhr umgehend fort. »Von einem der berühmtesten malouinischen Korsaren: René Duguay-Trouin. Marineoffizier, Sohn eines reichen Reeders. Seine Heldentaten spielen sich in den letzten Jahrzehnten des 17. und den ersten des 18. Jahrhunderts ab. Am berühmtesten wurde er durch die Eroberung Rio de Janeiros, bei der er sechzig Handelsschiffe, drei Linienschiffe, zwei Fregatten, 610 000 Cruzados und andere Schätze erbeutete.«

Das mit dem Namen war auch Nedellec schon aufgefallen, Dupin hatte es schon wieder vergessen. Der Historiker hatte ihn während der Stadtführung erwähnt.

»Wollen Sie damit sagen, dass die beiden Schwestern von diesem Piraten abstammen?«

»*Korsaren*, Chef! – Aber ja: Ich habe in einem älteren Artikel über die beiden Schwestern gelesen, dass die Abstammungslinie ihres Vaters, Georges Trouin, wahrscheinlich tatsächlich bis zu dem legendären Korsaren zurückgeht. So lange ist das ja alles nicht her.«

Da war es wieder: Das besondere bretonische Zeitverständnis. Die Vergangenheit war immer ganz nah, egal wie weit sie zurücklag. Genauer noch: Die Vergangenheit war immer auch Gegenwart.

»Und selbst wenn – wie würde uns das weiterhelfen?«

»Ich dachte nur, Sie sollten es wissen, Chef.«

»Gut. Ja.« Dupin war nicht ganz bei der Sache.

»Wo sind Sie gerade?«

»In Dinard.«

»Ah, wunderbar. Die Perle der Smaragdküste, das Nizza des Nordens, die Königin der Strände … Dinard war das erste echte Seebad der Bretagne, Frankreichs und der Welt. Dort wurde das alles erst erfunden, Dinard war die Verkörperung des Mondänen, und das bereits Mitte des 19. Jahrhunderts. Wobei man zugeben muss, dass die Engländer dabei zu Beginn eine gewichtige Rolle spielten, Sie sehen es am Stil der rund fünfhundert Villen, neugotisch zumeist, mit englischen Veranden und Schiebefenstern. Reiche und Prominente gaben sich ihr Stelldichein, viele Künstler kamen, Victor Hugo oder Edmond Rostand, der dort den *Cyrano de Bergerac* schrieb.

Picasso malte seine Geliebten am Strand. Sie müssen dort unbedingt einmal über eine der berühmtesten Promenaden der Welt spazieren, die Promenade du Clair de Lune, die Mondschein-Promenade. Man fühlt sich wie in einem botanischen Garten voller exotischer Pflanzen, perfektes mediterranes Flair, Chef. Palmen, Atlaszedern, Eukalyptus und Tränenkiefern, Blumenbeete in fantastischer Farbenpracht. Schmucklilien überall, mit weißen, blauen und lila Blüten.«

Wenn Dupin es richtig sah, lief er besagte Promenade gerade entlang. Unmittelbar am Meer, vier, fünf Meter breit, gesäumt von einem Streifen überreicher Flora. Er konnte Riwal nur beipflichten: Es war ein exotisches Paradies. Aber nicht der Zeitpunkt für einen heiteren Spaziergang.

»Gut. Riwal, ich muss weiter.«

»Melden Sie sich, wenn wir helfen können, Chef.«

»Mache ich.«

Dupin hatte das Café zielsicher wiedergefunden. *Le Mouillage.*

Alles hier war so, wie Dupin es liebte – einfach und echt. Hier könnte er jeden Morgen und jeden Abend sitzen. An der Wand hinter dem Eingang lag technisches Bootszubehör, daneben standen gestapelte knallgrüne Heineken-Paletten, eine ganze Front. Ein altes Surfbrett aus Holz, eine Panorama-Zeichnung der Côte d'Émeraude. Ein paar Stehtische mit Barhockern. Alles wirkte maritim.

Auf einer Seite die Tische, auf der anderen die Bar mit Theke, an der zwei Gäste standen. Ein Regal mit abgegriffenen Büchern, an der Wand angebrachte Miniaturboote, alte

Poster, große Muscheln, ein Ruder. Hinter der Theke Flaschen in allen Farben, die Drinks der weiten Welt. Das Außerordentlichste aber war die überdachte gläserne Terrasse am Ende des Raumes. Und der phänomenale Ausblick auf die Bucht.

Dupin hatte sich in eine Ecke gesetzt und einen *café* bestellt, der im Handumdrehen vor ihm stand. Der Chef selbst bediente, Dupin mochte ihn sofort, Dreitagebart, blaues T-Shirt, blaue Kappe. Dupin hatte sein Clairefontaine hervorgeholt und machte sich Notizen.

»Sie sind doch der Kommissar aus dem Finistère – einer der ›furiosen drei‹.«

Neben ihm saßen zwei Frauen, eine jüngere und eine ältere, beide dunkelblond, sie lächelten ihn offen an.

»Ermittlungen in Dinard, da können Sie sich glücklich schätzen! Sie sind sicher hier, um Flore Briard zu treffen«, sagte die ältere der beiden.

Dupin war beeindruckt, dass sie auf Anhieb richtiglag.

Die Jüngere mischte sich ein.

»Der Tod von Blanche und ihrem Mann ist ein großer Verlust für die Stadt. Sie haben viel zu ihrer Attraktivität beigetragen. Die Gastronomie spielt hier eine große Rolle. An der gesamten Küste. Sogar unser Polizeichef war früher Küchenchef.«

Dupin erkannte eine Ähnlichkeit in den Gesichtszügen der beiden Frauen, vermutlich waren sie Mutter und Tochter.

»Blanche ist mit ihrem Restaurant vor fünfzehn Jahren von Saint-Malo nach Dinard gekommen. Als ihre jüngere Schwester ihres in Saint-Malo eröffnete.« Die Aussage zwischen den Zeilen der resoluten älteren Frau war klar: Blanche Trouin hatte gut daran getan – natürlich ging man nach Dinard, wenn man konnte. »Blanche hat zunächst auch hier gewohnt. Sie sind erst vor vier Jahren weggezogen.«

Es war eine interessante Bekanntschaft, die Dupin da

machte; kundige Einheimische waren für eine Ermittlung immer von großem Wert.

Die Jüngere übernahm: »Saint-Malo und der Osten sind eher Lucilles Gegend – Dinard und der Westen Blanches Bezirk.«

»Die Konkurrenz zwischen den beiden Städten nimmt sich aber bei Weitem nicht so schlimm aus wie zwischen den Schwestern«, stellte die ältere Frau fest. »Aber es gibt sie. Immer schon. Die Unterschiede zwischen den beiden Städten sind groß.«

»Inwiefern?« Dupin trank seinen *café*.

»Wir Leute aus Dinard sind warmherzig und weltoffen. Heiter, leichtfüßig und beschwingt, ja vielleicht zuweilen sogar müßiggängerisch. *La joie de vivre*: Das sind wir. Elegant, aber nie snobistisch, nie arrogant.«

Das entsprach dem Ambiente der Stadt, fand Dupin: Durch die viele Patina wirkte auch sie trotz der noblen alten Fassade, trotz ihrer Pracht nie chic, nie angeberisch oder aufdringlich. Ihm war allerdings nicht klar gewesen, welche enorme Rolle Rivalitäten und Differenzen auf diesem kleinen Raum zu spielen schienen, die Côte d'Émeraude war gerade mal vierzig Kilometer lang. Aber eigentlich hätte er es besser wissen müssen: je näher man beieinander war, umso mehr Bedeutung erlangten die Unterschiede.

»Blanche Trouin hat zu uns gepasst«, pointierte die Ältere der beiden, »jeder kann ein *Dinardais* werden, wenn er unsere Werte und Ideen teilt – ein *Malouin* nicht, da muss man geboren sein. Und die Vorfahren auch.«

»Maman, so ist das doch alles gar nicht mehr.« Dupin hatte richtiggelegen, die Tochter.

»Kannten Sie auch Blanche Trouins Mann Kilian Morel persönlich?«

»Natürlich«, die Mutter wirkte beinahe indigniert, »die

meisten hier kannten Kilian Morel, wir sind gerade einmal zehntausend Einwohner. Ein außergewöhnlich freundlicher, gutmütiger Mann. Der keiner Fliege etwas zuleide tun konnte. Unfassbar, dass gerade er Opfer eines Gewaltverbrechens geworden ist.«

»Ein Mann mit großem Engagement«, ergänzte die Tochter, »er setzte sich genau wie Bertrand Larcher für den bretonischen Buchweizen ein, der massiv bedroht ist, überall wird er von industriellem Getreide verdrängt. – Und ein exzellenter Weinkenner war Kilian auch.«

»Dass er einen Konflikt mit irgendjemandem hatte, schließen Sie also eher aus?«

So ganz sollten sie das Szenario zweier unabhängiger Geschichten vielleicht doch nicht beiseitelassen. – Aber Dupins Instinkt sagte ihm etwas anderes.

»Er war zu Konflikten gar nicht fähig, würde ich sagen, das war sein Problem«, stellte die Mutter entschieden fest.

»Könnte jemand von Kilian Morels Tod profitieren?«

»Beim besten Willen – wer sollte das sein? – Keiner hier bei uns.«

»Vielleicht Charles Braz, Lucille Trouins Lebensgefährte? Morel hatte begonnen, ihm mit einem eigenen Rumgeschäft Konkurrenz zu machen.«

Dupin war plötzlich unzufrieden. War nicht alles viel zu klein, worüber sie gerade nachdachten? Das mit dem Rum auf jeden Fall. Im Augenblick war es nicht viel mehr als ein unwürdiges Orakeln.

»Dazu können wir nichts sagen. Außer dass der Mörder hier dann eine Menge zu tun hätte, es gibt zahlreiche Rumhändler.«

»Was ist mit seinem Bruder? Joe Morel? Wissen Sie etwas über das Verhältnis der beiden?«

Die Tochter antwortete: »Wir kennen den Bruder nicht. Er ist von Saint-Malo nach Cancale gegangen. Das ist wieder eine ganz andere Welt. – Aber dort, das weiß ich, wird er sehr geschätzt. Seine Austernbar ist ein Treffpunkt der Einheimischen.«

»Objektiv …« Dupin brach ab.

Er hatte sagen wollen: »Objektiv profitiert er am meisten von den beiden Morden.« Worüber Huppert, Nedellec und er noch gar nicht gesprochen hatten, das Gespräch über Joe Morel hatte sich bislang fast ausschließlich um die Affäre mit Lucille Trouin gedreht. Dabei war es viel erheblicher. Joe Morel war es, der höchstwahrscheinlich alles erben würde, das gesamte Vermögen von Blanche Trouin und Kilian Morel, seinem Bruder.

Die ältere Frau spann die Geschwister-Geschichte interessiert zu Ende. »Sie meinen, die Schwester bringt die Schwester um und danach der Bruder den Bruder?«

Dupin warf einen Blick auf die Uhr.

»Das war eine äußerst nette Begegnung, Mesdames. Ich danke Ihnen für die Informationen.«

Er erhob sich und legte Kleingeld auf den Tisch.

»Sie haben übrigens den richtigen Ort gewählt. Hier im Café kehren die Fischer ein, wenn sie vom Meer kommen. – Auch das ist Dinard! Es gibt nicht bloß die Villen. – Übrigens, wenn Sie zu Flore Briard gehen, die bombastische Villa auf der anderen Seite des Kaps steht zum Verkauf. Sechzehn Millionen. Allerdings sollten Sie noch zehn Millionen für die Renovierung einberechnen.« Die Mutter lachte, es mutete wie eine direkte Aufforderung zum Kauf an. »*La Garde*, Flore Briards Villa, wurde übrigens von Jean Hennessy, dem Cognac-König, erbaut.«

»Noch eine Sache«, Dupin stand neben dem Tisch, »wissen

Sie zufällig, ob Flore Briard und Blanche Trouin sich persönlich kannten?«

»Natürlich kannten sie sich. Auch wenn sie selbstverständlich nicht miteinander befreundet waren. Aber sie haben einen höflichen Umgang miteinander gepflegt. Das geht ja auch gar nicht anders, wir kommen hier alle einigermaßen regelmäßig zusammen. Bei Vernissagen, Festen, Versammlungen. – Die beiden sind in vielen Vereinen engagiert. – Ihnen muss bewusst sein, dass Flore Briard hier in Dinard eine wichtige Person ist. Auch wenn sie, sagen wir, ein bisschen verrückt ist, ganz so wie ihre hinreißende verstorbene Mutter. Wenn Flore sich etwas in den Kopf setzt, wird es zum Spleen. Wenn Sie wissen, was ich meine.«

»Ist sie verheiratet? Lebt sie in einer Beziehung?« Dupin wusste noch so gut wie gar nichts über Madame Briard.

»Oh nein. Ihre Mutter wurde nach Flores Geburt von ihrem Mann verlassen, für eine Jüngere, die klassische Geschichte. Das hat sich bei ihr eingebrannt. Es gibt zwar Liebschaften, aber keine allzu festen Bindungen.«

Dupin setzte sich in Bewegung.

»Also noch einmal vielen Dank.«

»Wir hoffen, Sie lösen den Fall bald, Monsieur le Commissaire. – Schön ist das alles nicht für Dinard.«

»Alles Gute, Monsieur le Commissaire«, verabschiedete sich die Tochter.

Dupin trat auf die Straße.

Für gewöhnlich besaß er eine hervorragende Orientierung. Er würde ohne Probleme zu Blanche Trouins Restaurant finden.

Keine fünf Minuten später musste er sich jedoch eingestehen, dass er sich verlaufen hatte. Er war die Rue Jacques Cartier entlanggegangen, eigentlich war es ganz einfach, denn sie schnitt die Rue du Maréchal Leclerc. Aber er musste sie verpasst haben. Das Klügste wäre, er nähme sein Handy zu Hilfe, was er in der Regel strikt verweigerte.

Das Stadtzentrum mit seinen Boutiquen und Geschäften besaß ein völlig anderes Flair als die Villengegend. Jetzt waren es kleine Häuschen, die die Straße säumten – niedliche, hübsche Häuschen, meist bloß eine, ausnahmsweise mal zwei Etagen, häufig aus Holz, ein Stil, den er bisher nirgendwo in der Bretagne gesehen hatte. Ein bisschen erinnerte es ihn an das Amerika der Ostküste, an Maine, Vermont, Connecticut.

Er müsste bald da sein. Und so war es.

Le Désir. Auch Blanche Trouins Restaurant war ein wunderschönes altes Haus, ums Eck gebaut, oben eine Dachterrasse mit Brüstung aus Backstein. Neben dem Restaurant ein Garten mit einer zauberhaften Holzveranda. Dahinter ein Anbau, der anscheinend zum Restaurant gehörte. Die Holzfassade des Restaurants war dunkelblau gestrichen. Überall große Fensterfronten. Von innen würde man das beschwingte Treiben auf den Straßen beobachten können.

An der Eingangstür hing ein traurig anmutendes handgeschriebenes Blatt, von innen mit Tesa befestigt: »Geschlossen. Wiedereröffnung nicht absehbar. – Danke für Ihre Treue. Ihr ›Le Désir‹-Team.« Darüber der ganze Stolz des Restaurants und seine wirksamste Reklame: der rote Michelin-Stern mit weißem Rand auf rotem Grund; eigentlich hatte er eher die Form eines Blümchens.

Dupin ging zur Veranda. Hier gab es – wie vermutet – einen zweiten Eingang zum Restaurant. Und einen zum Anbau.

Dupin klopfte lautstark an beide Türen.

»Commissaire Dupin hier. – Ist jemand da?«

Keine Reaktion.

Er wiederholte die Aktion.

Nichts.

Dupin machte gerade kehrt, als Geräusche aus dem Innern nach draußen drangen.

»Komme schon!«, rief eine Stimme.

Prompt öffnete sich die Tür zum Restaurant. Ein junger, entschieden dreinblickender Mann stand vor ihm.

»Wie kann ich helfen?«

»Commissaire Georges Dupin. Und Sie sind?«

»François Belfort. *Chef de Service.* Ich wollte nur nach dem Rechten sehen. Die verderblichen Lebensmittel entsorgen.«

»Ich würde gerne einen Blick in das Restaurant werfen.«

»Klar.« Der Mann trat zur Seite. »Kommen Sie, ich zeige es Ihnen.«

Sie standen in einem kleinen Treppenhaus, rechts führte eine hölzerne Treppe in den ersten Stock.

»Und was befindet sich oben?«

»Ein Aufenthaltsraum und eine Toilette für das Personal sowie ein privater Raum der Trouins. Die Tür ist abgeschlossen, die Polizei hat den Schlüssel an sich genommen.«

Die Spurensicherung war bereits gestern vor Ort gewesen.

Sie durchquerten eine große, beeindruckende Küche und erreichten den Speisesaal. Das Blau der Holzfassade und der Jalousien fand sich in den Tischdecken wieder, die Wände weiß gestrichen, Tische und Stühle aus naturbelassenem Holz. An den Wänden weiße, hüfthohe Sideboards. Blau-weiß, das klassische maritime Farbkonzept. Bepflanzte Töpfe standen auf schmalen Holzbänkchen zwischen den Tischen. Der *Chef de Service* sah Dupins Blick:

»Das sind frische Kräuter. Blanches Welt. Heimische, aber auch viele exotische, aus den verschiedensten Winkeln der Erde. Wir wechseln sie je nach Saison und Schwerpunkt der Küche. Die Gäste können sich frei bedienen.«

Der schöne große Raum machte so verlassen einen traurigen Eindruck; in Restaurants gehörte Leben, gehörten Menschen, lebhafte Gespräche, ein heiteres Durcheinander. Wenn man hier stand, nahm man die Brutalität des Geschehens besonders stark wahr: Eine ganze Welt war ausgelöscht worden, die beiden Menschen, die diesen Ort mit Leben und Liebe gefüllt hatten, die anderen Menschen einen Moment des Glücks geschenkt hatten. In Augenblicken wie diesen spürte man die Tragödie manchmal intensiver als in objektiv viel drastischeren Situationen wie zum Beispiel am Tatort. Dort war es oft abstrakt. Hier aber spürte man die abgründige Leere.

Dupin verharrte eine Weile, dann warf er einen Blick auf die Uhr. 16 Uhr 51. Er musste los. Für das Gespräch mit Flore Briard hatte er ohnehin nicht viel Zeit. Und er könnte danach noch einmal zurückkommen, wenn er wollte. Aber eigentlich hatte er alles gesehen.

Das Tor öffnete sich wie von Geisterhand, geräuschlos, ohne Ruckeln. Ein großer Garten empfing den Kommissar, ein dezenter Kiesweg, Büsche, gelbe Blumen. Alles war gepflegt, aber nicht penibel arrangiert.

Als die Bäume endeten, sah man sie: die herrschaftliche Villa. *La Garde.* Majestätisch, neugotisch wie die meisten anderen hier an der Küste, aber in einer lichten, freundlichen Variante. Hellgrauer Granit an den Ecken des Gebäudes und um die großzügigen Fenster herum, einzelne Steine setzten mit Rottönen lebendige Akzente. Sechs spitze Giebel über dem Haupteingang, darunter eine dunkle Holzveranda.

Dupin war beeindruckt. Er hatte bereits Dutzende Villen im Vorbeifahren gesehen, diese hier stellte alle in den Schatten. Sie wirkte eher wie ein verwinkeltes, verwunschenes Schloss. Er klingelte.

Aus der Gegensprechanlage war ein helles »Ich komme!« zu vernehmen.

Es dauerte, dann öffnete sich die gewaltige Tür.

Flore Briard stand vor ihm. Hübsch. Sehr hübsch. Blond, die Haare locker hochgesteckt, ein schwarzer Haarstab hielt sie zusammen, ein paar Strähnen fielen ihr ins Gesicht. Ein weites, kurzes Kleid in einem rötlichen Violett. Für Dupins Geschmack war sie etwas zu stark geschminkt.

»Da bin ich! – Wie viel Zeit haben Sie denn, Commissaire?«

»Es sind nur ein paar Fragen, Madame Briard.«

»Gut. Dann haben wir Zeit für eine kurze Führung.« Sie hatte ungefähr das Sprechtempo von Commissaire Huppert, jedoch ohne deren Sachlichkeit, ihre Stimme war voller Melodie und Emotion, aber nicht affektiert.

Dupin stand eigentlich nicht der Sinn nach einer Hausführung, aber er wollte gerne erfahren, wer sie war.

»Et voilà: meine Empfangshalle.«

Dupin trat ein. So etwas hatte er noch nie gesehen, noch nicht mal bei irgendwelchen aristokratischen Freunden seiner großbürgerlichen Pariser Mutter. Am ehesten erinnerte der Raum an eine Kirche. Er war enorm. Circa zwanzig Meter lang, sicher fünfzehn Meter hoch, das offene Dach mit Holzbalken und grün-bläulichen Mustern geschmückt. Ein Tafelparkettboden. An den Wänden eine helle, mit dezenten silbrig weißen Ornamenten verzierte Tapete. Hölzerne Säulen, an denen goldene Leuchter strahlten.

Der damalige Bauherr, Hennessy, wie Dupin jetzt wusste, musste dem Architekten eine einzige Devise mitgegeben haben: maximale Pracht, maximaler Aufwand. Dabei war der Raum fast leer, ein paar klassisch-moderne Ledersessel, ein passender Beistelltisch, schwarz wie das Leder. In einer Ecke ein historischer Aufzug mit halbhohem schmiedeeisernem Gitter, darin eine meisterlich gearbeitete Holzkabine, ein unbezahlbares Schmuckstück.

»Es ist grässlich.«

Mit einem Mal machte Flore Briard einen zutiefst aufgewühlten, mitgenommenen Eindruck.

»Ich kann es immer noch nicht fassen. Sie ist meine beste Freundin. – Und ersticht ihre Schwester. Und warum redet sie nicht? Was ist mit Lucille geschehen, denken Sie? Können Sie es sich schon irgendwie erklären? – Ich kann es einfach nicht glauben.«

»Aber es ist geschehen. Wie auch der Mord an Kilian Morel.«

Flore Briard führte Dupin jetzt durch einen kleinen Vorraum, dann durch einen Flur bis in einen Salon, der ihm abermals die Sprache verschlug. Bestimmt neunzig Quadratmeter, Perserteppiche auf altem Parkett, sparsam verteilte alte Möbel. Stuckdecken, ein imposanter Kerzenleuchter. In der Mitte ein riesiger Holztisch, auf dem eine sich akribisch putzende graue Katze saß, umringt von acht thronartigen gepolsterten Stühlen.

Flore Briard blieb mitten im Zimmer stehen: »Hier lebe ich in den warmen Monaten. Hier, auf der Terrasse und im Garten.« Sie ging zur Terrassentür. Dupin folgte ihr.

Die gesamte Längsseite des Raumes bestand aus Panoramafenstern. Selten war der Begriff so angemessen wie hier: Man hatte das Gefühl, im Freien zu leben. Seltsamerweise haftete dem Raum trotz seiner Stattlichkeit etwas Dezentes an, eine aparte Eleganz, das Gegenteil von Prunk.

»Ich kannte auch Blanches Mann«, knüpfte Flore Briard an Dupins Satz an, »natürlich. Auch wenn er zum anderen Lager gehörte. – Ja, es gab das Lucille-Lager und das Blanche-Lager. Natürlich auch Menschen, die mit beiden verkehrten, weil sie nicht enger mit ihnen befreundet waren. – Ich bin Teil von Lucilles Lager, natürlich. Lucille steht mir ungemein nahe, sie bedeutet mir viel. – Auch jetzt noch, daran wird sich nie etwas ändern. – Extremes muss in ihr vorgegangen sein.«

»Und Sie haben nicht die geringste Idee, was das gewesen sein könnte, Madame?«

Sie trat auf die überdachte Terrasse. »Et voilà! Die legendäre Bucht zwischen Dinard und Saint-Malo.«

Auf dem Boden aus sagenhaften Mosaiksteinen standen schlichte Möbel aus Holz und Gusseisen. Einige Stufen führten in den Garten, der an dieser Seite lediglich aus ein paar Metern Rasen bestand, bevor es hinter einer Brüstung steil hinabging bis zum Meer. Der Blick war spektakulär, noch berückender als von der Mondschein-Promenade aus. Und man sah nicht bloß die Bucht, sondern weit hinaus aufs offene Meer. Auf endlose Smaragdflächen, die den Horizont immer weiter nach hinten zu verschieben schienen. Ein blau-weißes Fährschiff nahm seinen Weg durch die Bucht, es pendelte zwischen den beiden Städten.

»Nein, ich habe nicht die geringste Idee.« Flore Briard war an die Brüstung getreten, sie kam auf Dupins Frage zurück. »Es ist niederschmetternd. Und ganz unwirklich.«

Dupin lenkte das Gespräch auf das vordringlichste Sujet. »Was ist mit dem wirtschaftlichen Ruin Ihrer Freundin, dem fatalen Grundstückskauf – könnte es darum gehen bei alledem?«

»Wie sollte das ihre Geldprobleme lösen – ihre Schwester in aller Öffentlichkeit umzubringen?«, sagte Briard nachdenklich. »Und warum sollte deswegen jemand den Mann ihrer Schwester töten?«

Eine entwaffnende Gegenfrage, musste Dupin zugeben. Aber nun war klar: Sie wusste von dem finanziellen Debakel.

»Lucille war wegen der Grundstückssache vollkommen fertig, auch wenn sie versuchte, sich das nicht anmerken zu lassen.«

»Und als ich Sie gerade gefragt habe, worum es gehen könnte – da ist Ihnen diese Sache nicht eingefallen?«

Dupin hatte sich neben sie an die Brüstung gestellt.

»Wo sehen Sie den möglichen Zusammenhang?«, fragte sie.

»Wann hat sie Ihnen davon erzählt?«

»Am …«

Dupins Handy meldete sich, schon wieder eine SMS.

»Entschuldigung.«

Er holte es aus seiner hinteren Hosentasche.

Nedellec. »Wieder Neuigkeiten! Ich berichte später.«

Warum sagte er nicht gleich, was los war? Stirnrunzelnd steckte Dupin das Telefon zurück.

»Sie hat es mir letzten Dienstag erzählt«, sprach Flore Briard weiter, »wir waren abends essen. Sie hatte den Bescheid mit den Nistplätzen auf ihrem Grundstück schon eine Weile davor bekommen.«

»Ihrem Lebensgefährten hat sie nichts davon erzählt.«

Flore Briard lächelte.

»Er ist nicht mehr ihr Lebensgefährte. Das ist vorbei. Diese ganze Geschichte ist zu Ende.«

»Tatsächlich?«

»Ja. Auch wenn Lucille es sich selbst und ihm gegenüber vielleicht noch nicht abschließend formuliert hat. – Es funktioniert schon seit Langem nicht mehr.«

»Wie lange schon?«

»Seit einem Jahr bestimmt.«

Dupin machte sich eine Notiz.

»Was war los?«

»Er ist ein schwacher Mensch.« Es wirkte nicht einmal herablassend, eher bedauernd. »Und das nervte Lucille permanent, immer schon. Es konnte nicht dauerhaft funktionieren, so viele tolle Eigenschaften er auch besitzt, sie hat ihn nicht mehr geliebt. – Dazu kam, dass er eine Familie wollte, sie nicht. Brauchen Sie noch mehr Gründe? – Ich habe Lucille übrigens angeboten, ihr Geld zu leihen. Um aus der Sache rauszukommen.«

Eine überraschende Information.

Dupin spürte die stechende Sonne auf seinem Kopf. Auch hier oben war keine Brise zu spüren. Es war richtig heiß geworden. Dupin wischte sich ein paar Schweißtropfen von der Stirn.

»Und?«

»Sie will kein Geld von mir. Auf keinen Fall. – Wir werden sehen. An dieser lästigen Sache wird sie nicht scheitern. Im Moment hat sie ohnehin andere Sorgen.«

Natürlich brachten Flore Briard als reiche Erbin die Summen, die ihre Freundin in existenzielle Nöte stürzten, nicht ins Schwitzen. Und das merkte man ihr an.

»Kommen Sie mit, Commissaire«, Flore Briard lief ein Stück in den Garten, der sich hinter der Villa befand, »da, sehen Sie.«

Hier waren zwei hübsche kleine Steinhäuschen angebaut.

»In dem vorderen Haus wohne ich im Winter. Man hat keine Chance, die Villa auch nur einigermaßen geheizt zu bekommen! Unmöglich! – In diesen Häuschen haben früher Teile des Personals gewohnt. Dort drüben stand noch eine andere Villa, die den Blick zum Ende der Bucht hin versperrte. Die hat Hennessy damals gekauft, um sie abreißen zu lassen.«

Dupin nickte unbestimmt. Er war in Gedanken versunken.

»Dafür hat er zur Straße hin eine Villa für seine Geliebte bauen lassen. Sie wurde später seine Frau.«

Langsam begab sie sich zu den steinernen Stufen, die zurück zur Terrasse führten, weiße, üppige Rhododendren erstreckten sich rechts und links.

»Wo haben Sie sich heute Morgen aufgehalten, Madame Briard? Zwischen 7 Uhr 30 und 9 Uhr 30?«

Dupin hatte unbeabsichtigt schroff geklungen.

»Auf meinem Boot, schon ab sieben. Die *Épée du Roy*. Sie liegt hier in Dinard. Wir hatten gestern Abend die feierliche Eröffnungsfahrt für den Sommer. – Sie wissen von meinem Unternehmen, vermute ich.«

»Die Fahrt hat trotz der – Ereignisse stattgefunden?«

»Es war wichtig.« Ihr Ton machte klar, dass sie eine Absage niemals in Erwägung gezogen hatte. »Es ist mein Unternehmen, auch wenn die Menüs von Lucilles Souschef stammen.«

»War heute Morgen jemand bei Ihnen auf dem Boot?«

»Bis kurz nach elf war ich allein. Dann kamen zwei meiner Mitarbeiterinnen.«

Was bedeutete: Auch Flore Briard hatte kein Alibi für den heutigen Morgen.

»Apropos Souschef, Madame Briard, was sagen Sie zu dieser Sache? Es betrifft ja auch Sie.«

Wusste sie davon?

Sie warf ihm einen fragenden Blick zu, dann ging sie in Richtung Salon.

»Ich habe keine Ahnung, was Sie meinen«, konstatierte sie brüsk.

140

»Blanche Trouin hat ihrer Schwester den Souschef abspenstig gemacht, Clément hat den Vertrag schon unterschrieben.«

»Bitte?«

Sie wirkte schockiert. Oder spielte es nur gut.

»Ja, er hätte demnächst für Blanche gearbeitet. Und dann folglich auch keine Menüs mehr für Sie kreiert.« Davon ging Dupin zumindest aus. Clément wäre dann Teil des Blanche-Lagers gewesen.

Briard wirkte jetzt richtig aufgebracht: »Wann hat Lucille das erfahren?«

Mittlerweile hatten sie den Salon fast durchquert.

»Wir wissen nicht, ob sie es überhaupt schon erfahren hat. – Hätte sie es Ihnen erzählt, was meinen Sie?«

»Unbedingt. Wie Sie sagen: Es ging dabei ja auch um mich. – Sehen Sie, Commissaire«, sie unternahm keinerlei Anstrengungen, ihren Ärger zu verbergen, »das ist bösartig. Richtig bösartig. Natürlich ist Clément ein sensationelles Talent – trotzdem gibt es noch andere. Und Blanche hätte jeden haben können für ihr Restaurant. Und wen nimmt sie: ausgerechnet Lucilles Koch. Das macht sie doch nur, um ihr zu schaden.«

Sie waren in den Flur abgebogen.

»Wie lange kennen Sie Lucille Trouin eigentlich?«

»Schon seit der Grundschule. Wir waren immer enge Freundinnen. Fast unser ganzes Leben lang.«

»Dann sind Joe Morel, Lucille Trouin und Sie auf dieselbe Schule gegangen?«

»Ja, und auch Kilian – wenn auch in verschiedenen Klassen. – Nur Blanche war auf einer anderen Schule.«

So langsam vervollständigte sich das Bild der Verbindungen.

»Und hier sehen Sie mein Winter-Refugium.« Flore Briards Stimmung hatte sich in Bruchteilen einer Sekunde verändert, der Ärger schien vergessen. Sie hatte Dupin in einen hellen, nicht allzu großen Raum geführt, in dem ein Bett stand, daneben ein Kamin, eine kunstvolle Eisenarbeit.

»An den kälteren Wintertagen verlasse ich dieses Zimmer nur selten. Glücklicherweise gibt es von diesen Tagen nicht viele.«

Dupin erkannte, dass sie sich in einem der Anbauten befinden mussten. Sie hatte wahrscheinlich einen Durchbruch vornehmen lassen. Es war kurios, Flore Briards Winter-Refugium machte nur einen Bruchteil ihrer »Sommerwelt« aus. An den Wänden hingen alte gerahmte Landkarten, Gemälde und ein großer Rahmen mit historischen Postkarten, Luftaufnahmen vom Kap und der Villa, die unfassbar privilegierte Lage war gut zu erkennen. Mehrere kleine Schränkchen standen an den Wänden verteilt, auf denen sich wundersamer Krimskrams befand. Teller und Figürchen aus altem Porzellan, Püppchen, Muscheln, Kerzenständer, Schmuck. Ringe, eine lange Kette.

»Wenn Sie sich schon so lange kennen, haben Sie auch miterlebt, wie Lucille Trouin mit Joe Morel zusammenkam.«

Flore Briard führte Dupin wieder aus ihrem Winterquartier heraus.

»Das war kompliziert, ja. Manchmal sehr. Blanche war schon mit Kilian verheiratet und eng mit Joe befreundet. Aber es ist ewig her. Eine ganzes Jahrzehnt.«

»Hatten Joe Morel und Lucille Trouin in letzter Zeit wieder Kontakt?«

Flore Briard blinzelte. Sie wusste, worauf Dupin hinauswollte.

»Ja. – Ich habe mir ehrlich gesagt ein paarmal gedacht, dass sie vielleicht wieder zusammenkommen. Und Lucille damit aufgezogen. – Aber nein.« Sie gab sich nun resolut. »Da ist absolut nichts.«

»Die beiden haben sich also wieder getroffen? Seit wann? Wie oft?«

»Sie sind sich Anfang des Jahres zufällig begegnet. Dann haben sie sich vielleicht zwei, drei Mal gesehen, aber nur zum Essen.«

Das bedeutete, dass Charles Braz entweder nicht die Wahrheit gesagt hatte oder es einfach nicht wusste. So wie er anscheinend vieles nicht mehr wusste über Lucille Trouins Leben.

»Ich schließe eine Affäre vollkommen aus, Commissaire.« Eine unmissverständiche Klarstellung.

Sie waren in den Salon zurückgekehrt. Der kleine Rundgang war zu Ende.

»Wollen wir Platz nehmen?«

Sie wies auf ein Sofa und zwei gepolsterte Sessel.

»Danke, ich muss gleich los«, Dupin blieb stehen. »Was denken Sie über diese Rezeptsammlung des Vaters? Sie war offenbar von erheblicher symbolischer Bedeutung für die Schwestern. Lucille hat wohl erst dieses Jahr einen weiteren Versuch unternommen, Blanche dazu zu bringen, sie zumindest mit ihr zu teilen.«

»Sie sind gut informiert. Das ist eine Wunde für Lucille, die einfach nicht verheilt. – Aber ich wüsste nicht, inwieweit sich das ausgerechnet jetzt zugespitzt haben sollte.«

Dupin hatte mittlerweile endgültig das Gefühl, dass sie mit manchen – an sich durchaus interessanten – Themen auf der Stelle traten.

»Eine letzte Frage noch: Wie war Ihr Verhältnis zu Kilian Morel?«

Dupin hatte es absichtlich im Vagen gelassen.

Zum ersten Mal stutzte Briard. Dupin spürte, dass sie es gerne verschwiegen hätte.

»Wir haben«, umgehend fing sie sich wieder, »uns immer höflich unterhalten, wenn wir uns sahen. Ein sympathischer Mann. Etwas lethargisch, aber verlässlich, denke ich. Sehr friedfertig.«

»Haben Sie ihn häufig gesehen?«

»Nein. Und immer nur zufällig, auf dem Markt, in einem Café. Oder bei öffentlichen Veranstaltungen. – Dementsprechend belanglose Konversationen.«

»Wann haben Sie ihn das letzte Mal gesehen?«

Sie dachte nach. »Ich glaube, am Abschlussabend des Comedy-Filmfestivals Ende April.«

»Danach nicht mehr?«

»Nein.«

»Dann danke ich Ihnen noch mal, Madame Briard. Das war sehr interessant. – Ich finde den Weg nach draußen.«

»Au revoir, Monsieur le Commissaire.«

Dupin durchquerte den Salon, dann die palastartige Empfangshalle. Eiligen Schrittes trat er ins Freie.

»Na gut.« Commissaire Huppert wirkte genervt.

Sie saßen seit vierzig Minuten zusammen.

Bei einem ersten Bericht war es nur um die Fakten gegangen, so hatte es Huppert vorgeschlagen, »diskutiert wird später«. Jeder hatte dargelegt, was er seit dem Mittag recherchiert, mit wem er gesprochen und was er erfahren hatte, alle neuen Informationen. Dabei war deutlich geworden, wie die Kommissarin sich die weitere Zusammenarbeit des Teams vorstellte: Nedellec und Dupin gaben die rasenden Ermittler, Huppert die zentrale Instanz, bei der alles zusammenlief, die analysierte und zudem die besonders wichtigen Recherchen jenseits der Gespräche mit den Verdächtigen anstellte. Dupin störte es schon deswegen nicht, weil er seine Rolle als Kommissar nie so gesehen hatte wie Huppert – wobei sie so natürlich, streng genommen, der Stellenbeschreibung eines Kommissars entsprach. Dupin konnte nicht anders: Er musste stets selbst unterwegs sein und mit den Menschen sprechen, es wäre das Letzte, das er delegieren würde.

Zu den Fakten hatten auch die Alibis gehört. Die Bilanz ihrer Nachforschungen war ernüchternd. Niemand besaß ein belastbares Alibi. Bei Joe Morel war es gestern Nacht in der Austernbar ungewöhnlich spät geworden, eine geschlossene Gesellschaft, und sie hatten nicht mehr alle Aufräumarbeiten geschafft; deswegen, so seine Aussage, sei er heute um halb acht bereits wieder in der Bar gewesen. Alleine. Er wusste nicht, ob ihn jemand gesehen hatte. Ein Inspektor von Huppert hatte mit dem Souschef gesprochen: Clément – das *La Noblesse* hatte seinen Betrieb wieder aufgenommen – war zwischen sieben und acht auf dem Markt gewesen, was der Inspektor sich von ein paar Händlern hatte bestätigen lassen. Zuletzt wurde er dort um 7 Uhr 50 gesehen. Dann hatte Clément sich wie gewöhnlich alleine in der Küche des Restaurants aufgehalten, bis ungefähr 9 Uhr 50, erst dann waren weitere Küchenkräfte hinzugekommen. Es wäre zwar knapp für ihn gewesen, aber er hätte den »Ausflug« schaffen können. Walig Richard, den Antiquitätenhändler, hatte Nedellec nach wie vor nicht erreichen können.

Mittlerweile lagen die Verbindungsnachweise von Kilian Morel vor; auch sie schienen unauffällig. Die einzige Häufung waren drei Gespräche zwischen ihm und Walig Richard am

Montagnachmittag und -abend. Aber nach dem grausamen Tod von Blanche Trouin war das gut zu erklären, schließlich war Richard einer ihrer besten Freunde ... Nedellec würde den Antiquitätenhändler – wenn er ihn endlich erreichte – darauf ansprechen.

Dupin hatte als Einziger etwas zu essen bestellt – auch wenn sie nachher mit den Präfekten speisen würden. Sein Magen knurrte furchtbar. Nedellec und Huppert hatten bloß Kaffee und Wasser.

Das *Restaurant du Petit Port* – die Buchstaben des Schriftzuges an der Fassade saßen sympathisch schief – war fabelhaft. Der Ort, die Atmosphäre. Es lag in einem kleinen Sträßchen, das zur Promenade du Clair de Lune und zum Freizeithafen hinunterführte. Man sah auf die Palmen der Promenade und die Bucht. Jetzt, gegen Abend, intensivierten sich die Farben wieder, auch das Smaragdgrün des Meeres. Säße er hier mit Claire – es wäre ein perfekter Sommerabend.

»Und was von alldem ist nun wirklich wichtig?« Huppert drängte.

»Das mit dem Kochbuch auf jeden Fall«, sagte Nedellec schnell. »Es könnte durchaus der Schlüssel sein. Das Motiv. Und eventuell nicht bloß für den Mord von Lucille an Blanche.«

Auch wenn Nedellec sehr weit ging, so war er nach Dupins Empfinden tatsächlich einer Sache mit potenzieller Brisanz auf die Spur gekommen. Nedellec hatte in seiner Unterredung mit Joe Morel auch über die Rezepte gesprochen. Morel hatte erzählt, dass Blanche Trouin Kontakt zu einem bekannten Pariser Verleger gehabt hatte, mit dem sie über die Möglichkeit einer Buchveröffentlichung gesprochen hatte. Nedellec hatte am Nachmittag dann so lange mit Verlagen telefoniert, bis er auf den richtigen gestoßen war.

Einen renommierten Kochbuchverlag, der tatsächlich Interesse an einem Buch mit den Rezepten des Vaters hatte – herausgegeben, mit einem Nachwort versehen und auch mit eigenen Rezepten angereichert von Blanche Trouin. Das Projekt war offenkundig bereits weit gediehen, in Paris lag eine Kopie des Materials. Blanche Trouin und der Verlag hatten vor einem guten Monat per Mail ein Einverständnis über die wichtigen Details erzielt, Blanche hätte bald den Vertrag erhalten sollen.

»Ich bin mir sicher, dass die Sache Lucille sehr wütend gemacht hätte«, räumte Huppert ein, »aber es ist wie mit dem Souschef: Wir haben keine Ahnung, ob sie überhaupt davon wusste. Wenn nicht, ist es belanglos für uns. – Und selbst wenn, reicht das wirklich als Grund, um die eigene Schwester umzubringen? Allenfalls doch als Auslöser für eine Affekttat, wenn Lucille Trouin es erst gestern erfahren hätte. Als Tropfen, der das Fass überlaufen ließ. – Aber was sollte das mit dem Mord an Kilian Morel zu tun haben? Ich sehe da im Moment keinen Zusammenhang, es muss um etwas anderes gehen.« Sie trug die Einwände in ihrer sachlichen Art vor und blieb ganz ruhig dabei. »Wir sollten den Verlag natürlich dennoch bitten, uns die Korrespondenz zur Verfügung zu stellen. Bisher haben die Experten keines der Passwörter der beiden Opfer knacken können, weder für die Handys noch für die Computer.«

»Längst erledigt«, winkte Nedellec ab, »sie kommt noch heute. Aber es steht auch nicht mehr drin, als wir jetzt schon wissen, sagt der Verlag. – Ich glaube, Sie unterschätzen die emotionale Dynamik völlig.«

»Mit Blanche Trouins Tod ist die Sache mit dem Kochbuch aber sowieso hinfällig«, erwiderte Huppert gelassen.

»Warum? Kilian Morel hätte das Buch trotzdem erscheinen lassen können.«

»Aber warum sollte ihn deswegen jemand umbringen? Nur um für Lucille an die Originalrezepte zu kommen?«

Das klang in der Tat absurd.

Ein lautes, tiefes Hupen war zu hören. Das Schiffshorn eines Bootes. Dupin sah das blau-weiße Fährschiff von eben. Es war zurück in Dinard.

»Sie meinen, Lucille Trouin hat jemanden angestiftet, Kilian Morel deswegen zu ermorden?« Huppert war ganz und gar nicht überzeugt. »Wer sollte das sein? Ihr Lebensgefährte? Und sie hat alles aus der Untersuchungshaft heraus dirigiert? Wie soll das gehen?«

»Um Lucille zurückzugewinnen – wenn er sie verzweifelt liebt?«

Kein schlechter Punkt, fand Dupin.

»Gut. Die Rezepte, verschärft durch die Buchpublikation, bleiben auf der Liste der möglichen Motive«, hielt Huppert fest.

»Ebenso wie die Tatsache, dass Joe Morel jetzt ein gemachter Mann ist.« Es ließ Dupin keine Ruhe. Mittlerweile hatte Commissaire Huppert die Information erhalten, dass es genauso war, wie sie es sich gedacht hatten: Joe Morel würde den Besitz und das Vermögen seines Bruders erben, das Testament war eindeutig.

»Steht auch auf der Liste.«

Diese Liste, ging Dupin durch den Kopf, war eine rein imaginäre Liste, keiner hielt sie schriftlich fest.

Nun war Nedellec nicht einverstanden: »Sie denken tatsächlich, dass er dafür seinen Bruder auf brutale Weise umbringt, obgleich sie sich, wie ich das sehe, gut verstanden haben? – Er müsste eiskalt sein.«

Es klang äußerst hart, das musste Dupin zugeben. Er verspürte ein verdrießliches Unbehagen, sie waren an einem kritischen Punkt der Ermittlung angelangt.

»Ich würde auch gerne einmal mit Joe Morel sprechen«, tat Dupin plötzlich kund. »Morgen früh.« Für Nedellec fügte er diplomatisch hinzu: »Es kann sicher nicht schaden.«

»Wie hat Joe Morel das Verhältnis zu seinem Bruder geschildert, Nedellec?« Eine neutrale Frage der Kommissarin.

»Sie haben sich gut verstanden, immer schon. Es war keine besonders enge Beziehung – aber eine gute. Keine Konflikte, keine Streitereien. Sie haben sich ein paarmal im Jahr gesehen, Kilian fuhr dann meistens nach Cancale in Joes Bar. Die Bar ist sein Leben, sagt er. – Ich habe auch mit einem Freund von Joe Morel gesprochen. – Er hat das Verhältnis der beiden Brüder ebenfalls als gut bezeichnet.«

»Was noch nicht viel heißt – aber mehr haben wir momentan nicht.« Commissaire Huppert ließ ihren Blick über das Meer schweifen. »Und was hat es zu bedeuten, dass Joe Morel und Lucille Trouin sich wieder treffen?«

Joe Morel war gegenüber Nedellec anscheinend ganz offen damit umgegangen und hatte alles so skizziert, wie Dupin es von Flore Briard gehört hatte. Was bedeutete, dass Morel alle Spekulationen von sich gewiesen hatte, dass es sich um eine Beziehung oder Affäre handeln könnte.

»Aber vielleicht sagen die beiden uns auch einfach nicht die Wahrheit«, spekulierte Nedellec.

»Das Thema steht ohnehin auf der Liste«, hielt Huppert fest, die dieses Mal auf Erörterungen ihrerseits verzichtete. »Und natürlich auch der drohende Bankrott von Lucille Trouin«, fuhr die Kommissarin fort.

»Et voilà.« Eine bestens gelaunte Frau mit langen dunklen Haaren stellte den Teller mit dem köstlich aussehenden roten Thunfisch vor Dupin ab. Scharf angebraten, innen noch ganz roh, Olivenöl, Zitrone und Fleur de Sel dazu, der unwiderstehliche Duft der Holzkohle stieg vom Teller auf.

Dupin begann sofort zu essen, er meinte einen neidischen Blick von Nedellec zu erkennen. Er hatte gerade den zweiten Bissen im Mund, als sein Telefon klingelte. Ein sehr ungünstiger Moment.

Dupin erkannte die Nummer. Charles Braz.

»Monsieur Braz?«

Dupin aktivierte die Freisprechfunktion, Huppert und Nedellec waren umgehend unbehaglich nahe an ihn herangerückt.

»Sie hatten mich gebeten anzurufen, nachdem ich bei Lucille war.«

Braz war bemüht, die Fassung zu bewahren, es gelang ihm mehr schlecht als recht.

»Ich komme gerade vom Kommissariat. – Ich habe sie nur kurz gesehen. Wir haben uns einmal umarmt. Unter Aufsicht.« Er war schwer zu verstehen, so gepresst sprach er. »Ich habe sie gefragt, wie es ihr geht, und sie hat ›Okay‹ geantwortet. Es war schrecklich.«

»Hat sie noch irgendetwas gesagt? Zu der ganzen Angelegenheit?«

»Nein. Ich habe ihr die Sachen übergeben, die ich mitgebracht hatte, vor allem Kleidung. – Ein paar Dinge hatte ich vergessen.«

»Noch etwas?«

»Sie hat erzählt, dass sie fast nicht geschlafen habe. – Es war ja keine Situation, in der man sich wirklich unterhalten konnte. Wir haben die meiste Zeit geschwiegen.«

Dupin wusste, was er meinte.

»Welchen Eindruck machte Madame Trouin auf Sie? Insgesamt, meine ich?«

»Einen ruhigen. – Gefasst ist wohl das richtige Wort.«

»Das war's?«

»Ja.«

»Dann bonsoir, Monsieur Braz.«

»Bonsoir, Monsieur le Commissaire.«

Dupin drückte auf das rote Symbol.

»Nichts Neues also.« Huppert lehnte sich enttäuscht zurück. »Dass der Antiquitätenhändler nicht auffindbar ist, beunruhigt mich etwas.«

»Mich ebenfalls«, brummte Nedellec.

Dupin widmete sich wieder seinem Thunfisch.

»Er wurde heute noch nicht gesehen«, führte Nedellec weiter aus. »Er war in keinem seiner beiden Läden, hat auch nicht angerufen. Aber das passiert wohl manchmal, sagen seine Mitarbeiter. Er ist immer wieder im Inland unterwegs, bei Hausauflösungen etwa.«

»Gibt es eine Lebensgefährtin, Ehefrau?«, erkundigte sich Huppert.

»Alleinstehend.«

»Vielleicht sollten wir ihn suchen lassen. Nicht, dass ihm etwas passiert ist.«

»Oder«, Nedellec kratzte sich an der Stirn, er schien laut nachzudenken, »er war es, der den Mord an Kilian Morel begangen hat, und befindet sich nun auf der Flucht. – Auch wenn wir noch nicht wissen, warum er das getan haben sollte.«

Er trank einen Schluck Wasser.

»Ich rufe noch einmal den Mitarbeiter an, mit dem ich in Saint-Suliac gesprochen habe. Das ist der Hauptladen. Er soll systematisch nachdenken, wo Walig Richard sein könnte. Vielleicht hat er auch ein Boot.«

»Und denken Sie an den Weinberg«, fiel Dupin ein. Nolwenn hatte davon berichtet.

»Weinberg?« Huppert war überrascht. »Gehört er zu den Winzern des Mont Garrot?«

»Könnten Sie mich mal aufklären?« Nedellec schien sich außen vor zu fühlen.

»Der Mont Garrot ist ein Hügel direkt an der Rance, bei Saint-Suliac. Ganze dreiundsiebzig Meter hoch. Eine Gruppe von Passionierten baut dort seit fünfzehn Jahren wieder Wein an. Schon im Mittelalter wurde dort Weinbau betrieben. Rund tausend Rebstöcke, ungefähr fünfhundert Flaschen pro Jahr. Alles wird von Hand verrichtet, ohne Maschinen. Zwei Traubenarten«, Huppert war gut informiert, »Rondo für den Roten, Chenin für den Weißen. Von der Charakteristik her sind die Weißen den Anjou-Weinen der Loire ähnlich. Leicht, trocken, dennoch fruchtig, im Mund ein zarter Limonengeschmack.«

Zuweilen vermochte Huppert einen zu verblüffen.

Dupin hatte sich beeilt, das letzte Stück Thunfisch war gegessen.

»Wie auch immer«, Nedellec schien von Hupperts Begeisterungsschub ein wenig aus dem Konzept gebracht, »wir sollten …«

Erneut klingelte Dupins Handy.

Eine unbekannte Nummer dieses Mal.

Ohne nachzudenken, drückte Dupin auf »Annehmen« und auf »Lautsprecher«:

»Ja?«

»Monsieur le Commissaire?« Eine aufgewühlte, unsichere Frauenstimme.

»Am Apparat.«

»Hier spricht Francine Lezu. Ich bin die Haushälterin von Madame Hélène Allanic-Trouin, der Tante von Lucille und Blanche Trouin, ich meine, von Blanche, als sie noch lebte. Sie ist die Schwester ihres Vaters und …«

»Ich weiß, von wem Sie sprechen, Madame.«

»Madame hat darauf bestanden, dass ich die Polizei anrufe.

Und Ihnen alles wiedergebe, was sie mir gesagt hat. Dass Sie umgehend herkommen, darauf besteht sie ebenfalls. – Sie verliert den Verstand, Monsieur le Commissaire, glauben Sie mir. Ich brauche Hilfe. Madame hat richtige Anfälle, auch wenn sie sich dann immer wieder beruhigt. Sie ist dreiundneunzig. Sie ...«

Die Haushälterin schien nicht weniger aufgeregt.

»Erzählen Sie bitte ganz in Ruhe. Worum geht es?«

»Madame ist völlig außer sich. Seit gestern, seit der schlimmen Nachricht. Sie erzählt die ganze Zeit von ihrem Mann, der schon seit fünfzehn Jahren tot ist. Sie sagt, dass sie eine echte Trouin sei und ihr Mann als Korsar die Meere kreuze, bald aber zurückkehren werde. Dass sie das Gold und die Edelsteine immer gut behütet habe und er noch mehr davon mitbringen werde. – Und von Blanche redet sie. Dass Blanche die edlen Gewürze besitze und Lucille sie ihr wegnehmen wolle.«

»Verstehe.« Dupin war ratlos.

»Und dass jemand ihre Villa nach Kanada verfrachten müsse, mit einem großen Boot. – Dass sie bestohlen worden sei. Man habe ihr auch den Sonnenhut geklaut, darüber echauffiert sie sich besonders. Dabei bin ich mir sicher, dass sie ihn bloß verlegt hat.«

»Wo ist Madame Allanic gerade?«

»Ich habe darauf bestanden, dass sie sich hinlegt, dieses Mal hat sie nicht protestiert, ich musste ihr aber schwören, dass ich Sie anrufe. Und alles berichte. Und dass ich verlange, dass Sie kommen.«

»Sagen Sie ihr, dass ich gleich morgen früh vorbeikommen werde.«

»Danke, Monsieur le Commissaire.« Eine tiefe Erleichterung war ihr anzuhören.

»Sie sollten einen Arzt rufen. Madame Allanic braucht etwas zur Beruhigung. – Versprechen Sie mir das?«

»Ich … Gut, ja, ich verspreche es. Ich meine, ich versuche es. – Aber sie wird es resolut ablehnen.«

»Vielleicht wird sie ja einsichtig sein.«

»Sie kennen Sie nicht.«

»Tun Sie Ihr Bestes. – Also dann, bis morgen früh.«

»Und Sie kommen ganz bestimmt?«

»Ganz bestimmt.«

Dupin legte ratlos auf. Was sollte man dazu sagen?

»Viel Spaß dann morgen früh.« Auf Nedellecs Zügen lag ein leichtes Grinsen.

Huppert erhob sich unversehens. »Wir müssen los. Wir sind um 19 Uhr 30 im *Otonali* verabredet. Die Präfekten erwarten uns dort.«

Nedellec folgte, Dupin ebenfalls, er stand immer noch unter dem Eindruck des wirren Telefonats.

Die Sonne war weiter gesunken. Das Smaragdgrün der Bucht schimmerte dunkler als zuvor, aber immer noch leuchtend.

»Die Idee des *Otonali* von Bertrand Larcher besteht darin, die beiden außerordentlichen Esskulturen Japans und der Bretagne, die sich ohnehin in vielem nahestehen, zusammenzubringen, und zwar so, dass sie sich gegenseitig befruchten.«

Eine vielversprechende Idee, fand Dupin. Er liebte beide Küchen, und wenn sie sich gegenseitig noch befruchteten, umso besser.

Die japanische Restaurantchefin formulierte die Sätze mit großem Stolz.

Sie saßen um den einzigen, sehr großen Tisch des *Otonali*. Eine massive Eichenplatte, hohe Stühle, schwarz lasiert, die erstaunlich bequem waren. Das gesamte Team war anwesend: die Präfektinnen und der Präfekt, die Kommissarin und die Kommissare sowie Commissaire Hupperts Assistentin, die für das Begleitprogramm zuständig war.

Beinahe alles war in Schwarz und Weiß gehalten, es gab so gut wie keine Farben. Die offen liegenden Leitungen, die Strahler an der Decke sowie die schlichten Rahmen der großen Fenster fügten sich in das puristische Konzept. Dennoch wirkte der gesamte Raum alles andere als kalt oder steril, ganz im Gegenteil, es stellte sich eine warme, wohlige Stimmung ein.

»Das Meer und seine Köstlichkeiten stehen selbstverständlich im Mittelpunkt beider Küchen. Beide Kulturen schätzen darüber hinaus exzellentes Fleisch und außergewöhnliches Gemüse. Das Prinzip ist das gleiche: Es geht um das Einfache, Grundlegende und die feste Überzeugung, dass genau dies das Beste ist. Dass man nicht viele Zutaten braucht, aber ein fantastisches Savoir-faire. – Die Bretagne bringt alles hervor, was die japanische Küche feiert, unsere Kochkunst bringt beides zur maximalen Entfaltung.«

»Bravo!« Selbstredend war es der Präfekt, der sich hervortun musste. Dupin war froh, dass er am anderen Ende des Tisches saß.

»Bertrand Larcher stellt, wenn ich das kurz anmerken darf«, schob die Assistentin des Kommissariats ein, »eine internationale Ikone der Bretagne dar, genau wie Yves Bordier oder Olivier Roellinger, dessen Restaurant als erstes bretonisches Haus drei Michelin-Sterne erhielt und die renommiertesten Gewürzmischungen der Welt komponiert.«

Der bretonische Stolz stand dem japanischen in keiner Weise nach.

»Bertrand Larcher engagiert sich zudem leidenschaftlich für den bretonischen Buchweizen, der gegenüber anderen Getreidesorten eine Vielzahl einzigartiger Geschmacksmöglichkeiten und gesundheitlicher Vorzüge besitzt. Mit dem Buchweizen verteidigt er«, sie steigerte ihre Emphase noch einmal, »unsere bretonische Identität.«

Darum ging es. In der Bretagne waren Unternehmungen wie diese zugleich große gesellschaftliche und kulturelle Missionen, die *Chefs* nicht selten passionierte Visionäre. Und immer lief es auf die eine große Unternehmung hinaus: die Bretonisierung der Welt.

»Seine japanische Frau und er«, führte die Restaurantchefin weiter aus, »gründeten auch das *Breizh Café*, von dem es in Japan mittlerweile neun gibt.« Auch dort war die Bretonisierung also längst im vollen Gange. »In Paris gibt es vier, natürlich eines in Cancale und hier in Saint-Malo, wo die beiden außerdem eine internationale Crêpes-Kochschule betreiben, das *Atelier de la Crêpe*. In Cancale finden Sie zudem den großen Bruder des *Otonali*, dem die Ehre eines Michelin-Sterns zuteilwurde.«

Die Anzahl an Sternen, die über der Smaragdküste leuchteten, war beeindruckend.

Dupin kannte das *Breizh-Café* aus Paris, als die Bretagne für ihn noch ganz fern gewesen war. Aber die Crêpes in himmlischen Kreationen hatte er schon damals gemocht.

»*Otonali* bedeutet übrigens ›nebenan‹, unser Restaurant geht auf den japanischen Geist der *Izakaya* zurück, die einfachen Restaurants der Stadtviertel. Ungezwungen und unkompliziert. – So. Und nun bereiten wir Ihre Menüs zu.«

Die Restaurantchefin trat mit einer kleinen Verneigung diskret zur Seite.

Die gastgebende Präfektin erhob sich und antwortete ebenfalls mit einer respektvollen Verneigung: »Ich danke Ihnen

156

vielmals, das war äußerst beeindruckend. Wir wissen die Gastfreundschaft zu schätzen und freuen uns auf Ihre Kreationen.«

Die Restaurantchefin nickte noch einmal und begab sich hinter einen Tresen, der die offene Küche vom Speiseraum trennte. Die kleine Mannschaft aus drei Personen hatte sich bereits an die Arbeit gemacht.

»Und wir«, wandte sich die Präfektin nun mit forschem Ton an das Team, »konzentrieren uns jetzt noch einmal kurz auf die Arbeit. – Also, was gibt es zu berichten?«

»Ich fasse den Stand der Ermittlungen zusammen«, begann Kommissarin Huppert, diese Aufgabe gebührte eindeutig ihr. Die drei Kommissare saßen nebeneinander, Huppert in der Mitte.

Nach knapp zehn Minuten war sie fertig.

Dupin fand, sie hatte es bravourös gemeistert. Sie hatte alles Wichtige auf ihre konsequent nüchterne Weise erwähnt, und es war sogar etwas wie eine konsequente Weiterentwicklung der Untersuchung erkennbar geworden. Nedellec hatte an entscheidenden Stellen heftig genickt.

Es folgte das Unvermeidliche: ausführliche, langwierige Erörterungen, den größten Redeanteil hatte natürlich Locmariaquer. Aber auch Nedellec schaltete sich ein. Seine immerzu mürrisch scheinende Chefin sowie Dupin gaben keinen einzigen Ton von sich. Im Prinzip wiederholten sich die Diskussionen, die die drei Kommissare bereits in Dinard geführt hatten.

Und das Unvermeidliche zog sich.

Geschlagene vierzig Minuten. Nichts, aber auch gar nichts Neues kam heraus. Am Ende beharrte Locmariquer zu allem Überfluss noch auf einem kurzen Resümee der in der Präfekten-Runde diskutierten Vorschläge für eine Verbesserung der Zusammenarbeit. Dupin war unendlich froh, bereits etwas gegessen zu haben.

»Wir sind jetzt alle auf dem gleichen Stand. Wenn ich ein kleines Fazit ziehen müsste, würde ich sagen«, in der Stimme der gastgebenden Präfektin lag Ernst, »die heiße Spur fehlt.«

Ihrer Feststellung haftete nichts Vorwurfsvolles an, sie konstatierte nur, und die drei Kommissare sahen es nicht anders.

»Ich muss es Ihnen nicht sagen, denke ich, wir stehen in dieser Sache unter einem immensen Druck. Eine derart prominent besetzte, öffentlich exponierte Ermittlung hat es in der Bretagne bisher noch nicht gegeben. Und mit jeder Stunde, in der wir keine Ergebnisse vorweisen können, wächst der Druck. Man kann nur von Glück sagen, dass wir gegenüber der Öffentlichkeit bisher immer von einer ›innerfamiliären Angelegenheit‹ sprechen konnten. Die Aufregung ist auch so schon groß genug. Aber sonst käme mir der Bürgermeister noch mit den Touristen, die ausbleiben.«

Sie griff nach ihrem Weinglas und nahm einen ausgiebigen Schluck.

»So. Genug gearbeitet.«

Sie gab der zuvorkommenden Restaurantchefin ein Zeichen.

Im Handumdrehen standen die Vorspeisen auf dem Tisch – die Bedienungen schienen ebenso dringlich auf das Signal gewartet zu haben wie Dupin.

»Den Anfang machen Maki-Sushis, gefüllt mit bretonischem Hummer, Jakobsmuscheln und Hering sowie eine Platte mit bretonischen Edelfischen, die auf japanische Art geräuchert und mit einer Seeigel-Mayonnaise serviert werden«, erläuterte die Restaurantchefin das Menü.

Dupin verschlang alles bereits mit den Augen.

»Als Hauptgänge folgen ein Carpaccio aus Kalb und Muscheln auf Tataki-Art sowie Ravioli gefüllt mit Wagyu-Rind und Entenleber und ein Tempura aus fangfrischen Langustinen. Zum Abschluss ein Buchweizen-Eis, mit Buchweizen-Honig versüßt. – *Bon appétit!*«

Eine Weile herrschte lustvolle Stille, jeder genoss, was die großzügigen Platten auf dem Tisch zu bieten hatten. Dupin hatten es vor allem die Maki-Sushis und die zarte geräucherte Dorade angetan. Alles war eine Sensation. Das war das einzig passende Wort.

Locmariaquer begann, seine drei Kolleginnen in ein Gespräch zu verwickeln. Commissaire Huppert wandte sich unterdessen an Nedellec und Dupin:

»Kurz zu unseren Plänen für morgen.« Noch bevor einer der beiden Kommissare etwas sagen konnte, unterbreitete sie selbst ihre Vorschläge: »Nedellec, der Antiquitätenhändler bleibt Ihrer. Ich habe auf der Fahrt hierher zwei Kollegen beauftragt, nach ihm zu schauen. Sie fahren zunächst zu seinem Haus. Sobald es etwas gibt, melde ich mich. – Dupin, Sie knöpfen sich den Souschef vor – und, wenn Sie wollen, natürlich auch noch einmal Joe Morel.«

Nedellec murmelte etwas Unverständliches.

»Vielleicht können Sie, Nedellec, im Gegenzug noch einmal mit Charles Braz sprechen? Vielleicht gelingt es uns, Unstimmigkeiten in den Aussagen zu provozieren.«

»Mach ich.« Nedellec schien auf seine Weise zufrieden.

Auch Dupin war völlig einverstanden. Es war alles so, wie er es ohnehin vorgehabt hatte. Er hatte dem Souschef bereits vorhin eine Nachricht geschickt.

Huppert wandte sich erneut an Dupin: »Und Sie sind«, eine kleine Pause, »ja auch mit der Tante der Trouin-Schwestern verabredet.«

Dupin hatte es natürlich nicht vergessen.

»Ich würde außerdem gerne einmal mit Lucille Trouin persönlich sprechen.«

Es war ihm schon den ganzen Tag durch den Kopf gegangen.

»Haben Sie Grund zu der Vermutung, dass Sie bei Ihnen anfangen wird zu reden? – Bei niemandem sonst, aber bei Ihnen?« Die Kommissarin blieb auch jetzt ganz sachlich.

Wieder murmelte Nedellec irgendwas.

»Ich denke, wir sollten es angesichts der speziellen Situation und der neuen Erkenntnisse ein weiteres Mal versuchen, sie …«

»Ich kümmere mich morgen früh um einen Besuch bei ihr«, unterbrach ihn Huppert, »formal bin ich allein zuständig, aber wir kriegen das schon hin. Zudem muss der Anwalt wie immer dabei sein. – Wir müssen uns davor gut überlegen, was wir ihr von dem neuen Ermittlungsstand erzählen und was nicht.«

Commissaire Huppert hatte recht.

»Ich denke, wir sollten alle drei bei dem Gespräch dabei sein«, meldete sich Nedellec zu Wort.

Die Bedienungen hatten begonnen, die Vorspeisenplatten und die Teller abzuräumen.

»Natürlich«, bestätigte Huppert.

Dupin schwieg. Eigentlich wollte er alleine zu Lucille Trouin. Es wäre völlig falsch, ihr zu dritt gegenüberzusitzen, man musste ganz anders vorgehen. Aber es wäre geschickter, diese Bedenken morgen zu besprechen.

»Und welchen Ermittlungen werden Sie morgen nachgehen, Commissaire Huppert?«

Nedellec blickte sie aufrichtig interessiert an.

»Das hängt von der aktuellen Lage ab.«

Sie hatte nicht vor, sich in die Karten schauen zu lassen.

Dupin verspürte diffusen Unmut. Es war nichts verkehrt

an dem, was sie sich für morgen vornahmen – aber sie gingen ohne eine besondere Idee in den Tag. Was nie ein gutes Zeichen war.

»Wir kommen nun zu den Hauptgängen«, verkündete die Restaurantchefin.

Augenblicklich wurden neue Platten aufgetragen, und abermals trat eine glückselige Stille ein.

Nach weniger als einer Stunde – Hauptspeisen und Nachtisch waren ebenso fantastisch gewesen, und natürlich war auch der Fall noch weiter diskutiert worden – löste sich die Runde auf. Allen war zuletzt Erschöpfung anzumerken gewesen, Commissaire Huppert wollte zudem noch einmal ins Kommissariat. Und Dupin zu seinem nächtlichen Ritual.

Er hatte den Wagen bei seinem Hotel stehen lassen und war zu Fuß durch die laue Sommernacht zum Hafen von Saint-Servan gelaufen.

Er trat durch den großen Torbogen neben der Kirche und stand im nächsten Augenblick am Meer. Das stimmungsvolle orangegelbe Licht der Straßenlaternen spiegelte sich auf dem Wasser, das vollkommen glatt war, die Flut schien ihren Höhepunkt erreicht zu haben. Nur ab und zu war ein leises Glucksen an der Kaimauer zu hören.

Die Sonne war vor einer halben Stunde untergegangen – jetzt war es zehn vor elf –, aber noch behauptete sich im Westen ein letzter Rest des sphärischen hellblauen Lichtes. Dupin folgte der Promenade bis zum Ende, bog rechts auf die Halbinsel ab und saß keine zwei Minuten später im *Bistrot de Solidor*. Sogar sein Platz war frei.

Trotzdem war Dupin unzufrieden. Mit der gesamten Situation, mit dem Stand der Ermittlung, nicht zuletzt auch mit sich selbst. Er haderte. Er war nicht in Form, ihm fehlte die zündende Idee. Was vielleicht auch an den besonderen Umständen dieser Ermittlung lag, am Ende konnte er doch nicht so frei schalten und walten, wie er es für gewöhnlich tat. Nolwenn und das Concarneau-Team hatten sich auch nicht mehr gemeldet, was nur eines heißen konnte: Auch sie hatten nichts Neues herausgefunden.

»Bonsoir, ich hoffe, es geht Ihnen gut, Commissaire.«

Der Besitzer des *Solidor* klang mitfühlend.

»Die Ermittlungen treten auf der Stelle, haben sie gerade im Radio gesagt.«

Dupin nickte nur.

»Einen J.M – wie gestern?«

»Einen doppelten.«

Es gab viel zu vergessen an irdischen Leiden. Wenn Dupin ehrlich war, hatte er heute bereits ein paarmal an diesen Moment gedacht. An den Rum. Sein neues Schlafmittel. Heute Nacht würde er sehen, ob es Zufall gewesen war oder ob der Rum wirklich half.

Die großen Fenster im überdachten Vorbau des Bistros waren weit geöffnet. Dupins Blick schweifte bis zur Bucht.

Seine Gedanken waren erneut bei Lucille Trouin. Sie verlor, wie es aussah, durch die Grundstücksmisere alles, was sie sich aufgebaut hatte. Die Erfolge der jahrelangen harten Arbeit, der sie, wenn er es richtig verstand, ihr ganzes Leben gewidmet hatte. Es war das Gebiet, auf dem sie ihre Schwester schlagen wollte, die grausame Rivalität endlich für sich entscheiden wollte. Es hatte ein gewaltiger Coup gelockt, sie hatte hoch gewettet – und alles verloren. In ihr musste es zu äußersten Affekten gekommen sein.

»Bitte sehr.«

Der Inhaber stellte das bauchige Glas vor Dupin auf den Tisch, er hatte es gut mit Dupin gemeint. Es war ein großzügiger Doppelter.

Mit einem Schluck trank Dupin das Glas fast leer. Und holte sein Notizheft hervor. Er füllte Seite um Seite. Versuchte sich an großen und kleinen Hypothesen und Theorien und verwarf sie wieder. Versah alte Notizen mit Ausrufezeichen, um sie dann wieder durchzustreichen.

Sosehr er sich auch anstrengte, der Geistesblitz blieb aus. Dafür stellte sich irgendwann schlagartig eine bleierne Müdigkeit ein.

Es war Mitternacht, als er sich erhob.

Zwanzig Minuten später lag Dupin im Bett. Um nur eine Minute später einzuschlafen. Der magische Rum tat seine Wirkung.

Auf dem Rückweg zur *Villa Saint Raphaël* hatte er noch versucht, Claire zu erreichen. Wieder hatte er es bloß mit dem Anrufbeantworter zu tun gehabt. Wahrscheinlich saß sie noch in ihrem Seminar. Oder bereits in der Bar. Diesmal hatte Dupin eine längere Nachricht hinterlassen, in der er auch – Claire ging noch immer davon aus, auch er säße brav in seinem Seminar – von den Vorkommnissen und der unverhofften Ermittlung erzählt hatte.

DER DRITTE TAG

Irgendetwas störte. War lästig. Laut. Unangenehm.

Dupin versuchte, es zu ignorieren. Was immer es war, es holte ihn aus einem tiefen Schlaf. Er sträubte sich, alles in ihm wollte weiterschlafen.

Vergeblich.

Er brauchte eine Weile, bis er einigermaßen zu Bewusstsein kam und die Dinge ein erstes Mal geordnet hatte. Dann war er mit einem Mal in der Wirklichkeit zurück, und alles war ganz banal: Es war der penetrante Klingelton seines Handys, der bei nicht erfolgender Reaktion an Lautstärke zunahm.

Dupin musste das Bett verlassen, um das Problem zu lösen. Das Handy lag auf einem kleinen Tisch neben dem Sofa. Es verstummte, ehe er es erreicht hatte.

Er warf einen Blick auf die Uhr. 6 Uhr 07.

Dupin schreckte zusammen, als das Handy in seinen Händen erneut losging.

Mehr als ein knurriges »Ja?« brachte er nicht heraus.

»Noch ein Toter, Dupin. Machen Sie sich sofort auf den Weg. – Walig Richard. Am Fuße des Weinberges.«

»Was …?«

»Wir treffen uns dort.«

»Was ist …?«

Die Kommissarin hatte bereits aufgelegt.

Es dauerte einen Moment, bis Dupin begriff, was sie gesagt hatte.

»So ein Scheiß«, entfuhr es ihm.

Noch ein Toter. Noch ein Mord.

Der Antiquitätenhändler, Blanche Trouins enger Freund und Vertrauter.

Hastig zog sich Dupin an.

Was geschah hier? Jetzt waren es drei Tote.

Innerhalb weniger Minuten verließ er das Zimmer und saß am Steuer seines Wagens.

Um ihn gute zehn Minuten später wieder abzustellen.

Es waren elf Kilometer gewesen, ein fast gerader Strich auf der Landkarte Richtung Süden, die Rance entlang, kein Verkehr. Die letzten paar Hundert Meter war die Straße sanft angestiegen. Dupin hatte den Wagen ganz oben stehen lassen, direkt an einem einsamen, sonderbar anmutenden runden Turm – mit Wehrzinnen, aber nur wenige Meter hoch –, wo auf einem unbefestigten Parkplatz bereits zwei weitere Polizeiautos standen. Wobei er eigentlich noch ein paar Wagen mehr erwartet hatte, vor allem den von Kommissarin Huppert. Überhaupt war alles wie ausgestorben, es war kein Mensch zu sehen. Keine Weinreben, keine Hinweisschilder, nichts.

Dupin lief die schmale Straße entlang, die vom Turm abging, drei, vier Steinhäuser auf der einen Seite, ein Wäldchen mit hohen Bäumen auf der anderen. Ansonsten nur Felder und Wiesen. Ein paarmal blieb er stehen, hielt Ausschau. Die Sonne war eben erst aufgegangen, sie war gerade über den Horizont geklettert, ein dezenter orangegelber Ball, der Rest des Himmels weißlich. Im Westen die

Rance, die in großen geschwungenen Bögen durch das Tal floss und vor dem Mont Garrot einen veritablen See bildete. Über dem Wasser ein silbernes Schimmern, milchig bläulicher Dunst stieg auf.

Dupin blieb stehen. Es war mucksmäuschenstill, kein Laut zu hören. Immer noch keine Stimmen, nichts. Merkwürdigerweise auch keine Vögel.

Das konnte nicht sein, es war absurd. Wo war dieser Weinberg? Wo die Polizisten? Wo der Tote?

Sein Telefon klingelte. Es stecke tief in der Jeanstasche.

Huppert.

»Wo bleiben Sie denn?«

»Ich bin oben auf dem Hügel, bei dem Turm, wo auch die beiden Polizeiwagen stehen, und ...«

»Die Leiche liegt am Fuße des Hügels. Unten, wo der Weinberg beginnt. Sie hätten den Hügel hoch- und auf der anderen Seite wieder herunterfahren müssen, da geht es dann rechts ab.«

Präzise Informationen. Nur leider zu spät. Jetzt stolperte er hier durch die Landschaft.

»Gut. Ich gehe zurück zum Auto.«

»Wenn Sie jetzt schon da oben sind, laufen Sie einfach den Hügel runter. Richtung Fluss, Sie können uns nicht verfehlen.«

»Ich bin ...«

Sie hatte aufgelegt.

»Verdammt.« Dupin schlug sich links in die Büsche und begann, in entschiedenem Tempo den Hügel hinabzulaufen. Wilde Wiesen mit hohem Gras, Gestrüpp. Alles so nass, als hätte es geregnet, doch es war einfach nur Tau. Schnell waren Dupins Schuhe ebenfalls nass und voller Matsch. *Voyages et Aventures*, Reisen und Abenteuer, ging es ihm kurz durch den Kopf. Noch war die Frische, die die Nacht mit sich gebracht hatte, zu spüren, eine wunderbar klare Luft, die nach schwerer Erde und nassem Gras roch. Zugleich war bereits spürbar, dass es, besonders hier in der *Campagne,* ein heißer Tag werden würde.

Dupin lief in einem umständlichen Bogen um ein besonders hohes Dickicht herum, und plötzlich waren sie zu sehen: Weinreben. Bretonische Weinreben. Und weiter unten, wo sie anhoben: eine Ansammlung von Menschen. Das Terrain war bereits weiträumig abgesperrt.

Innerhalb der Absperrung, Richtung Fluss, drei Männer mit Kappen, die sich behutsam bewegten, zwei von ihnen mit Fotoapparaten. Die Spurensicherung. Dupin beeilte sich, rasch stieß er zur Gruppe. Nedellec fehlte noch. Dupin erkannte den Gerichtsmediziner, der gemeinsam mit Commissaire Huppert, wie immer mit analytisch-sachlicher Miene, direkt neben der Leiche stand.

»Erstochen – wie Kilian Morel. Und Blanche Trouin. Die Polizisten haben die Suche direkt bei Sonnenaufgang wieder aufgenommen, sein Auto stand ziemlich versteckt, sie haben ihn um 5 Uhr 55 gefunden.« Huppert runzelte die Stirn. »Das Wichtigste: Er ist schon länger tot.«

»Was?«

Der Gerichtsmediziner, kurze dunkle Haare, eine graue eckige Brille, schaltete sich ein: »Der Tod ist vor rund zwanzig bis sechsundzwanzig Stunden eingetreten. Genauer kann ich es erst nach der Autopsie sagen.«

Sein Telefon klingelte.

»Ich muss rangehen.« Er entfernte sich.

»Da bin ich!« Nedellec kam schwer atmend neben der Dreiergruppe zum Stehen. »Ich habe oben am Turm ...«

»Da sind Sie nicht der Einzige«, schnitt ihm Huppert sofort

das Wort ab und war augenblicklich wieder bei der Tatzeit. »Das würde bedeuten, dass Walig Richard gestern früh zwischen vier Uhr und zehn Uhr ermordet wurde. Seitdem liegt die Leiche hier.«

»Was ungefähr der Tatzeit des Mordes an Kilian Morel entspricht und somit bedeutet«, Nedellec sprach aus, was auch Dupin sofort in den Sinn gekommen war, »dass es ein und derselbe Mörder gewesen sein könnte. Der gestern früh«, Nedellec stockte, »eine kleine Tour gemacht hat.«

»Der Mont Garrot wäre nur ein Schlenker gewesen«, ergänzte Huppert nüchtern. »Der Täter wäre auf dem Hin- oder Rückweg von La Moinerie nicht über den Damm bei Dinard, sondern über die Brücke hier ganz in der Nähe gefahren. – Bei den vagen Alibis hätten das rein zeitlich all unsere Kandidaten schaffen können.«

So sah es aus. Auch wenn sie natürlich nicht ganz ausschließen konnten, dass zwei Mörder zur selben Zeit unterwegs gewesen waren. Es war nur äußerst unwahrscheinlich.

»Vielleicht kann die Untersuchung der Wunde Auskunft darüber geben, ob es dieselbe Tatwaffe war. Dasselbe Messer.« Es war, als hätte Huppert Dupins Gedanken gelesen.

»Was hat Walig Richard hier zu tun gehabt? So früh? Und alleine?« Nedellec schien bereits hellwach.

»Eigentlich ist hier im Weingebiet im Moment gar nichts zu tun, die Reben sollen in Ruhe gelassen werden und wachsen«, gab Huppert kundig Auskunft. »Dennoch schauen die Winzer regelmäßig nach dem Rechten, etwa ob sich Krankheiten oder Pilze entwickeln. Ich habe eben schon mit einem der anderen Winzer telefoniert, dem Bürgermeister von Saint-Suliac. Walig Richard ist offenbar in den letzten Wochen regelmäßig hergekommen. Immer ungefähr um diese Uhrzeit.«

»Hier geht jemand systematisch vor«, stellte Nedellec mit Nachdruck fest. »Brutal, aber klar. Es geht um die Beseitigung des Blanche-Lagers. Nur Joe Morel lebt noch. Ansonsten wurden alle eliminiert.«

Einen Moment blieben alle stumm.

»Ich werde ihm ja gleich einen Besuch abstatten.« Dupin hatte eigentlich geplant, sich zuerst mit dem Souschef zu treffen, aber vielleicht würde er unter diesen Umständen zuerst zu Morel fahren.

»Sie sehen Morel um zwölf«, entgegnete Huppert. »In seiner Bar. Ich habe eben kurz mit ihm telefoniert, ich wollte, sagen wir so, nur mal seine Stimme hören. – Gerade befindet er sich in den Austernbänken, er hat dort bis zum Mittag zu tun.«

Der Anruf war wichtig gewesen, Huppert hatte vollkommen recht.

»Ich habe vorsichtshalber auch bereits mit Braz, Clément und Briard gesprochen. Man weiß ja nie. – Flore Briard hat übrigens gestern Abend noch ein paar Sachen für Lucille Trouin auf dem Kommissariat abgegeben.«

Dupin blickte die Kommissarin fragend an.

»Sachen, die Braz vergessen hatte. Er und Flore Briard haben nach seinem Besuch bei Lucille Trouin wohl telefoniert. Sie hat angeboten, es zu übernehmen.«

Dupin erinnerte sich, Braz hatte erwähnt, dass er einige Dinge vergessen hatte.

»Der Täter«, Nedellec dachte laut nach, »wusste auch, wo er Walig Richard finden würde, genau wie bei Kilian Morel.«

»Das wäre wohl bei allen vier verbliebenen Verdächtigen der Fall«, stellte Huppert trocken fest.

Dupin musste es sich erst einmal vor Augen führen: Es waren jetzt tatsächlich nur noch vier. Er war fürchterlich langsam heute Morgen, er spürte, wie sein Gehirn die Arbeit verweigerte. Es war jämmerlich.

Er trat näher an den Toten heran und ging in die Hocke.

Walig Richard lag zwischen zwei Rebstock-Reihen. Er war von kleiner, korpulenter Statur, hatte eine fliehende Stirn, nur noch spärliches Haar. Eine breite Nase, das Gesicht tief gebräunt, er hatte sich offenbar häufig draußen aufgehalten. Er trug eine Jeans und ein weites blaugraues T-Shirt, beides sah nach Arbeitskleidung aus, stark beansprucht, Risse am Knie. Die »Technik«, mit der der Mörder zugestochen hatte, sah – zumindest auf den ersten Blick – ganz ähnlich aus wie bei Kilian Morel, drei Stiche in der Herzgegend. Aus dem Blaugrau des T-Shirts war im Brustbereich ein rötliches Schwarz geworden. Der Antiquitätenhändler lag auf dem Rücken, die Beine lang gestreckt, den Kopf etwas zur Seite, eine Hand auf der verwundeten Brust. Es gab keine offensichtlichen Anzeichen für einen Kampf. Auch keine Spuren auf dem Boden, der hart und trocken war, verwelkte Grasbüschel hier und dort. Es mochte ein kurzes Gerangel gegeben haben, aber zu mehr war es, wenn überhaupt, wahrscheinlich nicht gekommen. Entweder hatte der Mörder Walig Richard überrascht, oder Richard hatte den Mörder gekannt.

»Kann ich die Leiche abtransportieren lassen?« Der Gerichtsmediziner war zu ihnen zurückgekehrt.

»Von mir aus«, Huppert wirkte ernüchtert. »Was uns besonders interessiert, ist die Frage, ob es dieselbe Tatwaffe war wie bei Kilian Morel.«

»Darum kümmere ich mich als Erstes. – Die Spurensicherung hat übrigens bisher nichts Auffälliges gefunden. Nicht hier, nicht am Parkplatz, nicht im Wagen. Keine Spuren, die auf den Täter hinweisen. – Auch kein Handy.«

In diesem Augenblick piepste Dupins Telefon.

Die Nachricht war von Clément, dem Souschef, die Antwort auf Dupins SMS von gestern Abend.

»8 Uhr 15. Im *Café du Théâtre*. Ich muss auf den Markt und um neun im Restaurant sein.«

Das war nicht viel Zeit.

»Okay«, antwortete Dupin kurz und knapp. Dann richtete er sich an Huppert.

»Wir sollten uns Richards Laden und sein Haus ansehen. Es sind nur ein paar Minuten bis Saint-Suliac.«

»Sind Sie nun wieder ganz bei uns, Commissaire Dupin?«, fragte Huppert etwas spöttisch.

Nedellec machte eine fahrige Geste. »Jetzt ist alles noch komplizierter geworden.« Es klang wie eine Beschwerde. »Vom Tod Richards hat Joe Morel jedenfalls nichts. Da geht es um keine Erbschaft. – Die Frage lautet: Wer profitiert vom Tod des Antiquitätenhändlers? Noch vertrackter: vom Tod Kilian Morels *und* Richards. Und wo liegt die Verbindung zu den Schwestern? Wenn es überhaupt eine gibt …«

»Gibt es ein Café in Saint-Suliac?«, unterbrach ihn Dupin. Bevor er mit dem Denken beginnen konnte, brauchte er Koffein. Er musste sein Gehirn dringend in die Gänge bringen.

»Gibt es«, gab Huppert lapidar Auskunft. »Warum?«

»Wer kümmert sich um Walig Richard, wer spricht mit seinen Mitarbeitern, seinen Freunden, den anderen Winzern – findet raus, ob er eine Familie hat?«

Nedellecs Frage war eindeutig rhetorisch.

»Richard ist Ihr Mann, das ist Ihr Auftrag«, Huppert fackelte nicht lange.

»Wir müssen alles über seine Person herausfinden, das ist jetzt das Wichtigste«, bestätigte Nedellec.

»In fünfzehn Minuten am Antiquitätengeschäft von Richard.« Dupin wandte sich ab, er musste den Hügel hoch, um zu seinem Wagen zu gelangen. »Wir sehen uns dort.«

»Das sind keine fünfzehn Minuten«, korrigierte Huppert trocken. »Nicht mal zehn.«

Dupin reagierte nicht. Er lief zwischen den Rebstöcken den Hügel hinauf.

Linker Hand lag die Rance, eine sanftmütige, wohltemperierte Flusslandschaft. Pittoreske Dörfer, dichte tiefgrüne Wälder, weitläufige Wiesen und Felder auf sich harmonisch hinziehenden, flachen Hügeln säumten ihr Ufer. Eine Welt, die nichts gemein hatte mit der Wildheit der nahen Smaragdküste.

Die Sonne hatte rasch an Kraft gewonnen, auch an Farbe, mittlerweile tauchte sie den frühen Morgen in ein warmes oranges Licht.

»Nein, wirklich, Nolwenn. – Mir fällt im Moment beim besten Willen nichts ein.«

Es war eine ernste Situation. Die es so noch nie gegeben hatte. Nolwenn war ganz und gar nicht einverstanden. Aber was sollte er tun? Im Augenblick hatte er tatsächlich keine Aufträge zu verteilen.

Dupin hatte sich gerade auf die Terrasse des *Bistro de la Grève* gesetzt – direkt am langen Kai von Saint-Suliac – und zwei *cafés* und zwei Croissants bestellt, als Nolwenn angerufen hatte. Sie hatte bereits von dem neuerlichen Mord erfahren und befand sich auf dem Weg ins Kommissariat. Sie hatte die ganze Mannschaft für acht Uhr zu einer Besprechung einbestellt. Allerdings war ihnen schon gestern die Fantasie ausgegangen, was sie von Concarneau aus noch tun konnten. Alle Informationen, die das Internet hergab, hatten sie gefunden, und was an Erkundigungen bei Behörden oder Banken über Opfer und Verdächtige einzuholen war, wurde von Hupperts Truppe erledigt. Was Sinn ergab, denn die lokalen und regionalen Polizisten kannten die Region und die Menschen stets am besten. Zusätzlich waren sämtliche Polizeistellen und Gendarmerien der Gegend aktiv. Gab es ansonsten bei schwierigen Fällen oft einen Mangel an Personal, so war es diesmal umgekehrt, es gab eine Überfülle. Angesichts der enormen öffentlichen Aufmerksamkeit, die durch den dritten Mord noch verrücktere Dimensionen annehmen würde, war dieser Umstand durchaus gerechtfertigt.

»Na gut, Monsieur le Commissaire.« Nolwenn resignierte.

»Aber es ist und bleibt eine unbefriedigende Situation. Wir können nichts weiter tun, als Löcher in den Wind zu stechen.«

»Ich weiß.«

Eine urbretonische Wendung für zermürbendes, unfreiwilliges Nichtstun.

»Riwal geht übrigens weiterhin den biografischen Verbindungen zwischen den Trouin-Schwestern und dem legendären Korsaren nach.«

Dupin hatte es nicht anders erwartet.

Die Bedienung erschien mit den beiden *cafés* und Croissants.

»Danke«, flüsterte Dupin.

»Sehr richtig«, Nolwenn wirkte plötzlich versöhnlich, »frühstücken Sie erst einmal.«

Es war unfassbar. Wie immer schien sie genau zu wissen, wo er war und was er tat. Dupin hatte es längst als übernatürliche, druidische Gabe akzeptiert, trotzdem verblüffte es ihn jedes Mal aufs Neue.

»Sie wissen ja, dass Saint-Suliac von der nationalen Initiative *Les plus beaux villages de France* als eines der schönsten Dörfer Frankreichs ausgezeichnet wurde. Völlig zu recht.«

Eine große nationale Schönheitskonkurrenz, von der es gleich mehrere ähnliche Unternehmungen gab, bei der bretonische Dörfer durchweg vorderste Plätze einnahmen.

»Melden Sie sich, wenn es etwas Neues gibt!« Ein scharfer Befehl. »Der Fall hat es aber auch wirklich in sich.«

»Bis später, Nolwenn.«

Dupin lehnte sich auf seinem Stuhl zurück. Eilig trank er den ersten *café*, dann, ohne Pause, den zweiten.

Saint-Suliac lag in einer traumhaften sichelförmigen Bucht. Das Flussufer war mit einer uralten Steinmauer befestigt, dahinter ein gepflegter Rasenstreifen, in regelmäßigen Abständen einladende Bänke. Die zentrale Dorfstraße, die zum *Port de plaisance* führte, lief geradewegs auf die Hauptmole des Ortes zu, die sich weit ins Wasser zog und nur ganz allmählich abfiel. Das *Bistro de la Grève* befand sich kurz vor der Mole, am schönsten Fleck des Ortes, der Antiquitätenladen von Walig Richard lag nur ein paar Häuser entfernt – Quai des Lançonniers, direkt an der schmalen Uferstraße.

Alles hier fühlte sich friedlich, geruhsam, beschaulich an. Idyllisch war das treffende Wort. Und still, absolut still war es, zumindest jetzt noch, zu dieser frühen Uhrzeit. Ein grandioses Panorama, das weit und frei war.

Das Wasser lief auf, aber noch herrschte Ebbe. Der über dem Wasser schwebende bläulich-milchige Dunst entfaltete immer noch seinen Zauber und hatte nun ein kräftiges silbernes Schimmern hinzugewonnen.

Der ausgezeichnete Kaffee tat umgehend seine Wirkung, Dupin spürte förmlich, wie das Koffein, reine Energie, sein

Gehirn erreichte; wie Strom, den man anschaltete und der sich augenblicklich in alle angeschlossenen Netze ausbreitete. Mit der Wachheit nahm auch das Bewusstsein für die außerordentliche Brutalität des Falles zu. Was war das bloß für eine rätselhafte Geschichte, die sich hier ereignete?

Dupin war drauf und dran, einen dritten Kaffee zu bestellen, als die Geräusche eintreffender Wagen zu hören waren. Ein paar Augenblicke später konnte man sie sehen: eine regelrechte Kolonne von Fahrzeugen, Dupin zählte sieben, angeführt von Hupperts dunkelblauem Peugeot 508. Dahinter Kommissar Nedellec in seinem dynamischen silbernen Renault. Alle blieben auf der Uferstraße vor der Hausnummer sechs stehen.

Dupin erhob sich, aus dem dritten Kaffee würde nichts werden, und stand kurz darauf vor dem Hoftor des Antiquitätenladens, wo er die anderen traf.

»Es hat doch noch etwas gedauert«, begrüßte ihn Huppert, »wir mussten noch die Schlüssel bei einem Mitarbeiter besorgen, wir haben sie weder bei Walig Richard noch in seinem Wagen gefunden.«

»Ich hatte ein paar Anrufe zu erledigen«, entgegnete Dupin. Die Kommissarin musste nicht unbedingt von seinem ausgeprägten, quasi medizinisch indizierten Kaffeekonsum erfahren.

Huppert ging an ihm vorbei in den Hof.

»Der Laden hier ist übrigens Walig Richards Eigentum, wie auch das Haus, in dem er wohnt. Es ist ganz in der Nähe, ebenfalls direkt am Ufer.«

Nedellec und Dupin folgten ihr.

Es war ein schönes altes Haus. Offene Granitsteine in unterschiedlichsten Größen, Formen und Farben – dunkelgrau, bräunlich, aber auch rötlich und grau. Vor allen Häusern des wirklich hübschen Dorfes standen Blumenkästen, bunte Blumenbeete und blühende Sträucher. Lavendel, Oleander, Rhododendren, Rosmarin, Schmucklilien. Es war faszinierend, der Ort strahlte aus, was die gesamte Landschaft um ihn herum ausstrahlte: eine vollendete harmonische Schönheit. Als hätten die Menschen alles so schön machen wollen, wie die Natur es zustande gebracht hatte.

Die hölzernen Türen und Fenster von Richards Haus waren in einem dunklen Petrol gestrichen, die Regenrinne hellgrau, geschmackvoll abgestimmt. Eine üppige hellrosa Kletterrose zwischen den beiden Eingangstüren war bis unter die Fenster im ersten Stock gewachsen. Über dem linken Eingang wies ein dezentes Schild auf den Antiquitätenhandel hin. Heller Kies im Hof, hinter dem flachen Steinmäuerchen blühende Artischocken.

»Gleich werden einige Mitarbeiter sowie Freunde und Bekannte von Monsieur Richard hierherkommen«, teilte Nedellec ihnen zufrieden mit, »ich habe sie nacheinander zu Gesprächen einbestellt.«

Nedellec war fleißig gewesen. Dupin war froh. Sie brauchten dringend neue Anhaltspunkte. Und etwas Glück. Jemanden, der irgendetwas wusste, etwas von Bedeutung.

Auch der Rest der Mannschaft hatte sich nun in den Hof gedrängt.

»Dem verantwortlichen Mitarbeiter für dieses Geschäft«, berichtete Nedellec weiter, »ist gestern früh nichts Besonderes im Laden aufgefallen, es war alles so, wie er es am Abend zuvor verlassen hatte, sagt er. Sie haben wie immer um elf Uhr geöffnet. – Falls der Täter nach dem Mord noch zum Laden gekommen sein sollte, hat er sich also unauffällig bewegt. Er hat den Laden offenbar nicht durchsucht.«

Huppert sperrte die Tür auf.

»Ich will trotzdem, dass die Spurensicherung sich alles penibel ansieht und dokumentiert. Das ganze Haus.«

»Ist klar.« Sofort hatten sich die drei Männer mit den Kappen nach vorne gedrängt, die Dupin eben bereits am Weinberg gesehen hatte.

Sie tauchten in das typische Dämmerlicht alter Steinhäuser ein, mit wenigen und dazu kleinen Fenstern.

Huppert schaltete das Licht an. Ein ausladender Leuchter hing in der Mitte des Raums von der Decke.

Der gesamte Raum war kunstvoll mit alten Möbeln und Gegenständen gefüllt, ohne vollgestopft zu wirken, nackte, weiße Wände inszenierten sie als geschmackvolles Arrangement. Ein Blick genügte, um zu sehen, dass es eher feinere Sachen waren, die hier verkauft wurden. Obere Klasse. Der typische Geruch von Möbelpolitur, Öl, Staub und mehreren Jahrhunderten lag in der Luft, vermischt mit einer Zitrus- und Lavendelnote.

Die Männer der Spurensicherung hatten sich bereits an die Arbeit gemacht.

Gegenüber vom Eingang, am anderen Ende des Raums, stand ein langer Holztisch, darauf eine altmodische Kasse und ein großer Computer. Ein gepolsterter Holzstuhl und ein schwarzer Ledersessel dahinter, es sah gemütlich aus. Neben dem Tisch eine Vitrine aus dunklem Holz voller altem Schmuck: Armreife, Ketten, Ringe, teilweise mit aufwendig gefassten Steinen, mit Perlen besetzte Haarnadeln, perlmuttverzierte Manschettenknöpfe.

»Was meinen Sie?«, fragte Huppert, die jetzt neben Nedellec vor der Vitrine stand. »Ist da etwas Wertvolles dabei?«

»Keine Ahnung.« Nedellec zuckte mit den Schultern. »Den Mitarbeitern ist nicht aufgefallen, dass etwas fehlt. Um einen Schmuckraub wird es in unserem Fall nicht gehen.«

Kommissarin Huppert lief um den Tisch herum und öffnete die Schublade eines Rollcontainers. Sie kramte darin herum, holte ein schwarzes Notizbuch heraus und legte es auf den Tisch. Sie schlug es aufs Geratewohl auf.

Es schien Richards Geschäftsbuch zu sein, auf den aufgeschlagenen Seiten waren Verkäufe verzeichnet. Das Objekt und eine Nummer, wahrscheinlich die Inventarnummer, Preis, Datum, Kundenname und, ganz klein, die Kundenadresse sowie eine fortlaufende Vorgangsnummer. Die alte Schule.

Huppert blätterte weiter. Auf allen Seiten ähnliche Einträge. Sie schaute nach den letzten Verkäufen.

»Gestern wurden zwei Bilderrahmen verkauft. An einen Georges Duras. Eine Pariser Adresse.«

»Walig Richard«, ergänzte Nedellec, »hat da bereits tot im Weinberg gelegen.«

»Am Tag davor ist ein Spiegel verkauft worden, das ist eine andere Schrift, möglicherweise die von Richard.«

»Er war vorgestern hier im Laden«, bestätigte Nedellec.

Die Männer der Spurensicherung waren mittlerweile mit der Schmuckvitrine beschäftigt.

»An einen Pierre Comment aus Saint-Brieuc«, las Huppert weiter vor. »Und ein Kleiderschrank, jemand aus Cancale, eine Madame Swann Muity. – Und ein Goldarmreif. Ziemlich teuer, 1050 Euro. An Marie Fesnanta aus Rennes.«

Dupin hatte sich ein wenig vorgebeugt, um etwas sehen zu können. Die Schrift war kaum leserlich, fast so schlimm wie seine eigene.

»Bonjour, Madame, bonjour, Messieurs.«

Ein untersetzter Mann war eingetreten, schwarzer Bart, schwarze kurze Haare, Mitte fünfzig, schätze Dupin, eine kraftlos wirkende Körperhaltung, die zu der schleppenden Stimme passte.

»Ihre Kollegen sagten, ich solle reinkommen. Ich bin Matthieu Boldin, ich bin für dieses Geschäft von Monsieur Richard zuständig. Auch wenn er selbst anwesend ist«, beeilte er sich hinzufügen.

Huppert winkte ihn heran: »Dann können Sie uns sicher sagen, ob er diese Einträge vorgenommen hat? Hier, in diesem Buch.«

Der Angestellte beugte sich über das Geschäftsbuch. Er schien ein wenig verängstigt.

»Das ist seine Handschrift, ja.«

»Und hier sind sämtliche Verkäufe verzeichnet, die getätigt wurden?«

»So ist es.«

Nedellec übernahm das Fragen: »Kannte Monsieur Richard die Kunden von vorgestern persönlich?«

»Soweit ich weiß, nur Madame Muity aus Cancale, eine lose Bekannte.«

»Gab es irgendwelche Schwierigkeiten mit ihr? Oder mit einem anderen Kunden in letzter Zeit?«

Der Mann sah verwirrt aus.

»Absolut nicht, nein. Monsieur Richard pflegte eine sehr verbindliche, persönliche Art, sein Geschäft zu betreiben. Und das tun seine Angestellten ebenfalls. Ich kann sagen, dass wir immer zufriedene Kunden haben.«

»Und abgesehen von der Arbeit, fällt Ihnen ein Konflikt aus Monsieur Richards Privatleben ein?«

»Er hatte nie mit jemandem Streit. Menschen, mit denen er nicht zurechtkam, mied er. Ein Lebensprinzip von ihm. – Und Monsieur Richard schien mir sehr gute Freunde zu haben.«

»Zu denen auch Blanche Trouin gehörte.«

»Oh ja, ganz besonders, zumindest soweit ich es beurteilen kann.«

»Wissen Sie zufällig, wann sich die beiden das letzte Mal gesehen haben?«

»Das weiß ich nicht. Hierher kam sie nicht allzu oft.«

»Wissen Sie zufällig von einem Treffen in den letzten Wochen?«

»Ich glaube, sie haben sich letzte Woche getroffen. Aber ich weiß nicht mehr, an welchem Tag.«

»Und Kilian Morel – wissen Sie, ob die beiden sich in letzter Zeit gesehen haben? Überhaupt, ob sie persönlichen Kontakt hatten?«

»Das weiß ich leider auch nicht.«

»War Monsieur Richard auf irgendetwas spezialisiert in seinem Geschäft?«, schaltete sich Huppert ein.

»Nein. Es ging ihm immer um die ganz besonderen Stücke. Die mit Charakter. Mit Geschichte und Seele, wie er es sagte. Er war auch auf keine besondere Epoche spezialisiert.«

»Gilt das auch für den Schmuck?« Huppert machte eine Kopfbewegung Richtung Vitrine.

»Ja, da hat er sich aber erst in den letzten Jahren reingearbeitet. Wobei er schnell zu einem Experten geworden ist. Er war auf allen Gebieten, mit denen er sich beschäftigte, ein Experte.«

»Wer hat das Geschäft hier vorgestern als Letzter verlassen?«

»Monsieur Richard und ich gemeinsam. Um neunzehn Uhr.«

»Schien er Ihnen irgendwie anders als sonst?«

»Nein. Überhaupt nicht.«

Huppert blickte zu Nedellec. »Sie haben meinem Kollegen am Telefon erzählt, dass Ihnen gestern Morgen nichts Besonderes hier im Laden aufgefallen ist.«

»Genau, ja.«

»Können Sie wirklich vollkommen ausschließen, dass etwas fehlt? Im ganzen Laden, in der Vitrine?«

»Ich denke schon.«

»Ich möchte, dass Sie sich dessen gleich noch einmal vergewissern.«

»Natürlich.«

Huppert, die mehr als einen Kopf größer war als der Mitarbeiter, schien einen starken Eindruck auf ihn zu machen.

»Gab es hier im Haus noch andere Wertgegenstände als die Antiquitäten?«

Der Mann wirkte konfus.

»Ich – nein. Nur diese. Auch keine großen Geldbeträge. Fast alle zahlen mit Karte.«

Huppert trat einen Schritt auf ihn zu: »Sie haben also keinerlei Idee, warum man Ihrem Chef nach dem Leben getrachtet hat? Und wer das hätte sein können?«

»Nein.« Der Mitarbeiter warf den Kommissaren einen verzweifelten Blick zu. »Es ist alles ganz grauenvoll, ich habe keine Ahnung, warum jemand etwas so Furchtbares getan haben könnte«, brach es aus ihm heraus.

Nedellec sah auf die Uhr. »Monsieur Boldin, ich erwarte gleich noch zwei Ihrer Kollegen sowie Freunde und Bekannte von Monsieur Richard. Gibt es im Haus einen ruhigen Raum, den wir benutzen können?«

»Oben. Im ersten Stock. Das ist zwar hauptsächlich ein Lagerraum, aber dort steht auch ein Tisch.«

Im nächsten Augenblick wandte Nedellec sich an Huppert: »Ich denke, die Gespräche mit Walig Richards Freunden und Bekannten haben jetzt oberste Priorität. – Bei der Untersuchung des Wohnhauses werden Sie auf mich verzichten müssen.«

Zügig ging er auf die schmale alte Holztreppe in der Ecke des Raums zu.

»Nehmen Sie die Kollegen der Spurensicherung mit nach oben«, wies Huppert ihn an.

Dupin sah auf die Uhr. Es war 7 Uhr 50. In fünfundzwanzig Minuten war er mit dem Souschef verabredet. Er würde sich davor noch ein bisschen hier im Laden umsehen. Und die Besichtigung von Richards Haus ebenfalls Huppert und der Spurensicherung überlassen.

Colomb Clément, dichtes rötlich blondes Haar und dunkle lebhafte Augen, trug einen gepflegten Wochenbart. Er war ein kräftig gebauter junger Mann – zweiunddreißig, wusste Dupin –, ein wenig grobschlächtig vielleicht, auch in seinen Gesichtszügen. Die sinnliche Subtilität, die er als angehender *Grand Chef* besitzen musste, war ihm nicht direkt anzusehen, Dupin zumindest hatte einen anderen Typ erwartet.

Er hatte mit einer ungezwungenen Lockerheit am Tresen gestanden – Jeans, ein schlichtes dunkelbraunes T-Shirt –, eine Espressotasse in der Hand, als Dupin ein paar Minuten verspätet durch die Tür getreten war. Das Café war zum Bersten voll, es herrschte ein reges Treiben, ein ständiges Kommen und Gehen.

Dupin hatte ihn an seinem suchenden Blick erkannt. Sie hatten sich mit wenigen Worten begrüßt.

»Na dann«, Clément stellte die Tasse ab, »gehen wir einkaufen.«

Der Souschef hatte zwar angekündigt, dass er auf den Markt musste, aber Dupin war nicht klar gewesen, dass er mit von der Partie sein würde.

182

»Ich bin sofort bereit«, Dupin wandte sich schnell an den Mann hinter der Theke: »Einen *petit café,* bitte.«

Dupin musste die Gelegenheit unbedingt nutzen.

Ein knappes Nicken, und der Mann begab sich umgehend an die imposante Kaffeemaschine. Clément schien es stoisch zu nehmen, ihm war jedenfalls keine Regung anzumerken. Schweigend wartete er, bis Dupin seinen Kaffee getrunken hatte. Dupin hatte dabei ratlos auf die Titelseite der *Ouest-France* gestarrt, von der ihm sein eigenes Bild entgegenblickte. Unter der Überschrift »Das Brit-Team übernimmt« waren Fotos der drei Kommissare zusammenmontiert.

»Wir können gehen«, signalisierte Dupin.

Schon hatten sie das Café verlassen und wandten sich nach links, um augenblicklich den Place Bouvet zu erreichen, das Zentrum Saint-Servans, an dem sich nicht bloß die prächtigen Markthallen, sondern auch die Kirche befand. Clément hielt schweigend auf den Seiteneingang der Markthallen zu, die ihren Betrieb wieder aufgenommen hatten.

Dupin war bewusst, dass er die Konversation würde gestalten müssen.

»Sie haben ja bereits mit Commissaire Huppert gesprochen, Monsieur Clément«, Dupin kam direkt zu einem der entscheidenden Punkte. »Es ist für uns von erheblicher Bedeutung, ob Lucille Trouin wusste, dass ihre Schwester Sie abgeworben hat. – Ist Ihnen dazu noch etwas eingefallen?«

»Nein.« Immerhin konnte er sich noch zu einem Nachsatz durchringen: »Wie ich Ihrer Kollegin bereits sagte: Blanche Trouin wollte es ihr selbst mitteilen.«

»Die Frage ist, ob sie es in den Stunden oder Tagen vor der Tat getan hat.«

»Das weiß ich nicht.«

Seine Wortkargheit hatte mit Unfreundlichkeit nichts zu tun, trotzdem fand Dupin es mühsam.

Sie betraten die Hallen. Clément steuerte zielsicher durch die Gänge.

»Commissaire Huppert sagte, Sie wüssten ebenfalls nicht, ob Blanche Trouin außer ihrem Mann noch jemandem davon erzählt hat?«

»Exakt.«

»Warum haben Sie Commissaire Huppert nicht von sich aus von dieser Angelegenheit erzählt?«

»Keine Ahnung.«

»Was soll das heißen?«

Clément war an einem Gemüsestand stehen geblieben und begutachtete *Cœur-de-Bœuf*-Tomaten.

»Ich hielt es nicht für wichtig. – Lucille Trouin wird ihre Schwester nicht deswegen ermordet haben.«

Der erste längere Satz. Der klarmachte, wie müßig es wäre, das Thema weiter zu diskutieren. Die ganze Sache mit der Abwerbung war durch den Mord an Walig Richard ohnehin ein wenig an den Rand gerückt.

»Warum hat Sie das Angebot von Blanche Trouin gereizt?«

»Sie hat mir große kreative Freiheit in Aussicht gestellt. Und ein deutlich besseres Gehalt.«

Er setzte sich wieder in Bewegung, die Tomaten schienen nur von flüchtigem Interesse gewesen zu sein, er war auf der Suche nach etwas anderem.

»Diese Freiheit hatten Sie bei Lucille Trouin nicht?«

»Sie ist sehr autoritär.«

»Hatten Sie manchmal Streit?«

»Nein.«

»Wie viel mehr hat Ihnen Blanche Trouin geboten?«

»Rund eintausendfünfhundert mehr im Monat.«

Ein ansehnlicher Sprung. Ein starkes Argument.

Clément bog nach links und steuerte den letzten Stand im Gang an.

»Marie-Annick, Maraîchère«, ein weißes Schild mit grüner Schrift, auf dem ein Karren mit Gemüse zu sehen war.

»Ich hatte auch keine Lust mehr auf diese kulinarischen Bootsfahrten. Es langweilte mich.«

Der erste Punkt, der von Clément selbst kam.

»Gab es deswegen Konflikte?«

»Nein.«

»Salut, Colomb«, begrüßte ihn die Marktfrau, die ihn gut zu kennen schien.

»Bonjour, Marie-Annick.«

Die Besitzerin selbst.

»Was soll es heute sein?«

»Junge Erbsen.«

Die Frau, die jede Vorstellung von einer Gemüsebäuerin und Marktfrau auf die schönste Weise erfüllte – ein wettergegerbtes Gesicht, Kopftuch und Latzhose –, ging zu den gestapelten Kisten hinter ihr, griff in die oberste, kam mit einer einzelnen Erbsenschote zurück und reichte sie Clément. Es war ein eingespieltes Ritual: Mit routinierter Geschicklichkeit holte dieser die Erbsen aus der Schote, nur mit einer Hand. Dann rollte er sie leicht zwischen Zeigefinger und Daumen und probierte sie.

Jetzt dauerte es eine Weile. Es folgte ein lakonisches:

»Okay.«

Marie-Annick hatte ihrem Gesichtsausdruck nach zwar keine Zweifel an ihren Erbsen gehabt, dennoch umspielte ein freudiges Lächeln ihre Lippen.

»Gerade sind sie fabelhaft süß. Genau, wie du sie liebst.«

»Gib mir zehn Kilo.«

»Pierre bringt sie gleich vorbei.«

Clément nickte.

»Noch etwas?«

»*Cocos de Paimpol.*«

»Du hast Glück, ich hab tatsächlich die ersten der Saison.«
Die Erbsenprozedur wiederholte sich mit den weißen Bohnen, nur ohne sie zu probieren. Obgleich die Marktfrau gemerkt haben musste, dass Dupin in irgendeiner Weise zu Clément gehörte, beachtete sie ihn nicht weiter.

Clément nickte erneut. »Auch zehn Kilo«, lautete das Urteil.

»Das war's?«

Die beiden benötigten nicht viele Worte.

»Das war's. – Bis dann, Marie-Annick.«

Schon hatte Clément sich umgewandt und ging weiter.

»Sie haben von dem neuen Mord gehört, nehme ich an. – Walig Richard.«

»Im Radio reden sie von nichts anderem.«

»Kannten Sie ihn persönlich?«

»Nein.«

»Wissen Sie irgendetwas über ihn?«

»Nein.«

»Und Kilian Morel – hatten Sie zu ihm Kontakt?«

»Auch nicht.«

»Sie werden ihn ab und an getroffen haben, nehme ich an?«

»Ganz selten. Bei irgendwelchen Partys, öffentlichen Veranstaltungen.«

Sie waren inzwischen an einem Metzgerei-Stand angekommen. In einer großen gläsernen Auslage wurde alles präsentiert, was das Herz begehrte: gigantische *Côtes de Bœuf,* prachtvolle Entrecôtes, Filetsteaks, Lammkeulen, Koteletts vom Ibérico-Schwein, Wildwürste, ganze Kaninchen und verschiedenste Innereien.

»Was ist mit Joe Morel, dem Bruder von Blanches Mann?«

»Ich weiß, wer er ist, aber habe keinen Kontakt zu ihm.«

»Haben Sie …«

Dupins Handy. Es hatte ungewöhnlich lange Ruhe gegeben.

Commissaire Huppert.

»Entschuldigen Sie mich einen Augenblick. Ich bin sofort wieder da.« Dupin stellte sich in eine ruhigere Ecke.

»Ja?«

»Flore Briard. Um ihre aktuellen Finanzen ist es auch nicht rosig bestellt.« Wie immer verschwendete Huppert keine Zeit mit Floskeln. Von den 1,7 Millionen Euro, die sie vor zehn Jahren geerbt hat, verbleiben bloß noch zwanzigtausend Euro auf einem Geldmarkt-Konto, das ist der ganze Rest. So wie es aussieht, lebt sie mittlerweile tatsächlich von ihrem Geschäft mit den kulinarischen Bootsfahrten. – Sie besitzt zwar ihre Villa, aber die kostet sie ein Vermögen im Unterhalt. Sie hat wohl kürzlich überlegt, einen Teil der Villa zu vermieten. Voriges Jahr hat sie bei einer Auktion eine sehr teure Rolex verkauft, ein Erbstück.«

»Interessant.«

Das war es wirklich. Nicht spektakulär, aber interessant.

»Wie sind Sie an diese Informationen gekommen?«

»Ich habe meine Kontakte. Wie Sie auch.«

Auf ganz gesetzeskonformen Wegen kam man nicht an solche Informationen. Briard war schließlich im streng juristischen Sinne nicht dringend verdächtig. Huppert hatte ihr Terrain anscheinend gut im Griff.

»Es ist also ein wenig unklar, wie sie Lucille Trouin einen Kredit hätte geben wollen. Es sei denn, sie hätte vor, ihre Villa zu verkaufen. Aber davon habe ich nichts gehört.«

»Ich rufe Madame Briard an. Noch etwas?«

»Ich habe Nedellec nicht erreicht, er führt seine Gespräche, denke ich. Ich versuche es später noch mal. – Ich bin noch in Richards Haus.«

»Und?«

»Bisher haben wir nichts Relevantes gefunden. – Übrigens habe ich für Ihren Besuch bei Lucille Trouin alles geregelt. Es geht ab dem frühen Nachmittag, davor hat sie eine medizinisch-psychologische Untersuchung, die sie zunächst abgelehnt hatte. – Wir müssen uns bis dahin noch einmal genau absprechen.«

»Machen wir. – Bis gleich.«

Dupin legte auf und war umgehend wieder zurück bei Clément.

Der Souschef hielt ein Stück Fleisch in der Hand, drückte mit dem Daumen hinein und musterte es.

»Okay.«

Das schien bei ihm Ausdruck höchster Zufriedenheit zu sein.

»Zwanzig davon.«

»Dein *Souris d'Agneau* mit weißen Bohnen, jungen Erbsen und *La-Ratte*-Kartoffeln?«

Clément nuschelte eine Zustimmung.

Anders als die Marktfrau nahm der Metzger Dupin sehr wohl wahr:

»Das müssen Sie unbedingt einmal bei Colomb essen, Monsieur, eines seiner Meisterwerke. Es haut einen um. Die Lammhaxe wird mit Zimt, Blütenhonig und etwas Edelkümmel mariniert und dann über Stunden sanft geschmort.«

Schon allein die Erwähnung von *Souris d'Agneau* genügte, damit Dupin das Wasser im Munde zusammenlief. Zudem liebte er weiße Bohnen und junge Erbsen. Und die Marinade klang ebenso himmlisch.

»Unbedingt.«

»Ein ganz einfaches Gericht«, wiegelte Clément ab.

Es war immer dasselbe: Wenn ein hervorragender Koch »ganz einfach« sagte – und es genau so meinte, ganz aufrichtig –, hieß das für Laien: Egal, wie sehr du es auch versuchst, du wirst es niemals so hinbekommen.

»Brauchst du noch etwas, Colomb?«

»Ich hab alles.«

»Wir bringen es vorbei.«

Schon hatte der Souschef den Stand verlassen.

»Kam Lucille Trouin Ihnen irgendwie verändert vor in letzter Zeit, Monsieur Clément?«

»Nein.«

»Vielleicht etwas ernster als sonst?«

Er schüttelte den Kopf.

»Wissen Sie von Schwierigkeiten, in denen sie sich befunden hat?«

»Nein.«

Clément nahm Kurs auf einen Stand mit Erdbeeren aus Plougastel, »Les meilleures fraises du monde« stand auf der Schale. Und es stimmte voll und ganz. Sie hatten nichts mit den gemeinen europäischen Erdbeeren zu tun, sondern waren schon im 18. Jahrhundert aus Chile eingeführt und in Plougastel weiter verfeinert worden. Dupin konnte jedenfalls nicht genug von ihnen bekommen.

»Sie arbeiten in gewisser Weise auch für Flore Briard, wenn ich es richtig verstehe.«

»Nein. – Nicht direkt.« Es schien ihm wichtig zu sein. »Ich entwerfe die Gerichte und Menüs, die ein anderer Koch dann live auf dem Boot zubereitet. Aber das *La Noblesse* verkauft die Rezepte, Lucille Trouins Restaurant, nicht ich. Ich bekomme einen Gehaltszuschlag. Keinen großen allerdings.«

Er steckte die Hände in die Hosentasche und reihte sich in die kleine Schlange vor dem Erdbeerstand ein.

»Dennoch wird Madame Briard in Schwierigkeiten kommen, wenn Sie zu Blanche Trouin wechseln.«

»Sie wird eine Lösung finden.«

»Sie haben sicher manchmal mit Flore Briard persönlich zu tun, oder? Um die Menüs zu besprechen, zum Beispiel.«

»Ab und zu. Meistens zum Anfang der Saison. Letzte Woche war sie im Restaurant. Freitag. Da ist sie nach dem Essen zu mir in die Küche gekommen und hat gesagt, sie wolle demnächst in Ruhe mit mir reden.«

»Worüber?«

»Keine Ahnung. Sie hat gesagt, dass sie sich meldet. Das hat sie aber noch nicht.«

Ein Punkt für das nächste Gespräch mit Flore Briard.

»Mit wem kam sie gewöhnlich ins *La Noblesse*?«

»Meistens mit Freundinnen, soweit ich das mitbekommen habe. Ich bin nur in der Küche. Am Freitag war sie mit einem Mann dort.«

»Mit wem?«

»Mit dem Bruder von Blanche Trouins Mann.«

»Was? Mit Joe Morel?« Dupin zog die Augenbrauen hoch.

»Wie gesagt, ich kenne ihn nicht persönlich, ich weiß nur, wer er ist.«

»Sind Sie sicher, dass er es war?«

»Ja. Ein Gast wollte mit mir sprechen, deswegen war ich kurz im Speisesaal.«

Flore Briard und Joe Morel. Das war bemerkenswert.

»Schienen sie Ihnen – sehr vertraut miteinander?«

»Weiß nicht.«

»War Lucille Trouin selbst da an dem Abend?«

»Nein.«

Der Mann vom Erdbeerstand begrüßte Clément herzlich.

»Wie geht's, Colomb? – Ich habe wunderschöne *Gariguettes*, *Séraphines* und *Surprises*, welche möchstest du?«

Drei der Plougastel-Erdbeerarten.

»Heute *Gariguette*, bitte.«

Der Mann reichte Clément eine einzelne Erdbeere, der Souschef ließ sich Zeit.

Dupin meinte, ein Lächeln auf seinen Lippen zu erkennen, während er die Erdbeere langsam in seinem Mund zergehen ließ.

»Fünf Kilo.«

»Geht klar.«

Clément hob die Hand zu einem angedeuteten Gruß und verließ den Stand.

»Ich muss zum Restaurant«, wandte er sich an Dupin.

»Dann danke ich Ihnen für Ihre Zeit, Monsieur Clément.«

Der Souschef war immerhin einen Moment stehen geblieben.

»Au revoir.«

Jetzt hielt Clément schnurstracks auf den Ausgang zu, durch den Lucille Trouin am Montag nach ihrer Tat geflohen war.

Dupin setzte sich in den Wagen, schloss die Tür und gab die Adresse der alten Madame Trouin-Allanic ins Navigationssystem ein.

Die Strecke würde ihn auf einer der größeren Straßen unterhalb der Altstadt Saint-Malos direkt nach Rothéneuf führen, am großen Industriehafen vorbei.

Im nächsten Moment wählte er Flore Briards Nummer.

Es dauerte, bis sie dranging.

»Hallo?«

»Commissaire Dupin hier. Ich habe noch ein paar Fragen an Sie, Madame.«

»Das überrascht mich nicht«, antwortete sie souverän.

Im Hintergrund waren Geräusche zu hören, sie schien ebenfalls unterwegs zu sein, zu Fuß, auf der Straße irgendwo, vermutete Dupin.

»Es geht um ein paar Dinge, die Sie gestern bei unserem Gespräch nicht erwähnt haben.«

»Da wird es viele geben.«

»Sie sagten, Sie hätten ihrer Freundin Lucille Trouin einen Kredit geben wollen, einen großen Kredit, vermute ich. Dabei sind Sie finanziell gar nicht in der Lage dazu, wie wir erfahren haben.«

Flore Briard antwortete ohne Verzögerung:

»Ich weiß nicht, wer Ihnen was erzählt hat, Commissaire, aber ich kenne meine finanziellen Verhältnisse. Machen Sie sich keine Sorgen.«

»Wir verfügen über zweifelsfreie Auskünfte, Madame.«

»Lächerlich. – Meine Erbschaft ist vielfältiger Art gewesen.«

Dupin blieb unbeeindruckt. »Das heißt, dass Sie von dem Geschäft mit den kulinarischen Bootsfahrten stärker abhängig sind, als wir dachten.«

»Sie liegen falsch, Monsieur le Commissaire.« Sie schien in keiner Weise irritiert. »Aber ich liebe mein kleines Unternehmen. Für mich hat es eine große Bedeutung.«

Wie zuverlässig waren Hupperts Informationen wirklich? Verfügte Flore Briard vielleicht über ein Konto oder einen Fonds im Ausland, von dem keiner wusste? Dupin würde nicht weiter gehen können, als er es bereits getan hatte. Zudem ließ sich gegenwärtig auch keinerlei Zusammenhang zwischen ihrer finanziellen Situation und den Mordfällen herstellen.

Es war müßig.

»Etwas anderes, Madame Briard, wie ist …« Dupin musste heftig auf die Bremse treten, die Reifen quietschten. Eine langsam fahrende Wagenkolonne kreuzte die Ausfallstraße. Der Oldtimer-Klub. Es sah aus wie eine Prozession. Auf der Fahne des letzten Wagens stand heute: »Wir lieben die Klassiker.« Wieder winkten ihm ein paar Leute aus den Autos zu.

Dupin nahm den Faden wieder auf: »Wie ist Ihr Verhältnis zu Joe Morel, Madame Briard? Sie waren Freitagabend mit ihm in Lucille Trouins Restaurant essen. Das haben Sie gestern nicht erwähnt.«

Sie war es, die gestern von den zwei »Lagern« gesprochen hatte – und Joe Morel gehörte zum anderen Lager. Zum Blanche-Lager.

»Joe und ich kennen uns seit Ewigkeiten. Wir mochten uns schon immer. – Wir sehen uns ab und zu mal zum Abendessen. Eher selten.«

»Worüber haben Sie an dem Abend geredet?«

Dupin hatte den Industriehafen von Saint-Malo erreicht. An einem Kai waren unzählige blaue Plastikkisten zu Bergen gestapelt, die auf ihre Verladung zu warten schienen.

»Über Gott und die Welt. Meine Arbeit. Seine Bar. Wie es so geht. Nichts Besonderes.«

Dupin würde nichts aus ihr herausbekommen.

»Hatten Sie sich spontan verabredet?«

»Nein. Ich war vor ein paar Wochen in Cancale essen. Mit einer Freundin. Davor haben wir bei Joe einen Aperitif getrunken. Joe und ich haben geplaudert und abgemacht, dass wir uns mal wiedersehen müssen. – Das war es.«

»Hatten Sie Kontakt zu ihm seit vorgestern, seit dem Vorfall auf dem Markt?«

»Natürlich. Wir haben zweimal telefoniert. Und uns geschrieben. In solchen Momenten muss man sich beistehen.«

»Wie haben Sie ihn bei den Telefonaten erlebt? Vor allem nach dem Mord an seinem Bruder?«

»Er ist nicht der Typ, der seine Gefühle zeigt. Aber sie sind da. Natürlich ist es ein grässlicher Schock für ihn. Vielleicht sollten Sie selbst mit Joe sprechen.«

»Das werde ich. – Sie haben Colomb Clément am Freitagabend um ein Treffen gebeten. Worüber wollten Sie mit ihm reden?«

Dupin hatte das Ortsschild von Rothéneuf passiert. Hier lag auch das Grundstück, das Lucille Trouin finanziell das Genick brach.

»Ich denke, Sie wussten sehr wohl von Blanche Trouins Abwerbung«, setzte Dupin nach. »Und Lucille Trouin auch.«

Ehrlich gesagt war er nicht sicher, was er denken sollte.

»Ich wusste von gar nichts, Commissaire.« Ihre Stimme nahm nun eine gewisse Schärfe an. »Ich treffe mich zwei, drei Mal im Jahr mit Colomb Clément. Um zu hören, welche Ideen er für die kommende Saison hat. Mit Lucille bespreche ich ja bloß das Geschäftliche. – Die Menüs spielen eine wichtige Rolle für die Bootsfahrten. Und ich brauche Abwechslung. Damit die Leute immer einen Grund haben, die Fahrt noch mal zu buchen, auch wenn sie die Landschaft schon kennen.«

»Für die Sommersaison war es ein bisschen spät für ein grundlegenderes Gespräch, oder?«

»Ich habe mich entschieden, für beide Boote in einen gro-

194

ßen Grill zu investieren. Barbecue-Küche ist ungeheuer in Mode. Das war der Hauptgrund, mit ihm sprechen zu wollen. – Die Fahrten gehen bis Ende Oktober, Anfang November, je nachdem. Das sind noch fünf Monate.«

Dupin konnte nichts Stichhaltiges entgegnen. Es war ernüchternd. Aber ihm fiel etwas anderes ein:

»Was waren das für Dinge, die Sie gestern Abend für Lucille Trouin auf dem Kommissariat abgegeben haben?«

Er hatte bereits Huppert fragen wollen, als sie davon erzählt hatte.

»Nur ein paar, die Charles vergessen hatte. Flip-Flops, Kontaktlinsenflüssigkeit, Cremes. Und ein paar Sachen, von denen ich wusste, dass sie sie freuen würden.«

»Nämlich?«

»Ihr Lieblings-Kochmagazin. Ein Buch, von dem ich wusste, dass sie es lesen wollte. Eine Tafel Nussschokolade.«

»Gut, Madame Briard. – Sie werden sicherlich bald wieder von mir hören.«

»Liebend gerne, Commissaire.«

Dupin legte auf.

Er war fast da. Noch einmal rechts, dann würde er die Allée Notre-Dame des Flots erreichen.

Die Villa von Madame Allanic-Trouin hatte zwar nicht die Dimensionen der *La-Garde*-Villa, musste sich aber dennoch nicht verstecken. Auch sie präsentierte sich in beeindruckender neugotischer Pracht, Dupin gefiel der besonders helle Stein.

So prachtvoll wie die Villa war auch ihre Lage. Eine kleine, quasi private Stichstraße inmitten wilder Wiesen führte aus Rothéneuf hinaus Richtung Meer und endete dort. Genauer: an der Villa, die sich einsam und erhaben auf den letzten mächtigen Klippen über den Atlantik erhob. Nur einen Steinwurf entfernt ging es steil hinunter in eine weite Bucht, die lediglich eine schmale, von hohen Felsen eingerahmte Verbindung mit dem offenen Meer aufwies und so, vom Land eingeschlossen, selbst ein kleines Meer bildete. Ein Binnenmeer, das bei Flut – die fast erreicht war – zu einem Stück wildem Atlantik wurde, bei Ebbe hingegen zu einem gigantischen blendenden Sandbecken. Ein Phänomen, das an unendlich vielen Stellen der bretonischen Küste zu bestaunen war. Wäldchen aus windzerzausten Seekiefern säumten das Ufer, darüber der hellblaue Wasserfarbenhimmel, es war atemberaubend. Das Binnenmeer war strahlend türkis, grundiert von weißem Sand. Ein angenehmer Wind brachte Salz und Jod vom offenen Meer mit. Dupin liebte es, es tat unendlich gut.

Dupin hatte am Straßenrand in einiger Entfernung vor dem Tor der Villa geparkt. Eine Weile hatte er regungslos neben dem Auto verharrt und darüber nachgedacht, was für ein Treffen das werden würde.

Die Tante würde voraussichtlich nicht viel über die beiden Schwestern wissen, noch weniger oder gar nichts über die anderen Personen, um die es ging. Wie es aussah, war sie sehr verwirrt.

Dupin stieß einen Seufzer aus und setzte sich in Bewegung.

Hinter dem Tor, das aussah wie ein Hindernis beim Springreiten, begann ein dunkler Kiesweg, der zur Villa führte.

Eine ältere Dame kam aus der Eingangstür der Villa und schritt eilig auf ihn zu.

»Pardon, Monsieur le Commissaire, ich bin Francine Lezu, Madame Allanics Haushälterin. Ich habe Sie zu spät gesehen,

196

ich wäre selbstverständlich gekommen, um Ihnen das Tor zu öffnen.« Sie blickte missbilligend zu seinem Wagen. »Sie hätten vorfahren können. – Ich bitte vielmals um Entschuldigung«, sie sprach ohne Punkt und Komma, »ich bin ja so froh, dass Sie kommen, ich weiß gar nicht mehr, was ich tun soll. Madame hält immer neue verrückte Reden, der Arzt hat ihr ein Beruhigungsmittel verschrieben, aber sie weigert sich, es zu nehmen. Sie wollte auch keine Spritze. Dabei wird es immer schlimmer. Na, Ihr Besuch wird sicher helfen.« Sie holte tief Luft. »Der Besuch der Kommissarin gestern hat, wie soll ich sagen – nicht so gut funktioniert.«

Die Haushälterin und der Kommissar standen sich direkt gegenüber. Dupin schätzte sie auf Mitte, Ende siebzig, drahtig, fast knochig, dünnes Haar, ihre Kleidung wie aus der Zeit gefallen: schwarzer langer Rock, weiße Rüschenbluse und eine graue Faltenschürze.

»Ich freue mich, Sie kennenzulernen. Und auch Madame Allanic.«

Ruckartig wandte sie sich um. »Hier entlang – wenn Sie mir folgen würden. Madame erwartet Sie auf der Veranda, wo sie am liebsten sitzt. – Eben erst hat sie abermals eine erboste Tirade von sich gegeben, am Ende hatte ich Angst, dass sie zusammenbricht. Manchmal will sie, dass ich im Haus nachgucke, wo ihr Mann versteckt sein könnte.«

»Welchem Beruf ist ihr Mann nachgegangen?«

»Er war Anteilseigner einer großen Reederei hier in Saint-Malo. – Der größten.«

Die Ergänzung war Madame Lezu wichtig.

»Wie lange arbeiten Sie schon für Madame Allanic?«

»Oh, neun Jahre und drei Monate.«

»Hat Madame mit Ihnen je darüber gesprochen, was nach ihrem Tod mit ihrem Vermögen geschehen wird?«

Sie wirkte indigniert. »Natürlich nicht, wo denken Sie hin? Ich bin die Haushälterin. Eine Angestellte. Das würde Madame nie tun, es wäre ganz unangemessen. Und ich würde es selbstverständlich auch nicht wollen.«

»Wann waren die Trouin-Schwestern das letzte Mal hier?« Wahrscheinlich war es sinnvoller, die Haushälterin zu fragen.

Madame Lezu musste nicht lange nachdenken: »Lucille vor drei Wochen, Blanche erst letzte Woche, sie hat sich immer liebevoll um Madame gekümmert, sie brachte köstliche Dinge mit und hat für Madame gekocht.«

Dupin holte sein Notizheft hervor. Sie hatten eine breite, halbrunde Steintreppe erreicht, die zum Eingang der Villa führte.

»In welchen Abständen kamen die beiden in der Regel?«

»Blanche alle paar Wochen. Lucille seltener. Manchmal kamen sie auch, wenn ich nicht da war. Ich arbeite das ganze Wochenende, dafür habe ich montags frei. Aber Madame hat mir von den Besuchen erzählt«, Madame Lezu stockte, »ich hatte das Gefühl, sie kamen lieber, wenn ich nicht da war.«

»Warum?«

Ihr Gesicht rötete sich ein wenig: »Vielleicht, wie soll ich sagen – fühlten sie sich von mir beobachtet.«

Sie waren vor der großen Eingangstür stehen geblieben.

»Waren die Männer der beiden Schwestern bei den letzten Besuchen dabei, wenn sie kamen?«

»Nein. Beide nicht.«

»Nach diesen Besuchen ihrer Nichten – war da alles wie immer? Oder ist Ihnen an Madame danach irgendetwas aufgefallen?«

»In keiner Weise, nein. – Übrigens müssen Sie wissen, dass sie nicht mehr gut hört.«

»Ich denke daran, Madame Lezu.«

»Madame ist seit Langem nicht mehr ausgegangen, ihr Leben findet bloß noch in diesem Haus statt.«

Die Haushälterin öffnete die Haustür und steuerte durch die prächtige Eingangshalle auf die gegenüberliegende Tür zu.

Augenblicklich betraten sie ein riesiges Zimmer, das der Salon zu sein schien. Dunkle, schwere und aufs Aufwendigste verzierte Holzmöbel, wie Dupin sie nie zuvor gesehen hatte. Eigentümliche Kunstwerke, nicht vergleichbar mit irgendwelchen Stilen, die er kannte. Ein dunkler Holzboden mit Holzmosaiken, große Bilder mit gewaltigen Rahmen an der Wand, 19. Jahrhundert, Landschaften. Eine großzügige Flügeltür führte direkt auf die Terrasse.

»Haben Sie bei den Gesprächen zwischen Madame Allanic und ihren Nichten manchmal mitbekommen, worum es ging?«

Die Haushälterin blickte sich nervös um, sie fühlte sich unwohl.

»Selbstverständlich nicht«, sie flüsterte, »ich habe nur den Kaffee oder Tee bereitet. Kuchen serviert.«

»Und Sie selbst wohnen nicht hier im Haus?«

»Das wäre Madame nicht recht. Es gibt ein kleines Haus am Anfang der Straße, noch im Dorf, für die Angestellten.«

»Gibt es mehrere Bedienstete?«

»Früher schon. Seit Längerem nur noch mich.«

»Danke, Madame Lezu.«

Dupin steuerte auf die Flügeltür zur Terrasse zu, auf dem Gesicht der Haushälterin spiegelte sich tiefe Erleichterung.

Es war wie in einem Film. Die ganze Szene. Die Terrasse – bestimmt fünfzig Quadratmeter – offenbarte sich als eigenes kleines Reich, gesäumt von einer geschwungenen hüfthohen Brüstung in einem tadellosen Weiß. Eine atemberaubende Sicht, rechts das kleine Binnenmeer, sonst, wohin man blickte, der endlose Atlantik. Das sagenhafte Smaragdgrün, das in einem irren Kontrast zum Weiß und Wasserfarbenblau des Himmels stand. Hinzu kamen das noble Grün vereinzelter Meereskiefern sowie die Grautöne der Felsen und Klippen.

Nahe der Hauswand, vom Wind geschützt und von der Sonne beschienen, stand ein ausladender Korbsessel, daneben ein rechteckiger gusseiserner Tisch mit drei Stühlen. Im Sessel: Madame Allanic. Sie trug einen Strohhut mit breiter geschwungener Krempe und einem tiefrosafarbenen Band. Auf dem Tisch stand ein kleines Tablett mit einer silbernen Teekanne, einer blau-weißen Porzellantasse und einem dazu passenden Milchkännchen.

Madame Allanic saß völlig bewegungslos, wie erstarrt. Ihr Blick verlor sich unbestimmt auf dem Meer. Sie schien Dupin und die Haushälterin nicht zu bemerken. Ihre nach hinten gekämmten, kurzen dunkelblonden Haare wiesen an den Seiten einen ganz leichten weißen Schimmer auf, die markante Stirn lag frei, eine für dreiundneunzig Jahre erstaunlich glatte Haut, eine schmale Nase, unauffällig geschminkte Lippen.

»Guten Morgen, Madame Allanic.« Dupin sprach lauter als üblich.

Hastig drehte sie sich zu ihm, ein äußerster Gegensatz zu dem regungslosen, in sich versunkenen Zustand, in dem sie sich befunden hatte. Aus dem Augenwinkel bemerkte Dupin, wie die Haushälterin diskret verschwand.

»Mein Mann kommt bald zurück.« Madame Allanic wirkte aufgeregt. »Und dann wird er hier wieder alles in Ordnung bringen. Er richtet immer alles, Sie werden sehen. – Mir ist es gleichgültig, wenn ich sterbe. Er wird neue Schätze mitbringen! Viele neue Schätze, noch wertvoller als die alten! Sie haben sie gestohlen, ja, gestohlen! – Sie können mich nicht zwingen, etwas zu sagen, ich werde kein

Wort sagen.« Abrupt hörte sie auf zu sprechen. Sie schien erneut in ihren starren Zustand zu verfallen, nur dass ihr Blick dieses Mal unbestimmt auf Dupin lag und nicht auf dem Meer.

»Ich bin Commissaire Dupin, Madame Allanic, von der Police Nationale, Sie wollten mich sprechen.«

In Madame Allanics Blick zeigte sich so etwas wie tiefes Erstaunen. Auch Verwirrung. Sie trug eine melierte Wolljacke, darunter eine bordeauxfarbene Bluse mit einem weißen Streifen am Kragen und einer goldenen Brosche, in die ein einzelner Stein eingefasst war. Eine schwarze Bundfaltenhose. So elegant ihre Erscheinung war, sah man ihr doch das Zerbrechliche an. Das hohe Alter. Vor allem an ihren Händen.

»Sie kommen zu spät.« Jetzt klang sie mit einem Mal resigniert, traurig. »Es ist schon passiert. Sie haben sie ermordet.«

»Sie meinen Blanche? Ihre Nichte?«

Wieder blickte sie verwundert, so als fragte sie sich, woher er das wusste.

»Sie war mein Liebling. – Und sie kommt mich bald wieder besuchen.« Wieder verharrte sie für einen Moment regungslos. Dann ergriff sie ein neuer Impuls: »Sie sind gekommen und haben uns alles genommen! Es sind böse Diebe. Sie haben die mächtigen Mauern unserer Stadt überwunden. – Ich werde nach Kanada gehen, wissen Sie. – Kanada gehört uns. Nach Kanada zu meiner Schwester.«

»Der Sie alles vermachen werden, wenn ich es richtig verstehe.«

Dupin schaute sie aufmerksam an.

»Nach Kanada!«

Sie verstummte.

Dupin merkte, dass ihm die ganze Situation und der Zustand der alten Dame nahegingen. Sie schien längst in ihrer eigenen dunkel schimmernden Nacht gefangen. Er wusste nicht einmal, wie er sie beruhigen sollte. An ein normales Gespräch war nicht zu denken.

Sie begann von Neuem: »Blanche hat sie. Blanche! Sie hat sie alle. Die Gewürze. Die Aromen der Welt. Aus den fernsten Ländern. Die niemand kennt außer ihr, nur mein Mann. – Blanche hat das Rezeptbuch bekommen. Sie war es. Von ihrem Vater. Sie hat die Gabe.«

»Hat Lucille Blanche deswegen getötet, glauben Sie?«

Sie schaute ihn abermals mit tiefer Verblüffung an. Dann schien es, als sammelte sie neue Kraft.

»Die Korsaren waren stolze Männer. Wir haben die ganze Welt beherrscht. – Ich bin eine Korsarin. Und ich werde es ihnen nicht sagen. Und Blanche auch nicht.«

»Was nicht sagen, Madame? Was genau?«

Ihr Blick ging zu Boden.

»Iranischer Königskümmel, afghanischer Safran, die wertvollsten Gewürze der Welt, Bourbon-Vanille von den Komoren, tasmanischer Pfeffer, Kardamom aus Südindien, arabische Muskatblüte. – Wahre Schätze! Ich habe es ihnen jedenfalls nicht gesagt.«

Wieder blieb die Bedeutung rätselhaft.

»Wie ich sehe, haben Sie Ihren Sonnenhut wiedergefunden. Ein Glück, dass er doch nicht gestohlen wurde.« Dupin war eingefallen, dass die Haushälterin bei ihrem Telefonat gestern davon gesprochen hatte.

»Sie haben alles gestohlen.« Auf ihren Zügen spiegelte sich Entsetzen. »Alles.«

Ein Piepsen ertönte. Eine SMS.

Dupin warf einen raschen Blick auf das Display seines Handys. Eine Nachricht von Huppert: »Gespräch mit L. Trouin: vierzehn Uhr.« Es hatte also wirklich geklappt, sehr gut. Dupin steckte das Handy zurück.

Er würde es noch einmal mit der Realität versuchen: »Madame Allanic, Sie wissen, dass gestern Blanches Mann ermordet wurde. Kilian Morel.«

Dupin meinte so etwas wie ein Nicken wahrzunehmen. Es wäre immerhin etwas.

»Fällt Ihnen dazu etwas ein, Madame?«

»Mein Mann ist nach Rio gefahren. Mit seinem prachtvollen Schiff. Er ist um die ganze Welt gefahren.« Sie fixierte Dupin eigentümlich durchdringend.

»Und heute Morgen, Madame, hat es einen weiteren Mord gegeben. An dem Antiquitätenhändler Walig Richard in Saint-Suliac. Ein Freund von Blanche.«

Sie verstummte erneut.

Vielleicht hatte sie einfach keine Kraft mehr. Dupin verspürte Mitleid mit ihr. Das Gespräch quälte sie. Dupin quälte sie. Er würde es abbrechen. Dupin mochte diese verrückte alte Dame, in deren Kopf alles verrutschte, sich verband, was nicht zusammengehörte, sich neu zusammensetzte, auf willkürliche Weise. Für sie selbst war es eine geschlossene Welt – ihre Welt. Dupin wäre einverstanden, wenn er am Ende seiner Tage ebenfalls in seiner eigenen Welt verloren ginge.

»Wie gehen die Ermittlungen voran? – Kilian war ein guter Mann. Wo ist Lucille?«

Dupin war sich nicht sicher, ob er richtig gehört hatte. Es waren klare Sätze mit klarer Stimme gewesen, konkrete, realistische Fragen, Sätze aus dieser Welt. Und sie waren eindeutig an Dupin gerichtet.

»Lucille ist bei der Polizei. In Untersuchungshaft. Aber sie schweigt.«

Madame Allanic reagierte nun mit einem eindeutigen Nicken.

»Wissen Sie, warum Lucille das getan hat? Warum sie Blanche erstochen hat?«

Madame Allanic schwieg. Es war ein anderes Schweigen als zuvor, meinte Dupin wahrzunehmen. Aber vielleicht bildete er sich das bloß ein?

»Wir suchen das Motiv, Madame. Für Lucilles Tat und auch für die anderen Morde. Die Geschichte, um die es bei alldem gehen könnte. Kennen Sie die Geschichte, Madame?«

Madame Allanic schien mit sich zu ringen.

»Er ist weg.«

Drei laut hallende Worte.

»Wer – wer ist weg?«

»Aber mein Mann wird wiederkommen. Er ist schon unterwegs.«

»Meinen Sie Ihren Mann?«

Es hatte zuvor nicht so geklungen.

»Er wird alles wieder in Ordnung bringen.« Sie schien wieder wegzugleiten. »Ich weiß nicht, auf welchem Schiff sie fährt. – Blanche mochte die Vanille so. Wie mein Mann. – Lucille, sie kann sehr böse sein.«

»Wie meinen Sie das, Madame?«

Jetzt blickte sie ihn mit leeren Augen an.

Der Anflug von Klarheit schien vergangen – wenn es ihn denn gegeben hatte.

»Ich sage kein Wort.«

Dupin wartete. Lange. Die alte Dame schwieg nun beharrlich.

»Ich danke Ihnen, Madame Allanic.« Dupin beschloss, es an diesem Punkt gut sein zu lassen. »Und ich kann Ihnen versichern, dass wir alles unternehmen werden, was in unserer

Macht steht, um«, er überlegte, »um die Ordnung wiederherzustellen.«

Einen kurzen Moment blickte sie Dupin aufmerksam in die Augen, um sich dann wieder mit ihrem Blick irgendwo im Atlantik zu verlieren.

»Au revoir, Madame.«

Sie war in ihre Starre zurückgefallen. Dupin meinte ein leichtes Zittern an ihr wahrzunehmen, dabei war die Temperatur in der letzten halben Stunde weiter angestiegen.

Er wandte sich um.

Dupin stand neben seinem Wagen und fühlte sich ein wenig durcheinander, die letzte Dreiviertelstunde hatte surreal angemutet. Eine Weile wanderte sein Blick unmotiviert umher, dann gab er sich einen Ruck und stieg in sein Auto.

Es war erst kurz nach zehn, er hatte noch Zeit. Er würde Joe Morel um zwölf treffen. Lucille Trouin dann um zwei.

Er ließ den Motor an, blickte auf die Karte des Navigationssystems, vergrößerte einen Ausschnitt. Er fand, was er suchte.

Drei Minuten später war er da.

Er hatte einen Weg voller tiefer Schlaglöcher genommen, der scharf von der asphaltierten Straße abbog. Vor ihm lag das Grundstück, das Lucille Trouin nun zu nichts mehr nutze war und sie höchstwahrscheinlich in den Ruin trieb. Eine der Natur überlassene Wiese voller Hecken und Sträucher, die sich bis zu den Klippen zog. Ein fantastisches Grundstück, fast in der gleichen Lage wie das der Tante – Luftlinie nur ein paar Hundert Meter entfernt.

Dupin lief über einen schmalen Weg Richtung Meer. Rechter Hand in einiger Entfernung ein modernes, lang gezogenes Gebäude, ein hohes Dach, ein wenig wie ein Zeltdach. Es musste das bekannte Restaurant sein, von dem Huppert gesprochen hatte.

Er verfolgte keine bestimmte Absicht. Natürlich war es reiner Zufall, dass das Grundstück so nah an dem von Madame Allanic lag. Aber es gehörte zu diesem merkwürdigen Fall dazu, dass man anfing, sich über ganz offensichtlich nicht Zusammenhängendes den Kopf zu zerbrechen, bis einem schwindelig wurde.

Das Plateau, auf dem sich das Grundstück befand, lag sicherlich dreißig Meter über dem Meer. Auf dem äußersten keilförmigen Felsvorsprung war ein einsames, pathetisches Kreuz zu sehen.

Dupin lief den waghalsig steilen Pfad hinunter und blieb neben dem Kreuz stehen. Um dann, von drei Möwen begleitet, die kreischend über ihm kreisten, einen noch halsbrecherischen Abstieg zu wagen, bis runter zum Meer. Er würde nach einem Platz suchen, um sich einen Moment in die Sonne zu setzen. Was nicht einfach war, die dunklen Felsen waren schroff und scharfkantig, außerdem musste er auf die Wellen aufpassen.

Nach einem kurzen Stück war abrupt Schluss, eine gähnende Spalte durchtrennte die Felsen und schnitt ihm den Weg ab. Er musste umkehren.

Zwischen zwei brechenden Wellen hörte Dupin den penetranten Klingelton seines Telefons.

Huppert.

Dupin nahm an.

»Ja?«

»Dupin, Nedellec ist auch in der Leitung. – Der Gerichtsmediziner hat sich noch einmal zum Todeszeitpunkt von Walig Richard geäußert. Er präzisiert das Zeitfenster auf acht bis zehn Uhr am gestrigen Morgen. Und, wichtiger noch: er sieht nach der genauen Untersuchung der Wunden deutliche Hinweise, dass beide Männer mit derselben Klinge getötet wurden. Wahrscheinlich ein größeres Taschenmesser. Eine neun oder zehn Zentimeter lange Klinge, die eine kleine, charakteristische Beschädigung aufweist.«

»Dann«, Nedellec nahm den Faden sofort auf, »hatte ich mit meiner Hypothese also recht. Der Täter hat sie direkt nacheinander umgebracht. Wir wissen nur noch nicht, wen zuerst.«

»Der Gerichtsmediziner vermutet, dass Kilian Morel ein wenig früher ermordet wurde.«

Dupin war nicht ganz bei der Sache. Es war seltsam. Wahrscheinlich bloß eine merkwürdige Einbildung. Dupin hatte auf der anderen Seite der Meerspalte in einem der Felsen ein Gesicht ausgemacht. Zunächst vage, dann mit immer mehr Gewissheit. Er schloss kurz die Augen. Als er sie wieder öffnete, sah er plötzlich auch in einem zweiten Stein menschliche Züge. Und in dem daneben ebenfalls. Es war unheimlich, der gesamte Felsvorsprung gegenüber erwachte zum Leben: Überall tauchten Gesichter, Köpfe, Fratzen auf. Dupin schüttelte sich und versuchte, einen klaren Kopf zu bewahren.

»Das heißt«, folgerte Huppert, »dass wir bei der Rekonstruktion des gestrigen Morgens wieder einen Schritt weiter sind.«

Dupin wandte den Blick jäh von den Felsen ab. War seine Einbildungskraft derart erhitzt, dass er Erscheinungen sah?

»Die Ereignisse unseres Falls«, pointierte Huppert, »haben sich also zwischen Montag, 13 Uhr 50 und Dienstagmorgen, 7 Uhr 30 bis zehn Uhr abgespielt. Was auch heißt: Seit etwa vierundzwanzig Stunden ist nichts mehr passiert.«

Dupin kletterte zurück, ohne einen Blick über die Schulter zu werfen.

»Es könnte jederzeit zu einem weiteren Vorfall kommen. Das Geschehen könnte immer noch im Gange sein. Und noch mehr Opfer fordern.«

Nedellecs Formulierung nahm sich unnötig dramatisch aus, aber natürlich hatte er recht.

»Wir werden sehen. – Nedellec, wie steht es um die Gespräche mit Walig Richards Mitarbeitern, Freunden und Bekannten?«

Vielleicht die wichtigste Frage überhaupt im Moment.

»Ich komme gut voran.«

»Was heißt das?«, hakte Huppert nach.

»Mit den Mitarbeitern bin ich durch. Ohne etwas Bedeutsames erfahren zu haben. Und ich habe mit Richards bestem Freund hier in Saint-Suliac gesprochen. Ein Musiker, Pianist. Er betätigt sich ebenfalls als Winzer am Weinberg. Sie gehen gerne zusammen spazieren oder sitzen im Bistro am Kai. Er sagt, er habe keine Idee, worin sein Freund verwickelt gewesen sein könnte. Er hat ihn am Montagabend noch gesehen, sie haben ein paar Gläser zusammen getrunken, nach Blanche Trouins Tod. Richard muss vollkommen am Ende gewesen sein, verständlicherweise. Sein Freund meinte, neben der Trauer, dem Schmerz und der Fassungslosigkeit noch ein anderes Gefühl bemerkt zu haben. Eine Unruhe. Manchmal sehr deutlich. Er habe ihn auch danach gefragt. Aber Richard sei ausgewichen.«

»Könnte es Angst gewesen sein?« Dupin hatte – etwas schnaufend – das Kreuz auf dem Vorsprung erreicht.

»Er hat nur von Unruhe gesprochen. Der Pianist war bis dreiundzwanzig Uhr bei ihm, dann wollte Richard alleine sein. – Er hatte seinem Freund übrigens erzählt, dass er am nächsten Morgen zum Weinberg wollte. Was dieser nicht ungewöhnlich fand, Richard hat den Ort wohl geliebt, den Hügel, die Reben, die Einsamkeit dort. Und die frühe Stunde. Sein Freund dachte, Richard will sich ablenken. Es hatte für ihn offenbar etwas Meditatives.«

»Gut. – Wen treffen Sie noch, Nedellec?«

»Als Nächstes den Bürgermeister, den Richard ganz gut kannte. Dann seine Nachbarn. – Ich melde mich wieder.«

»Alles klar. – Und Dupin, wie war der Besuch bei der Tante?«

»Da gibt es nicht viel zu erzählen.«

Dupin hatte Mühe, überhaupt etwas wiederzugeben.

»Ich schlage vor, wir besprechen uns ausführlich nach der Unterredung mit Lucille Trouin. – Alle einverstanden?« Eine rhetorische Nachfrage.

Schon hatte sie aufgelegt.

Dupin war zurück auf der Wiese. Auf Lucille Trouins Grundstück. Er warf einen Blick auf die Uhr. 10 Uhr 35. Eigentlich noch etwas zu früh, aber er würde sich trotzdem schon nach Cancale aufmachen.

Dupin hatte die D 201 oberhalb von Cancale verlassen. Es ging direkt zum Hafen hinunter, geradewegs auf den Atlantik zu. Kleine weiße Häuschen, die vermutlich einst von Austernfischern gebaut worden waren, säumten die Straße. Bald erreichte er das Ufer, was vor allem hieß: die breite, von einer stattlichen Kaimauer befestigte Promenade, die sich den ganzen Ort entlangzog.

Dupin mochte das Flair des Örtchens sofort. Das Mekka der Austernwelt – zusammen mit dem Belon natürlich –, eine Kultstätte für Austernliebhaber, Dupin war längst selbst einer geworden. Vor der Kaimauer lagen sie – die berühmten weitflächigen Austernparks von Cancale. Der Meeresboden der berühmten Baie de Cancale, durch die sich die bretonisch-normannische Grenze zog, bestand aus nichts als weißem Sand.

Dupin hatte Glück, sofort fand er einen freien Platz auf einem der Parkplätze neben der Promenade, hier irgendwo musste sich Joe Morels Austernbar befinden. Er stieg aus, lief bis an den Rand des Kais und blieb stehen.

Bei Flut, wie jetzt, strömte der Atlantik über die Austernbänke. Nun fraßen die Austern Plankton, stundenlang, kleinste Partikel. Dann wieder lagen sie über Stunden an der Luft, was heute hieß: in der heißen Sonne. Man erahnte die Bänke als dunkle Schatten auf dem Meeresboden. In der Bucht von Cancale spielten die Gezeiten ihr volles Können aus, hier erreichten sie, je nach Koeffizient, bretonische Rekordstände, und nicht nur das: Mit einem Tidenhub von über zwölf Metern rangierte die Bucht auf Platz zwei des globalen Gezeiten-Rankings.

Die Sicht war betörend, die Luft luzid. Man sah die enorme Ausdehnung der Bucht, die beeindruckende Weite. Bis zur Küste auf der anderen Seite ging der Blick, die Strände, die dort schimmerten, gehörten zur Normandie. Die Silhouette des legendären Mont Saint-Michel war gut zu erkennen. Das Meer war spiegelglatt, wie Öl. Keine Spur von Smaragdgrün, es dominierte ein pures Aquamarin, Richtung Horizont mit immer mehr Blauanteilen.

Der Landschaft mutete eine vollkommen andere Stimmung an, als Dupin es vom Rest der Bretagne kannte, es wirkte ganz unbretonisch. Hier ging sie zu Ende, war das melancholische Gefühl. – Vielleicht war es der Ärmelkanal, das typische Kanal-Kolorit, das man nun wahrnahm. Oder, auch das war möglich, man fühlte das Ende der Bretagne nur, weil man wusste, dass sie an dieser Stelle endete.

Die Nähe zur Normandie ließ Dupin an Claire denken. »Seine« Normannin.

Er beschloss, es bei ihr zu versuchen, zwar war es für sie erst fünf Uhr morgens, aber so war die Wahrscheinlichkeit hoch, dass sie zumindest nicht unterwegs war.

Er wählte die Nummer. Wartete. Abermals sprang der Anrufbeantworter an.

Schlief sie so tief und fest? Eigentlich hörte sie das Telefon immer, die Berufskrankheit einer Kardiologin. Diesmal nicht.

»Claire, ich bin's.« Eigentlich hatte er nicht schon wieder aufs Band sprechen wollen. »Es ist schön, deine Stimme zu hören – zumindest auf diese Weise.« Was für ein blödsinniger Satz. »Ich hoffe, es geht dir gut.« Eine reine Floskel. »Ich versuche es später noch einmal. – Ich küsse dich.«

Schon hatte er aufgelegt. Es war deprimierend.

Dupin steckte das Handy zurück und bewegte sich auf die Hafenmole zu, die weit ins Meer hinausführte. Erst an der äußersten Spitze blieb er stehen. An der Mole waren ein paar der Austernfischerboote festgemacht.

In seinen Gedanken war er bei den bisherigen Stationen des Tages: beim Mord an Walig Richard – er war »unruhig« gewesen, hatte sein Freund gesagt, hatte Richard etwas kommen sehen? –, bei der Inaugenscheinnahme des Antiquitätenladens, beim Telefonat mit Flore Briard und natürlich bei dem sonderbaren Besuch bei der alten Dame.

Dupin sah drei große rote Traktoren über die Uferstraße fahren. Er ging zurück Richtung Kai. Am Anfang der Mole waren ein Dutzend Stände aufgebaut, an denen frische Austern verkauft wurden. Die Zelte streng in atlantischen Farben gehalten, überwiegend blau und weiß. Grobe Holzkisten mit Austern in verschiedenen Größen und Sorten. Schilder über den Ständen, die die jeweiligen Austernfischer auswiesen. Eine wunderbare Stimmung. Es roch nach Tang und Algen, auf denen die Austern in den Kisten präsentiert wurden.

Dupin fuhr sich über die Stirn, er schwitzte, lange würde der Spaziergang keinen Spaß mehr machen, es würde noch heißer werden. Er hielt nach einem Café Ausschau.

Um 11 Uhr 47, nach zwei *petits cafés* und weiterem angestrengten Grübeln, stand er vor Joe Morels Austernbar. *La Cabane des Huîtres.*

Die Fassade des Hauses bestand aus weiß lasiertem Holz, alles schlicht und unaufwendig. Stühle und Hocker an einer langen Bar. Eine kleine Terrasse mit drei Tischen, mehr passte nicht drauf. Noch waren es nur ein paar wenige Gäste, aber der Betrieb würde bald beginnen.

Dupin trat ein. Um auf der Stelle stehen zu bleiben.

Eine bekannte Gestalt kam ihm entgegen.

Flore Briard.

»Das ist ja ein lustiger Zufall. Monsieur le Commissaire. Wo wir doch gerade erst telefoniert haben.« Schon stand sie direkt vor ihm, in einem hellgelben Kleid, großen Kreolen und hohen Espadrilles. Die blonden Haare trug sie heute offen, ein unbeschwertes Lächeln auf dem Gesicht. Die Situation schien ihr keinesfalls unangenehm zu sein.

»Was tun Sie hier?«, rutschte es ihm heraus.

»Ich habe hier zu tun, ein geschäftliches Treffen mit meinem Austernlieferanten. Das Leben muss weitergehen. Da bin ich spontan bei Joe vorbei. Es war schön, ihn kurz zu sehen. – Joe sitzt noch hinten im Hof«, sie deutete auf einen schmalen Flur am Ende des Raums, »er müsste gleich kommen.«

Dupin lagen viele Fragen auf der Zunge. Aber lohnte sich

das Nachhaken? Natürlich konnte alles genau so sein, wie Flore Briard es gerade darstellte. Aber merkwürdig war es doch.

»Wer ist Ihr Austernlieferant?«

Auch seine knurrige Nachfrage schien Flore Briard nicht aus dem Konzept zu bringen.

»Marcel Duché. – Er hat auch einen Stand vorne am Kai.«

»Von ihm beziehen Sie die Austern für Ihre Bootsfahrten?«

»Genau.«

»Nicht über Lucille Trouins Restaurant?«

»Nein, direkt. Aber es ist derselbe Händler. Wir kennen ihn beide gut.«

»Worüber haben Sie sich mit Joe Morel unterhalten?«

»Darüber«, sie sprach jetzt mit gedämpfter Stimme, »wie fürchterlich das alles ist. Fürchterlich und mysteriös. – Übrigens, damit Sie es nicht irgendwie im Nachhinein erfahren und sich den Kopf zermartern: Ich treffe mich gleich mit Charles Braz. In Lucilles Restaurant. – Wir haben das Bedürfnis, uns auszutauschen.«

Das bedeutete, dass sich dort bald drei der vier Verdächtigen aufhalten würden. Colomb Clément, der Souschef, befand sich in der Küche. Und den vierten hatte Flore Briard gerade hier besucht. Es waren kuriose Begebenheiten. In denen sich etwas verbergen konnte – oder eben auch gar nichts.

»Ich verstehe.«

Dupin hatte sich um eine möglichst souveräne Haltung bemüht.

»Gut – also bis bald, Commissaire – am besten gehen Sie zu Joe in den Hof. Einfach durch die Küche durch.«

Dupin nickte und steuerte auf den Flur zu.

Dupin trat durch eine Schwingtür in einen großen Raum. Auf der einen Seite eine professionelle Küchenzeile, auf der anderen ein alter Holztisch mit vier Stühlen und ein abgesessenes schwarzes Ledersofa. Ein junger Mann und eine junge Frau, die an der langen Arbeitsfläche zu tun hatten, blinzelten skeptisch.

»Die Toilette finden Sie links vom Flur.«

Die Frau hatte ein Austernmesser in der Hand, sie war dabei, eine *Creuse*-Auster zu öffnen. Vor ihr eine Holzkiste mit einer beachtlichen Menge davon.

»Ich will zu Joe Morel.«

Mit einer minimalen Kopfbewegung wies sie auf die offen stehende Tür, die nach draußen führte.

Einen Moment später stand Dupin im Hof.

Joe Morel saß an einem kleinen blauen Tisch. Er hatte sich zurückgelehnt, eine Zigarette in der Hand, die Beine ausgestreckt.

Dupin trat auf ihn zu.

»Bonjour, Monsieur Morel.«

»Commissaire Georges Dupin. Wir sind verabredet, ich weiß. Ihr Kollege war gestern schon da.« Seine Stimme war kratzig.

Ihre Blicke begegneten sich. Morel trug alte, aufgetragene Jeans, das eine Knie zerrissen, ein schwarzes T-Shirt. Sportliche Figur, schlank, sicher eins achtzig groß, er sah jünger aus als zweiundvierzig. Dichte verwuschelte Haare, als wäre er eben erst aufgestanden, ausgeprägte Wangenknochen. Dennoch lag in seinen Zügen etwas eigensinnig Sanftes. Dazu funkelnd hellblaue Augen, in die sich ohne Zweifel schon Dutzende Frauen verliebt hatten.

»Mein aufrichtiges Beileid zum Verlust Ihres Bruders, Monsieur Morel. – Und zu dem Ihrer Schwägerin.«

Es hatte ihn wirklich hart getroffen.

Joe Morel holte ein Päckchen Zigaretten aus der Hosentasche und zündete sich eine neue an. Neben einem Aschenbecher stand eine leere Espressotasse.

»Danke.«

Er hatte nichts an seiner Sitzhaltung verändert. Dupin stand direkt vor ihm. Es war ein kleiner Garten, der sich hinter dem Haus verbarg, stoppliger Rasen, rechts und links hohe Steinmauern, zwei lange Palmen, die ein wenig verloren wirkten.

»Sie arbeiten? Trotz allem?«

»Was soll ich sonst tun?« Morel sprach bedächtig. »Das ist mein Laden.«

Dupin entschied sich, auf dem Stuhl gegenüber Platz zu nehmen.

»Sind Sie wieder mit Lucille Trouin zusammen, Monsieur Morel?«

Morel blickte Dupin an.

»Nein. Aber wir verstehen uns gut.« Er zog an der Zigarette und inhalierte tief.

»Sind Sie Freunde?«

Morel atmete den Rauch langsam aus.

»Freunde ist zu viel gesagt. – Wir haben uns im letzten halben Jahr zwei, drei Mal gesehen.«

»Und Blanche und Ihr Bruder wussten davon, dass Sie sich manchmal treffen?«

»Ich habe es ihnen nicht erzählt.«

»Auch Blanche nicht?«

»Auch Blanche nicht.«

Er nahm erneut einen tiefen Zug von seiner Zigarette. Seine Hände waren beeindruckend ruhig.

»Ihre Schwägerin Blanche war auch eine enge Freundin von Ihnen.«

»Ja.« Jetzt ging der Blick an Dupin vorbei. »Wir haben uns fast jede Woche gesehen, in irgendeiner Bar meist, oder haben etwas zusammen gegessen. Manchmal sind wir auch mit meinem Boot raus.«

»Hat Sie Ihnen anvertraut, was sie bewegte?«

»Vermutlich nicht alles, aber vieles.«

»Und von dem, was sie Ihnen in der letzten Zeit erzählt hat, könnte nichts in einem Zusammenhang mit dem jetzigen Geschehen stehen?«

Eine eher abstrakte Frage, wusste Dupin. Aber alles Konkrete – die Rezepte, die Sache mit dem Souschef – hatte Nedellec bereits gestern mit Joe Morel besprochen.

»Ich wüsste nicht, was.«

»Schien Ihnen Blanche zuletzt irgendwie verändert?«

»Nein. Überhaupt nicht. Ich habe sie letzte Woche Montag noch gesehen.«

»Und Sie hatten kein schlechtes Gewissen«, Dupin kehrte noch einmal zu diesem Punkt zurück, »weil Sie sich wieder mit Lucille getroffen und Ihrer Schwägerin nichts davon erzählt haben?«

»Es wäre nur wieder unnötig kompliziert geworden. Dabei ist das alles völlig uninteressant. – Manchmal spinnen die beiden.«

»Wegen der ganzen Konkurrenz?«

Ein Nicken. »Wie die Kinder – aber todernst. Blanche wusste, dass ich so denke. Und sie konnte damit umgehen.«

»Kann es sein, dass Blanche anderweitig von Ihrem Kontakt zu Lucille gehört hat?«

»Ich kann es mir nicht vorstellen. – Aber natürlich ist es nicht ausgeschlossen. Auf jeden Fall hat Blanche mich nie darauf angesprochen.«

»Und das hätte sie?«

Morel legte den Kopf schief. »Bestimmt. Aber vielleicht auch nicht, ich weiß es nicht.«

»Wann genau haben Sie Lucille Trouin das letzte Mal gesehen?«

»Vor zwei, drei Wochen. Da ist sie spontan vorbeigekommen. Sie hatte hier zu tun. Es war ein kurzer Besuch.«

Hier hatten offenbar viele etwas »zu tun«.

»Und nichts, was sie da gesagt hat, schwingt jetzt, nach all den fürchterlichen Geschehnissen, seltsam nach?«

»Nein.«

»Hat Lucille Trouin Ihnen von einem Grundstück in Rothéneuf erzählt, das sie gekauft hat?«

»Nein.«

Joe Morel drückte die Zigarette aus. Und setzte sich ein kleines Stück aufrechter.

»Standen Sie Ihrem Bruder nah, was würden Sie sagen, Monsieur Morel?«

Er ließ sich Zeit mit seiner Antwort. Er schloss die Augen.

»Ich mochte ihn. Sehr. – Wir haben uns gut vertragen, immer eigentlich. Aber waren auch nie sehr eng.«

Das konnte alles und nichts bedeuten.

»Wie oft haben Sie sich gesehen?«

Er schien nachzudenken. »Vielleicht alle zwei Monate. Meistens kam er hier vorbei. Wenn ich in Dinard zu tun hatte, bin ich auch zu ihm, nach Hause, meine ich.«

»Wann haben Sie ihn das letzte Mal gesehen?«

»Vor einem Monat vielleicht. Da haben wir hier zusammen Austern gegessen.«

Morel war tatsächlich niemand, der seine Gefühle offen zeigte. Dennoch spürte Dupin seine Trauer.

»Er hat Ihnen von nichts Ungewöhnlichem erzählt? Von Sorgen, Nöten, Konflikten?«

»Nein.«

Dupin hatte lange genug gesessen. Abrupt erhob er sich.

»Jetzt erben Sie alles von Ihrem Bruder. Der wiederum alles von seiner Frau geerbt hat. Da kommt einiges zusammen.«

Morel zog die Schultern hoch. »Kann sein. Ja.«

»Sie haben kein richtiges Alibi für gestern früh.«

»Ich habe zu Protokoll gegeben, wann ich wo war und was ich gemacht habe.« Er rutschte wieder in seine lässige Haltung zurück und nahm sich noch eine Zigarette. »Das können Sie glauben oder nicht. Ich kann Ihnen nichts anderes sagen.«

»Sie wissen, dass Sie aufgrund der überaus beachtlichen Erbschaft ein Hauptverdächtiger sind.«

Abermals ein Schulterzucken. Mehr nicht.

»Was werden Sie mit dem Restaurant machen? Dem Gewürzhandel? Dem Onlinegeschäft?«

»Verkaufen, denke ich.« Es klang bereits ziemlich entschieden.

»Direkt?«

»Ich denke schon. Ich will mich gar nicht erst damit beschäftigen müssen. Mir reicht meine Bar hier.«

Es hatte jedes Mal etwas Brutales: Über Jahre, über Jahrzehnte hatte jemand etwas mit Herzblut aufgebaut, einer Sache sein ganzes Leben gewidmet – und mit dem plötzlichen Tod wurde es nichtig.

»Wollen Sie Ihr Geschäft nicht vergrößern? Das nötige Geld hätten Sie jetzt.«

»Sicher nicht.«

»Sie wohnen hier in Cancale, richtig?« Dupin lief nun im Hof auf und ab, Morel folgte ihm mit den Augen.

»Ja, gleich da vorne«, er deutete vage in Richtung der hinteren Straße. »Das Haus gehört mir.«

»Wie gut kannten Sie Walig Richard?«

»War nicht so mein Fall. Auch das wusste Blanche. Es war okay. – Ich habe ihn ehrlich gesagt selten gesehen. Aber er hat Blanche viel bedeutet.«

»Sind Sie zurzeit liiert, Monsieur Morel?«

»Nein.«

Während des Gesprächs war in Dupin eine gewisse Verdrossenheit aufgekommen. Sie kratzten unverändert stets nur an der Oberfläche, so sein Gefühl.

»Flore Briard – ist sie bloß eine Freundin?«

»Genau.«

»Sie war eben hier. Waren Sie verabredet?«

Die beiden hatten, wusste Dupin, keine Zeit gehabt, sich abzustimmen.

»Nein. Sie kam einfach so vorbei. – Ganz kurz.«

»Was hatte sie in Cancale zu tun?«

»Ihr Austernlieferant ist hier.«

»Und worüber haben Sie sich unterhalten?«

»Wir haben nicht sehr viel geredet. Flore ist sehr mitgenommen.«

»Sie nicht?«

»Doch, natürlich.«

Dupins Laune hatte sich weiter eingetrübt. Alles war unendlich zäh.

»Das war es vorerst, Monsieur Morel. Wir melden uns.«

»Gut.« Morel, der das unvermittelte Ende des Gesprächs unbewegt hinnahm, erhob sich. »Einfach geradeaus durch.«

»Ich finde den Weg.«

Dupin trat aus der Bar und griff nach seinem Telefon. Er wählte Hupperts Nummer.

»Was gibt's, Dupin?«

»Können Sie jemanden ins *La Noblesse* schicken, der dort unauffällig ein paar Personen beobachtet?«

Dupin hatte die Nase voll, sie mussten ihre Vorgehensweise verändern. Massiver vorgehen.

»Wen und warum?« Eine ruhige Nachfrage.

»Charles Braz und Flore Briard, sie treffen sich dort zum Mittagessen. – Colomb Clément steht in der Küche.«

Wahrscheinlich wäre auch das zwecklos. Wenn Braz und Briard etwas mit den Morden zu tun hatten – oder auch Clément – und etwas Heikles miteinander besprechen wollten, würden sie einen anderen Ort wählen. Nicht die Öffentlichkeit, nicht Lucilles Restaurant. Andererseits: Manchmal war das Auffällige am unverdächtigsten.

»Na gut. Ich schicke jemanden.«

»Sofort?«

»Sofort.«

»Ich melde mich dann später.«

Dupin legte auf.

Ohne nachzudenken, hielt er sich links.

Dupin erreichte die bunten Austernstände am Ufer. Seitdem er in Cancale aus dem Wagen gestiegen war, war ihm, immer wieder aufs Neue, das Wasser im Munde zusammengelaufen. Die Austern waren allgegenwärtig, im Meer, in den Bars und Restaurants, an den Ständen, auf Werbeschildern …

Wahrscheinlich wäre es sogar vernünftig, der Versuchung nachzugeben. Um vierzehn Uhr fand das Gespräch mit Lucille Trouin statt, er sollte zuvor unbedingt noch etwas essen. Er musste im Vollbesitz seiner Kräfte sein. Zudem: Nichts auf der Welt versorgte die kleinen grauen Zellen wirkungsvoller als die Wunderstoffe der Austern. Sie waren die beste Gehirnnahrung.

Zielsicher steuerte er auf einen der Stände zu, an denen jetzt bereits deutlich mehr los war. Das Mittagsgeschäft hatte begonnen. »Huîtres Simon« sah vielversprechend aus. Der feste Zeltstoff des Standes leuchtete in einem dunklen Blau mit gelben Streifen – und sorgte zusammen mit dem Türkisblau der Bucht für ein stimmungsvolles Farbenspiel.

»Sechs *Plates* und sechs *Creuses*, bitte.«

Mit diesem Satz stieg die Laune erheblich.

Der Mann quittierte die Bestellung mit der obligatorischen Frage: »Eine Flasche Muscadet dazu? Oder nur ein Glas?«

Dupin winkte schweren Herzens ab. Er musste bei dem Gespräch gleich hochkonzentriert sein.

Er stellte sich an einen der Stehtische, auf dem schon bald der große Teller mit den Austern, ein Baguette-Körbchen, eine kleine Karaffe Wasser und die Vinaigrette für die Austern standen. Und – ein Glas Muscadet. Dupin hatte der Protest auf der Zunge gelegen – aber bei dem regen Betrieb hier würde er bloß ein Durcheinander verursachen, das war es nicht wert.

Er trank einen Schluck. Himmlisch. Alles war, wie es sein musste: Der Wein war stark gekühlt und schmeckte ein wenig zitronig, die beste Vorbereitung der Geschmacksnerven für die erste – famose! – Auster.

Dupin ließ seinen Blicken über die weite Bucht wandern, halb bretonisch, halb normannisch. Aber schon bald, mit der zweiten Auster, sann er wieder den Verwicklungen des Falls nach.

Das Commissariat de Police Saint-Malo befand sich in der Rue du Calvaire, an der Kreuzung zum Boulevard Théodore Botrel – ein modernes, hohes Gebäude, in einem ungewöhnlich spitzen Winkel über Eck gebaut. Der Eingang war ganz aus Glas, darüber prangte die Trikolore – *bleu, blanc, rouge*. Das Gelände gehörte zum selben Komplex wie die Polizeischule. Es kam Dupin vor, als läge es Wochen zurück, dass er in dem Seminarraum gesessen hatte, es schien unendlich weit weg. Seine kleine Pause am Austernstand war anders verlaufen, als er es sich gedacht hatte. Zum intensiveren Nachdenken war er nicht gekommen, dicht hintereinander waren zwei Anrufe eingegangen. Der erste von Nedellec, Huppert hatte sich ebenfalls in der Leitung befunden. Der Kommissar hatte komprimiert von den Gesprächen mit Freunden und Bekannten des Antiquitätenhändlers berichtet, bei denen sich nichts Stichhaltiges ergeben hatte. Huppert hatte sie anschließend über die Auswertung der Verbindungsnachweise von Walig Richards Handy informiert: Außer den Telefonaten mit Blanche Trouin und ihrem Ehemann Kilian Morel, von denen sie bereits wussten, gab es keine weiteren Verbindungen von Interesse. Vom Handy selbst fehlte weiterhin jede Spur.

Danach hatte Nolwenn angerufen, die Dupin mit Nachdruck an die ständige Einsatzbereitschaft des heimatlichen Kommissariats erinnert hatte.

Dupin hatte sich dem Eingang des Kommissariats bis auf ein paar Meter genähert, als die gläserne Schiebetür aufglitt und Kommissarin Huppert ihm entgegengeschossen kam:

»Sie kommen auf die letzte Minute.«

Es war 13 Uhr 57, er war ganz pünktlich.

»Folgen Sie mir. Ich bringe Sie hin. Ich denke, wir sollten Lucille tatsächlich mit allem konfrontieren, was wir bislang wissen«, begann Huppert, während sie zum Aufzug gingen.

»Das wäre auch mein Ansatz.«

Sie brauchten starke Munition für das Gespräch. Und die stärkste, die sie besaßen, war ihr Wissen um die Sache mit dem Grundstück und Trouins finanzielle Lage.

Sie stiegen im dritten Stock aus.

»Ich bin im Raum nebenan. Trouins Anwalt, Monsieur Giscard, ist bereits da.«

Dupin konnte es eigentlich nicht ausstehen, wenn er beobachtete Verhöre führen musste, aber jetzt spielte es keine Rolle. Immerhin würde er allein mit Lucille Trouin sprechen.

Sie bogen in einen Gang, an dessen Ende Kommissarin Huppert unvermittelt stehen blieb.

»318 – hier. Die beiden sind schon drin. Im Moment noch mit zwei Polizisten. Wie gesagt, ich bin nebenan, wenn Sie mich brauchen.«

Dupin nickte und griff nach der Türklinke. Er war froh, er hatte eine ungleich aufwendigere Vorbesprechung erwartet.

Er trat ein.

Ein langer, schmaler Tisch, je drei Stühle auf beiden Seiten. Ein einziges Fenster, das auf die Rue du Calvaire ging. Dupin würde mit dem Rücken zum großen Spiegel sitzen, durch den die anderen ihm zuschauten, Lucille Trouin und ihr Anwalt saßen bereits gegenüber.

Der Anwalt, im schicken Anzug mit einem Dreitagebart, hatte sich unmittelbar nach Dupins Eintreten erhoben und kam auf ihn zu.

»René Giscard. – Sie wissen, dass meine Mandantin sich nicht zu dem Vorfall äußern will. Wir sehen also keinen Grund für diese erneute Befragung.«

Die beiden Polizisten, die neben dem Tisch gestanden hatten, verließen das Zimmer.

»Das wissen wir, Monsieur. – Das wissen wir.«

Dupin rückte sich in aller Seelenruhe einen Stuhl zurecht, bis er exakt gegenüber von Lucille Trouin saß. Einer, wie Dupin feststellte, überaus attraktiven Frau, die Dupin nicht auf zweiundvierzig, sondern eher auf Mitte dreißig geschätzt hätte. Pechschwarze schulterlange Haare, mit einem, wenn man genauer hinsah, leichten Rotstich. Große dunkelbraune Augen, es fehlte nicht viel zum Schwarz, gekonnt nachgezogene Augenbrauen. Ein einfacher, aber eleganter schwarzer Pullover, eine schlichte silberne Kette mit einem einzigen, stattlichen Stein, eine schwarze Jeans. Sie schaute mit einem leeren Blick aus dem Fenster.

»Mein Name ist Georges Dupin, ich bin einer der ermittelnden Kommissare. Bonjour, Madame Trouin.«

Immerhin wandte sie sich ihm nun zu. Es war unmöglich, auch nur die allergeringste Regung in ihrem Gesicht zu lesen, Dupin hatte selten einen derart neutralen Ausdruck gesehen. Ihre dezent geschminkten Lippen waren ohne Bewegung.

»Madame Trouin«, übernahm der Anwalt, »ist bereits von Commissaire Huppert befragt worden und wünscht, wie gesagt, nicht ...«

»Wir wissen«, fuhr Dupin ihm mit ruhiger Stimme ins Wort, »von Ihrem finanziellen Ruin, dem Fiasko mit dem Grundstück. Wir wissen, dass Sie dringend Geld brauchten, um nicht alles zu verlieren. Alles, was Sie sich aufgebaut haben, stand auf dem Spiel.« Dupin hatte ausschließlich Lucille Trouin im Blick, als existierte der Anwalt gar nicht. »Zudem hätten Sie mit Ihrem Bankrott, und das wäre vielleicht das Schlimmste, auch den lebenslangen erbitterten Konkurrenzkampf mit Ihrer Schwester verloren. – Ihre dramatische wirtschaftliche Notlage hat bei Ihrer Tat sicher die entscheidende Rolle gespielt.« Dupin musste es mit einer solchen Zuspitzung versuchen, es ging nicht anders. »Wir stellen infrage, dass Ihre Tat nur eine Affekthandlung war, und ermitteln mit der entsprechenden Konsequenz. Auch die Morde an Kilian Morel und Walig Richard sehen wir in einem Zusammenhang damit. – Es ist bloß eine Frage der Zeit, bis wir alles aufgeklärt haben.«

Es war ein Schuss ins Blaue. Doch das war egal, es war Dupin darum gegangen, etwas in Bewegung zu setzen bei Lucille Trouin. Sie im besten Fall aus der Reserve zu locken. Sie war eine Mörderin. Und schwieg. Sie mussten das Schweigen brechen.

Dupin wartete.

Madame Trouin hatte bei seinen Worten keine Regung gezeigt.

Er wartete. Bis zu dem Punkt, an dem das Gesagte anfing zu verhallen, an Kraft zu verlieren. Genau in diesem Moment setzte er nach:

»Wir wissen auch, dass Ihre Schwester Ihnen den Souschef ausgespannt hat. Clément hat unterschrieben und hätte schon bald für Ihre Schwester gearbeitet. – Und wir wissen ebenfalls, dass Sie die Beziehung mit Ihrem Lebensgefährten beendet haben und sich mit Joe Morel treffen.«

Wieder ging es vorrangig um die schwerstmögliche Irritation, die die größtmögliche Unruhe erzeugen sollte. Und Wut. Dupin musste möglichst viel Lärm machen.

»Nicht zuletzt«, auch das würde sie – wenn sie es nicht bereits wusste – ohne Zweifel tief treffen, »haben wir von der baldigen Veröffentlichung der Rezepte Ihres Vaters erfahren, an der Ihre Schwester mit einem bekannten Verlag gearbeitet hat. Damit wollte sie aller Welt demonstrieren, dass sie die größere Köchin war.«

Ein bleiernes Schweigen entstand. Lucille Trouin schien völlig gefasst. Es war geradezu unheimlich.

»Ich verstehe nicht, worauf Sie hinauswollen, Commissaire«, durchbrach der Anwalt schließlich die Stille. »Aus welchem Grund erzählen Sie …«

Dupin schnellte abrupt auf. Der Stuhl fiel beinahe um und schepperte laut.

»Das war es unsererseits.« Immer noch ignorierte er den Anwalt, er sah Lucille Trouin direkt in die Augen. »Madame, vielen Dank.«

Dupin ging auf die Tür zu, einen Augenblick später hatte er den Raum verlassen.

Es war eine bewusste, wenn auch sehr spontane Entscheidung gewesen, Lucille Trouin keine Fragen zu stellen, auf die sie dann erneut hätte schweigen können. Sie hatte schon zu lange damit gespielt, denn natürlich war es ein Spiel, das sie mit ihnen trieb. Es blieb jetzt abzuwarten, ob er genug Irritation in ihr erzeugt hatte, um sie doch noch zum Reden zu bringen.

Er lief den Gang zurück, er musste an die frische Luft. Eine Tür schlug hinter ihm auf, Huppert holte ihn in Windeseile ein. Dupin stand nicht der Sinn nach einer Manöverkritik.

»Das war ein kluger Zug, Dupin.«

Sie schaute ihn von der Seite an.

»Aber auch gefährlich. Sie haben sie bis aufs Äußerste gereizt. Wir werden sehen, was dabei rauskommt.«

Der kritische Nachtrag relativierte das zuvor geäußerte Lob nahezu vollständig.

Sie hatten den Fahrstuhl erreicht.

»Ich bin dabei, Walig Richards finanzielle Verhältnisse zu durchleuchten«, wechselte Huppert das Thema. »Ich habe mit Nedellec besprochen, dass wir uns um sechzehn Uhr bei mir ihm Büro treffen. – Übrigens hat sich der Kollege gemeldet, der Flore Briard und Charles Braz im *La Noblesse* beobach-

226

tet hat. Es war ihm leider nicht möglich, einen Platz zu finden, an dem er die beiden hätte belauschen können, sie haben an einem ziemlich isolierten Zweiertisch in einer Nische gesessen.«

Genau das, was man tut, wenn man nicht belauscht werden will.

»Und der Souschef ist auch kein einziges Mal aufgetaucht.«

»Wie sind sie miteinander umgegangen?«

Huppert wusste offenbar, was Dupin meinte: »Wohl durchaus vertraulich, aber der Kollege konnte keinerlei Hinweis auf ein Verhältnis ausmachen.«

Es war einen Versuch wert gewesen.

»Ich werde jetzt Nedellec à jour bringen.«

»Bis später ...« Dupin war im Begriff, sich abzuwenden, da fiel ihm etwas ein. »Noch eine Sache, Huppert.«

Er senkte seine Stimme. Es ließ ihm keine Ruhe; das Erlebnis war zu sondersam gewesen.

»Zwischen Lucille Trouins Grundstück und dem Haus der Tante, auf den Felsen direkt am Meer, da habe ich etwas gesehen ...« Er überlegte, wie er die Frage am besten formulieren könnte.

Huppert ersparte ihm das Grübeln:

»Das waren keine Halluzinationen, Dupin, machen Sie sich keine Sorgen. Ein Mönch hat dort Ende des 19. Jahrhunderts dreihundert Steinskulpturen in die Felsen gehauen. Wenn, dann war er es, der delirierte.«

»Ich – Danke.«

Dupin war erleichtert, auch wenn ihm dieser Mönch zutiefst unheimlich war.

Er verabschiedete sich von Huppert, trat einen Schritt nach vorne, und die Tür des Kommissariats glitt lautlos auf.

Dupin war nach rechts abgebogen, in Richtung des kilometerlangen Strandes, der bis nach Rothéneuf führte. Bald hatte er ihn erreicht, links lag die *Ville Close* und das ein wenig vorgelagerte mächtige *Fort National*. Er würde die gute Stunde, die er noch hatte, nutzen und etwas spazieren gehen, für Dupin die beste Möglichkeit, nachzudenken.

Ein unübersehbares Schild empfing ihn beim Betreten des Strandes: »Grande Plage du Sillon – La plus belle plage de la France«. Auch der Strand hatte einen Wettbewerb gewonnen, eine große Auszeichnung.

Dupin spürte, wie ihn der Gedanke an das Verhör immer unzufriedener werden ließ. Er hätte dem Ganzen am Ende vielleicht doch etwas Zeit geben sollen, damit sich etwas hätte entwickeln können. So, mit seinem jähen Abbruch, hatte er eventuell alles zunichte gemacht. Andererseits: Unter Umständen arbeitete es gerade in Lucille Trouin, und sein Vorgehen zahlte sich noch aus.

Der ganze Verlauf der Untersuchung machte ihn immer unglücklicher. Natürlich kam es jedes Mal im Laufe einer Ermittlung zu verzagten Momenten, dieses Mal aber erschien Dupin der Ermittlungsstand so aussichtslos wie noch nie zuvor. Die polizeilichen Statistiken wiesen es eindeutig aus: Mit jeder Stunde, die nach einem Verbrechen verging, ohne dass die Polizei ihm auf die Spur kam, sanken die Chancen drastisch, dass es überhaupt je aufgeklärt wurde. Dupin spürte eine Resignation, aber auch ein Aufbegehren dagegen, eine heftige, verzweifelte Unrast.

Der Sand war außergewöhnlich fein, Dupin sank tief ein. Der Plage du Sillon hatte alle Ehrungen verdient, wunderbar weit und breit, ein echter Stadtstrand. Rechts lagen prächtige Häuser und Villen. Vor dem Kai, der sie vor den tosenden Fluten bewahrte, waren als zusätzlicher Schutz dichte Reihen von Baumstämmen in den Sand getrieben worden.

Der Strand hatte sich mit den ersten Feriengästen gefüllt, angesichts des Wetters herrschte sommerliche Heiterkeit. Sonnenbadende, müßiggehende, lesende Menschen, spielende Kinder, einige besonders Mutige wagten sich sogar bereits ins Wasser, das am heutigen Tag in zwei Farben geteilt war. In einen Streifen leuchtendes Türkis nahe dem Ufer und einen Streifen Smaragdgrün weiter draußen. Der Himmel trug ein kräftiges Blau, ein gleichmäßiger Ton ohne Schattierungen oder Nuancen, es sah aus wie ein künstlicher Hintergrund.

Dupin erreichte gerade einen flachen Felsvorsprung, der sich bis in Wasser zog – er war schon gute zwanzig Minuten unterwegs –, als das Telefon klingelte.

Es war Kommissarin Huppert.

»Was gibt's?«

»Sie will reden, Dupin. Jetzt, auf der Stelle. Ich bin unterwegs zur 318. Lucille Trouin hatte um eine Beratungszeit mit ihrem Anwalt gebeten, nachdem Sie gegangen sind.«

»Ich komme sofort.«

Dupin hatte sich bereits umgewandt und lief zurück.

»Wir sollten besser nicht warten.« Huppert war außer Atem, sie schien zu rennen. »Ich gehe sofort rein. – Und melde mich gleich.«

Bevor Dupin etwas erwidern konnte, hatte sie aufgelegt.

Endlich passierte etwas.

Als er eine Viertelstunde später auf die Straße zum Kommissariat einbog, klingelte sein Handy erneut.

Huppert. Dupin nahm umgehend ab.

»Sie hat ausgesagt.«

»Und was?« Dupins Nerven waren aufs Äußerste gespannt.

229

»Sie sagt, es sei eine Affekthandlung gewesen. Eine Kurzschlusshandlung. Dass sie gänzlich ohne Bewusstsein gehandelt habe. Wie in Trance. Sie habe nur noch Wut und Zorn gespürt. Alles, was sich über Jahre, Jahrzehnte aufgestaut habe an Demütigungen, Verletzungen und Kränkungen, sei in diesem einen Augenblick hervorgebrochen.«

Die Art, wie Huppert die Worte betonte, verriet, was sie von der Aussage hielt, nämlich gar nichts.

»In den Wochen zuvor sei sie von der Tatsache ihres finanziellen Ruins restlos zermürbt worden, also psychisch bereits äußerst labil gewesen, sie habe ganze Nächte keinen Schlaf gefunden. – Sie hat so ungefähr alles aufgeführt, was man in juristisch-forensischen Fachbüchern über ›pathische Situationen‹ und ›Explosivreaktionen‹ nachlesen kann, jedes Schlagwort fiel.«

»Und was soll der Auslöser für diese ›Explosion‹ gewesen sein? Was soll die Affekthandlung provoziert haben?«

Dupin konnte das Kommissariat bereits sehen.

»Tja – jetzt kommt's. Halten Sie sich fest.« Hupperts Stimme hatte einen eigenartigen Tonfall angenommen. »Sie sagt, sie habe am letzten Sonntag von der Veröffentlichung der Rezepte erfahren.«

»Unfassbar. – Ich glaube ihr kein Wort.«

»Warten Sie, es wird noch besser. – Bereits da sei sie außer sich gewesen, weswegen sie am Montag zum Marktstand gekommen sei, wo Blanche ihr das nicht nur ›schamlos bestätigt‹, sondern ihr auch noch von Cléments Abwerbung erzählt habe. Das habe das Fass endgültig zum Überlaufen gebracht. Sie habe daraufhin vollständig die Kontrolle verloren, und es sei zu dem ›grässlichen Drama‹ gekommen.«

Dupin war – wenige Meter vor dem Kommissariat – stehen geblieben. Es verschlug ihm die Sprache.

»Nach ihrem Geständnis flossen die Tränen. Sie beteuerte, dass es ihr unendlich leidtue und sie es am liebsten ungeschehen machen wolle. – Es ist lächerlich. Wie auch immer, Lucille Trouin will jetzt unbedingt noch einmal mit dem Psychologen reden, dem sie zuvor kein Wort gesagt hatte. Sie habe sich in einem ›Schockzustand‹ befunden – und der alleine sei dafür verantwortlich, dass sie bisher nicht geredet habe. Sie sei schlicht außerstande gewesen, etwas zu sagen. – Sie behauptet, dass Sie ihr durch Ihren ›heftigen Ausbruch‹ vorhin dazu verholfen hätten, wieder einigermaßen zu sich zu kommen. Und das Geständnis abzulegen.«

Es war ungeheuerlich. Und übertraf alle Dreistigkeiten, die Dupin je bei Tätern erlebt hatte. Trouin hatte den Spieß kurzerhand umgedreht und seine Informationen für eine möglichst plausible Konstruktion einer reinen Affekthandlung genutzt. Missbraucht. Perfider ging es nicht. Hätte er es absehen können? Wie auch immer, de facto hatte er ihr, ohne es zu wollen, aus der Patsche geholfen. Was ihm erst jetzt klar wurde: dass sie nach der Tat nicht einfach einen »Affektauslöser« hätte erfinden können, ohne Gefahr zu laufen, dass sie der Lüge überführt würde. Deswegen hatte sie schweigen *müssen*. Um nichts zu riskieren.

»Sie hat von beidem nichts gewusst!« Dupin war in Rage. So hatte ihn noch nie jemand dastehen lassen. Als kompletten Idioten. Sie machte sich lustig über ihn. Dabei ging sie hochintelligent vor. Denn: Wie sollten sie ihr je das Gegenteil von alldem beweisen können? Es war eine Schmach.

»Natürlich nicht. Sie hat von gar nichts gewusst.« Leider lag kein Trost in Hupperts Bestätigung. »Aber es kommt ihr nun perfekt zupass.«

Dupin stand immer noch wie vom Donner gerührt.

»Wer soll ihr das mit den Rezepten erzählt haben?«

»Sie wollte es nicht sagen, angeblich, um die Person zu schützen, die mit der ganzen Sache nichts zu tun habe.«

»Das ist alles grober Unfug.«

Dupin hatte sich wieder in Bewegung gesetzt. Nicht zum Eingang des Kommissariats, sondern zurück an den Strand.

»Aber raffiniert.«

In der Tat.

»Hat sie etwas zu den beiden anderen Morden gesagt?«

»Nur, dass alles sehr tragisch sei und sie nicht die geringste Ahnung habe, was da vor sich gehe. An dem Punkt hat sie das Gespräch abgebrochen. – Die Position, auf die sie hinauswill, ist klar«, resümierte Huppert trocken. »Affekthandlung gleich verminderte Schuldfähigkeit gleich erheblich vermindertes Strafmaß – und mit den beiden anderen Morden hat sie nichts zu tun. – Sie haben ihr nun geliefert, was ihr bisher fehlte für ihre Geschichte: die plausiblen Auslöser für die Affekttat. – Wir sehen uns dann später, Dupin. Sechzehn Uhr.«

Sie hatte aufgelegt. Offensichtlich erwartete sie ihn nun nicht mehr im Kommissariat.

Nur kurze Zeit später betrat Dupin den schönsten Strand Frankreichs ein zweites Mal. Gemessen an der Verfassung, in der er sich jetzt befand, war seine niedergeschlagene Gemütslage während des ersten Strandspaziergangs ein Witz gewesen, ein flüchtiger grauer Schatten. Dieses Mal waren es kolossale pechschwarze Wolkenmonster, die über seinem Innern hingen.

Er holte sein Handy hervor und wählte Nolwenns Nummer.

»Monsieur le Commissaire – wie stehen die Dinge?«

Dupin zögerte, wo sollte er anfangen?

»Was ist geschehen?«

Er gab sich einen Ruck und schilderte das Verhör-Debakel. Und auch alles andere, was seit dem letzten Telefonat geschehen war.

Nolwenn schwieg währenddessen, keine Nachfrage, keine Analyse, kein Kommentar. Dann sagte sie:

»Tja. Saint-Malo eben. Selbst Verbrecher agieren dort nur in Superlativen. – Wir sitzen hier übrigens gerade zu fünft. Ich habe mein Telefon laut gestellt. Wir sind ganz bei Ihnen.«

Dupin wäre beinahe sentimental geworden.

»Denken Sie immer daran: *Pa ve ar fallán an amzer – E vezer an tostan d'an amzer gaer*, Monsieur le Commissaire. Wenn das Unwetter nicht mehr heftiger werden kann, ist man dem Sonnenschein am nächsten. Genau so ist es!«

Immerhin. Ein bretonisches Sprichwort, wenigstens das war wie immer. Ein besonders weises noch dazu. Ein wenig half es.

»Na gut, dann …«

»Riwal will Sie noch sprechen.«

Schon hatte sie das Telefon weitergegeben.

»Salut, Chef«, begrüßte ihn der Inspektor in einem forciert aufmunternden Tonfall. »Sie kriegen das schon hin!« Ein gut gemeinter Versuch. »Kadeg hat mir eben einen Zeitungsartikel von letzter Woche weitergeleitet. Sie haben auf der Unterwasser-Sandbank unweit der beiden Fregatten *Dauphine* und *Aimable Grenot*, die ja bereits 1995 entdeckt wurden, ein weiteres Boot aus der Korsarenzeit lokalisiert. Keine zwanzig Kilometer von Saint-Malo entfernt! Wahrscheinlich ungefähr zur gleichen Zeit gesunken. Anfang des 18. Jahrhunderts also. – Ich weiß gar nicht, wie mir die Meldung entgehen konnte.«

»Und?«

»Im Boot verbirgt sich offenbar ein enormer Schatz. Etwas Gold und Silber hat man bereits geborgen, auch Schmuck. Diamanten, Smaragde, Rubine. Es soll sogar irgendeine Verbindung zum Korsaren-Clan der Duguay-Trouins geben. Aber das ist wohl reine Spekulation, man ...«

»Noch etwas, Riwal?«

»Der Elektrozaun auf Knöchelhöhe war der volle Reinfall, Chef.«

»Was für ein Elektro...« Dupin brach ab. Es war ihm wieder eingefallen. Der Dachs! Natürlich.

»Er ist diese Nacht wieder da gewesen.«

»Nicht verzagen, Riwal.«

Für einen Augenblick war Dupin tatsächlich von seinem eigenen Desaster abgelenkt.

»Keine Sorge, Chef. – Heute Abend wird ein sehr besonderer Abend für Sie. Sie essen bei Hugo Roellinger im *Le Coquillage*.«

Dupin hatte es völlig vergessen. Im Grunde war es absurd, nach einem solchen Tag groß zu Abend zu essen.

»Hugo Roellinger ist mit den Legenden der Korsaren aufgewachsen, im selben Haus bei Cancale, heißt es, in dem der unsterbliche Kaperer Robert Surcouf als Kind gespielt hat. Roellinger war über Jahre auf See, bevor er der Tradition seines Vaters Olivier folgte, einem beinahe überirdischen Drei-Sterne-*Chef*, und selbst Küchenchef wurde. Übrigens mittlerweile mit zwei eigenen Sternen.«

Dupin erinnerte sich an die Ausführungen von Hupperts Assistentin, sie hatte bereits von den Roellingers erzählt.

»Er sagt, dass ihn nichts so inspiriere wie der Horizont. – Sehen Sie zu, dass Sie den Hummer mit Kakao und dreierlei Chili mit Sherry-Soße bekommen. So was haben Sie noch nie gegessen. Eine Hommage an den großen Seefahrer Daniel de La Touche, der von Cancale aus in See stach und mit Booten voller Kakao, Vanille und Chili zurückkam.« Riwal schien auszukosten, dass Dupin ihn abschweifen ließ. »Und bringen Sie unbedingt einige der göttlichen Gewürzmischungen mit, die sein Vater kreiert! Bessere finden Sie nirgendwo auf der Welt ...«

»Danke, Riwal.« Jetzt war es doch an der Zeit, einzugreifen. »Ich muss weiter.«

»Ist gut, Chef.« Der Inspektor nahm es hin. »Viel Erfolg!«

»Bis später, Riwal.«

Dupin war immer noch aufgewühlt. Und er brauchte dringend einen *café*.

Dupin hatte schon bald eine nette Bar an der Uferpromenade gefunden, zwei *petits cafés* getrunken, sich ein klein wenig beruhigt und war in erneutes fiebriges Nachdenken versunken.

Um 15 Uhr 40 hatte er sich schließlich auf den Rückweg gemacht und um 15 Uhr 59 das Kommissariat ein zweites Mal betreten. Diesmal ohne empfangen zu werden, er hatte sich durchfragen müssen.

Die Besprechung fand in Hupperts Büro statt, es lag im zweiten Stock, direkt über dem Eingang. Ein großzügiger Raum mit Fenstern zu beiden Straßen, eingerichtet mit akzentuiert modernen Büromöbeln.

Die Kommissarin saß an ihrem Schreibtisch, Nedellec und Dupin nahmen gegenüber Platz.

Sie hatten es wie am Vortag gehalten: zuerst der Reihe nach berichtet, auf die Fakten reduziert.

Huppert war es gelungen – polizeilich erneut in dunkelgrauen Zonen, vermutete Dupin –, einen zumindest vagen Überblick über die finanziellen Verhältnisse von Walig Richard wie auch von Colomb Clément, Charles Braz und Joe Morel zu bekommen. Bislang ohne Auffälligkeiten. Sie hatte auch den Abschlussbericht der Spurensicherung wiedergegeben. Weder am Weinberg noch in Richards beiden Antiquitätenläden oder in seinem Wohnhaus war etwas Ungewöhnliches entdeckt worden, es gab keine Hinweise, dass der Täter sie durchsucht hätte.

Anschließend hatten sie über das Verhör-Desaster geredet.

»Ganz schön nach hinten losgegangen«, konnte es sich Nedellec nicht verkneifen, wobei er Dupin immerhin mitfühlend anschaute. »Was tun wir jetzt?«

»Jedenfalls können wir nicht einfach nur rumsitzen und abwarten, ob noch etwas passiert – und der Täter endlich einen Fehler macht.«

Kommissarin Huppert sprach Dupin aus dem Herzen.

Es war grotesk: Da draußen lief ein brutaler Mörder herum, und hier drinnen saßen drei kompetente, erfahrene Kommissare, die drauf und dran waren, die Hoffnung aufzugeben.

»Wir müssen noch einmal alles durchgehen. Von vorne beginnen.« Nedellec klang nun bewundernswert konstruktiv. »Noch einmal mit allen sprechen.«

Es wäre eine reine Verzweiflungsaktion. Aber ihnen blieb nichts anderes übrig. Da sie nichts Neues hatten, mussten sie alles Bisherige aufs Neue minutiös auseinandernehmen. Vielleicht hatten sie etwas übersehen? Und den Schlüssel zur Lösung des vertrackten Falles schon längst gefunden?

»Gut.« Huppert willigte lustlos ein. »Unterziehen wir alles einer zweiten Betrachtung, versuchen es aus einem anderen Blickwinkel. – Wir sehen die Präfekten um neunzehn Uhr.

In Saint-Méloir-des-Ondes, direkt bei Cancale. Im *Le Coquillage*. Bis dahin haben wir Zeit.«

»Sie meinen, wir gehen alles noch einmal gemeinsam durch?« Dupins Blick fiel auf das große Flipchart, das neben Hupperts Schreibtisch stand – sein Albtraum.

»Ich hole Kaffee, und dann …«

Huppert wurde vom Schrillen ihres Handys unterbrochen.

»Ja?«

Sie hörte zu. Ihr Gesicht wurde starr.

»An der Pointe du Grouin?«

Die Person am anderen Ende der Leitung gab eine längere Antwort.

»Verstehe.« Hupperts Tonlage hatte sich verändert. Etwas stimmte nicht.

»Gut, ja. Wir kommen sofort.«

Sie sprang auf und war auf dem Weg zur Tür.

»Charles Braz! – Man hat ihn vor ein paar Minuten gefunden. Er ist tot.«

Sie hatte den Türgriff bereits in der Hand. Die beiden Kommissare hatten augenblicklich reagiert und waren direkt hinter ihr.

Sie liefen den Gang entlang. »Er ist von den Klippen gestürzt. An der Pointe du Grouin, zwischen Rothéneuf und Cancale. Da sind die höchsten der Gegend.«

Sie hatten das Treppenhaus erreicht.

»Wer hat ihn gefunden?« Dupin war hoch konzentriert.

»Ein Paar aus dem Elsass. Sie waren auf dem Küstenwanderweg unterwegs. – Die Gegend ist eher einsam. Und heute sind die Urlauber ohnehin am Strand.« Huppert nahm zwei Stufen auf einmal. »Es muss eben erst passiert sein, zumindest sieht es so aus. Zwei Polizisten aus Cancale sind vor Ort.«

Lange konnte es nicht her sein. Bis halb drei hatte er mit Flore Briard im Restaurant gesessen.

Dupin lief neben Huppert. »Haben die Polizisten seinen Wagen dort gefunden?«

»Er steht oben am Straßenrand, ordentlich geparkt.«

»Ich rufe gleich Flore Briard an. Sie hat ihn ja eben erst gesehen.«

Sie waren unten angekommen.

»Gibt es Hinweise auf einen Kampf? Darauf, dass er gestoßen wurde?«

Es war eine notorische Unart Dupins, nach Details zu fragen, wenn sie noch niemand beantworten konnte.

»Die Kollegen sind gerade erst eingetroffen«, erwiderte Huppert gelassen. Sie wandte sich ab und lief zu ihrem Auto. »Wir sehen uns dort.«

Schon war sie entschwunden.

Fünfzehn Minuten später parkte Dupin als erster der drei Kommissare seinen Wagen am Rand der Küstenstraße, die über das hohe Plateau zwischen Cancale und Saint-Malo führte. Er stellte sich direkt hinter die Polizeiwagen und den Krankenwagen.

Charles Braz' Volvo stand in einigem Abstand, die Gendarmen hatten den gesamten Straßenabschnitt gesperrt. Die Spurensicherung würde penibel nach Hinweisen auf einen zweiten Wagen suchen. Wenn es ein Mord gewesen war – sicherlich die triftigste Hypothese im Augenblick, auch wenn der Mörder dieses Mal kein Messer benutzt hatte –, gab es zwei mögliche Szenarien: Entweder war der Täter zusammen mit Charles Braz oder mit seinem eigenen Wagen gekommen. Die Frage, ob das Geschehen mit den letzten beiden Morden ein Ende gefunden hatte, wäre auf grausame Weise beantwortet worden: Immer noch nahm es seinen Lauf. Jemand folgte unbeirrt einem erbarmungslosen Plan, ohne allzu große Angst, dabei gestört zu werden.

Bei Flore Briard war die ganze Zeit besetzt gewesen, Dupin hatte es pausenlos versucht.

Er stieg aus. Umgehend wurde er von einem steifen Wind erfasst. Was er sah, war eine gewaltige Steilküste – schroffe abfallende Klippen, sicher siebzig Meter hoch –, ungleich rauer als alle anderen Küstenabschnitte, an denen er in den letzten Tagen gewesen war; eine überraschende Landschaft, vor allem im Vergleich zu der flachen, milden Bucht von Cancale, die nur ein paar Kilometer entfernt lag.

Er musste einen sicheren Abstieg zum Küstenweg finden und von dort weiter runter zum Wasser.

Zwei Wagen kamen unmittelbar hinter ihm zum Stehen. Nedellec und Huppert.

»Worauf warten Sie?« Die Kommissarin sprang aus ihrem Auto. »Hier entlang.«

Sie lief vor.

»Ich habe auf der Fahrt angewiesen, Flore Briard, Colomb Clément und Joe Morel für eine weitere Befragung ins Kommissariat bringen zu lassen. Jetzt sind es nur noch die drei. Auch wenn wir die Zusammenhänge noch nicht kennen: Sie stehen unter akutem Verdacht, und es besteht Fluchtgefahr. Wenn sie Theater machen, lasse ich sie vorläufig festnehmen.« Huppert sprach in aller Seelenruhe. »Wir knöpfen sie uns später zusammen vor, auch ihre Alibis für den heutigen Nachmittag.«

Es war ernst, Huppert entschied richtig. Der Kreis der Verdächtigen war noch weiter geschrumpft. Zusätzlich brisant war der Umstand, dass sich alle drei am Nachmittag – auch wenn ihre genauen Alibis noch nicht bekannt waren – in nicht allzu weiter Entfernung vom neuen Tatort aufgehalten hatten.

Die drei Kommissare hatten über einen schmalen Pfad den Küstenweg erreicht, der ebenfalls abgesperrt war, und hielten sich Richtung Saint-Malo.

Hinter einem mächtigen Felsvorsprung erwarteten sie zwei Polizisten.

»Da vorne muss er runtergestürzt sein«, gab ein älterer, beleibter Kollege Auskunft und deutete mit der Hand auf eine circa zwanzig Meter entfernte Stelle, die mit einem neongelben Zeichen markiert war. »Zumindest liegt er direkt darunter.«

»Die Spurensicherung wird gleich eintreffen«, übernahm sein jüngerer, ebenso beleibter Kollege. »Unten sind überall äußerst spitze Felsen. Er hatte keine Chance. – An ziemlich genau dieser Stelle gab es vor sieben Jahren übrigens einen Selbstmord.«

»Einen Selbstmord, genau hier?«, entfuhr es Dupin.

»Es ist eine ideale Stelle dafür.« Der Polizist machte eine kleine Pause. »Also sozusagen. Natürlich wäre die Stelle auch perfekt für einen Mord.«

»Ist der Gerichtsmediziner schon da?«, wollte Huppert wissen.

»Müsste bald kommen.«

Nedellec war den Küstenweg bereits weitergelaufen, penibel darauf bedacht, auf der linken, dem Abgrund abgewandten Seite zu verbleiben, um keine Spuren zu verwischen.

Dupin folgte.

»Ich gehe schon mal zu den Felsen runter.« Huppert lief den Weg ein Stück zurück. Anscheinend konnte man dort hinten irgendwo absteigen, sie schien sich exzellent auszukennen.

Dupin erreichte die Markierung, eine gefaltete neongelbe Weste.

Das war die Stelle.

Dupin ging neben Nedellec in die Hocke. Der Weg war hier höchstens siebzig Zentimeter breit, er bestand aus festgetretener Erde und Steinen, an den Rändern kurzes struppiges Gras, bis zum Abgrund waren es vom Wegrand keine dreißig Zentimeter.

Auf den ersten Blick war nichts Auffälliges auszumachen. An einer Stelle, wo der Weg ins Gras überging, war ein kleiner, vielleicht einen Zentimeter hoher Streifen Erde zu sehen. Unter Umständen von einer Schuhkappe verursacht, einem vehementen Schritt. Es war zu wenig, um eine klare Einschätzung treffen zu können.

An dieser Stelle konnte man in der Tat den perfekten Mord begehen. Den perfekten Mord – über den Menschen seit Urzeiten nachgrübelten. Dupin ging es jedes Mal durch den Kopf, wenn er sich an besonders gefährlichen Passagen bretonischer Küstenwege befand. Hier brauchte es keinen Kampf, nicht einmal einen schweren Stoß. Ein klitzekleiner Schubs genügte, beim Betrachten der atemberaubenden Landschaft, und schon verlor man das Gleichgewicht.

Nedellec deutete auf die mögliche Schuhkappenspur:

»Wir sollten das den Experten überlassen.«

»Sie haben recht. – Gehen wir runter. Ich will es nur kurz noch einmal bei Flore Briard versuchen.«

Nedellec nickte und lief vor, Dupin mit einigem Abstand hinterher, das Telefon am Ohr.

Dieses Mal ging der Anruf sofort durch.

»Ja?«

»Madame Briard, hier Commissaire Dupin.«

»Wie kann ich helfen, Commissaire?«

Sie klang so, als wüsste sie nichts. Oder sie spielte es nur. Dupin traute es ihr ohne Weiteres zu.

»Charles Braz ist tot. Er ist von den Klippen gestürzt. An der Pointe du Grouin, oberhalb von Cancale. Es ist von einem Mord auszugehen.«

»Charles?«

Offenes Entsetzen lag jetzt in ihrer Stimme.

»Es ist erst vor Kurzem passiert. Wo sind Sie gerade, Madame Briard?«

»Ich bin zu Hause«, das Sprechen schien ihr nun schwerzufallen. »Ich bin nach dem Mittagessen nach Hause gefahren. Seitdem bin ich hier.«

So viel zu ihrem Alibi.

»Gibt es Zeugen?«

»Nein. – Soll ich deswegen ins Kommissariat kommen?«

»Unter anderem.«

»Sie verdächtigen mich wirklich?« Sie schien ehrlich überrascht.

»Selbstverständlich, Madame Briard. – Zurück zu Charles Braz: Welchen Eindruck hat er auf Sie gemacht, als Sie ihn eben getroffen haben? Worüber haben Sie gesprochen? Was hatte er nach Ihrem Treffen vor?«

»Ich fasse es nicht. – Charles – er ist wirklich tot?«

Es hörte sich an, als würde sie weinen.

Dupin antwortete nicht. Es entstand eine Pause.

Er war an der Stelle angekommen, wo Nedellec den Küstenweg verlassen hatte und – man musste schon genau hinsehen – einem schwach ausgetretenen Pfad durch stoppeliges Gras gefolgt war, der in engen Serpentinen waghalsig abwärtsführte.

Dupin machte sich an den Abstieg.

»Sind Sie noch da, Madame Briard?«

»Ja, ja«, sie zögerte, »Charles hat beim Essen heute fast nichts gesagt. Er machte einen zerstörten Eindruck, schlimmer noch als gestern und vorgestern. – Er halte das alles nicht aus, hat er mehrmals gesagt.«

Dupin musste ein Stück klettern, er klemmte sich das Telefon zwischen Schulter und Ohr.

»Was hielt er nicht aus?«

»Das mit Lucille, aber auch alles andere. – Er wirkte gebrochen.«

In einer derart schlechten Verfassung schien ihm Braz gestern gar nicht gewesen zu sein, aber das hieß natürlich nichts. Die heftigsten Emotionen traten manchmal erst mit Verspätung hervor. Zudem hatte er sich Dupin gegenüber bestimmt zusammengerissen.

»Ich habe versucht, ihn aufzumuntern. Aber viel Aufbauendes konnte ich nicht sagen. Er hat ja recht, es ist alles schrecklich und schwer auszuhalten. Ich hab mir große Sorgen um ihn gemacht.«

Es war ein schwieriges Telefonat. Wenn Dupin sich vorstellte, dass Flore Briard ihn belog, sie alle belog, dass es tatsächlich ein weiterer Mord war und sie die Täterin, dann wäre sie von außerordentlicher Durchtriebenheit. Der Gedanke jagte Dupin einen Schauer über den Rücken. Zuerst hätte sie Charles Braz kaltblütig ermordet, um dann seine angebliche seelische Zerrüttung ins Spiel zu bringen, die auf einen Selbstmord hindeuten könnte. Sie würden nie nachprüfen können, in welcher Gemütsverfassung Braz sich wirklich befunden hatte. – Aber natürlich konnte es auch stimmen, was sie sagte. Ein Selbstmord ließ sich zu diesem Zeitpunkt nicht ausschließen. Die Frage war nur: Wie nachvollziehbar war die Vorstellung, dass Braz sich aufgrund der Ereignisse der letzten beiden Tage das Leben nimmt? Warum sollte er das tun?

Dupin musste sich auf den Weg konzentrieren, gerade wäre er beinahe an einer Wurzel hängen geblieben.

»Haben Sie noch über andere Dinge gesprochen?«

»Nein.«

»Wo ist er nach Ihrem Treffen hin?«

»Er …« Briard sprach nicht weiter, erst nach einer längeren Pause fuhr sie fort. »Er wollte – etwas spazieren gehen. Er musste raus, hat er gesagt.«

»Das hat er gesagt? Spazieren gehen?«

»Ja.«

»Das war es für den Moment, Madame Briard. – Wir sehen uns im Kommissariat.«

Dupin verstaute das Handy und kletterte die letzte riskante Passage vorsichtig hinab. Er durfte keine falsche Bewegung machen.

Bald stand er auf den untersten Felsen, nur knapp über dem Wasser.

Von Nedellec war nichts zu sehen. Von niemanden. Linker Hand lag der Vorsprung, den sie eben auf dem Küstenwanderweg umrundet hatten. Hier unten hatte man keinen halben Meter, um sich an der Felswand entlangzuzwängen – und immer nur dann, wenn die Wellen sich gerade zurückgezogen hatten.

Dann sah Dupin ihn: den Ort des grausigen Geschehens. Nedellec, Huppert und vier Polizisten standen um die Stelle herum.

Dupin hatte schon viele tote, geschundene, entstellte Körper gesehen, so grässlich versehrt aber war noch keiner gewesen. Der Anblick war schwer zu ertragen. Charles Braz war seitlich mit der Schulter auf einem spitzen Felsen aufgeschlagen, Haut und Blut hingen an der Stelle. Der Kopf war beinahe abgetrennt worden, er lag in einem unmöglichen Winkel, die Halswirbelsäule musste mehrmals gebrochen sein. Tiefe, klaffende Wunden am Hals, das lilafarbene Polohemd zerfetzt. An den Oberarmen, auch sie sichtbar gebrochen, trat nacktes Fleisch hervor, die Haut war in Fetzen weggerissen worden.

Kopf und Schultern waren nach dem Aufprall auf einen flacheren Felsen gerutscht, Bauch und Beine in eine Spalte. In ihr hatte sich das Blut gesammelt und stand zentimeterhoch. Der gesamte Körper wirkte so schlaff und eingefallen, als wäre alles Blut ausgelaufen.

Dupin näherte sich, einen Augenblick war ihm flau zumute.

»Es wird nicht leicht, an seinem Körper Spuren eines Stoßes auszumachen – wenn es sie denn gibt.« Huppert sprach deutlich leiser als sonst.

»Ich glaube nicht an Selbstmord.« Nedellec war blass, auch er stand unter dem Eindruck des entsetzlichen Anblicks.

»Ich …« Dupin durchfuhr es wie ein Stromschlag.

Gerade war ihm etwas in den Sinn gekommen. Es hatte sich nicht angedeutet – für gewöhnlich merkte er zumindest dunkel, wenn ihn etwas unterbewusst beschäftigte, auch wenn er zumeist lange nicht sagen konnte, was es war. Dieser Gedanke war schlagartig in seinem Kopf aufgetaucht. Auf abenteuerliche Weise verband er Dinge, die er in den letzten zwei Tagen gesehen und gehört hatte. Es war ein, zugegeben, verwegener Gedanke. Doch das hatte Dupin noch nie davon abgehalten, eine Idee zu verfolgen.

»Stimmt etwas nicht, Dupin?« Huppert hatte das plötzliche Innehalten Dupins bemerkt und schien besorgt. »Wollen Sie sich setzen?«

Dupins Gehirn ratterte. Hitzig suchte es nach passenden Verbindungen, schuf Zusammenhänge. Es versuchte, alles zu ordnen – noch gelang es nicht.

»Ich … Mir ist etwas eingefallen. Vielleicht ist es abstrus, aber ich …«, von jetzt auf gleich setzte Dupin sich in Bewegung, »aber ich denke, ich sollte dem nachgehen.«

»Was haben Sie vor? Wo gehen Sie hin?« Hupperts Ton war streng.

Schon hatte sich Dupin ein paar Meter entfernt.

»Ich melde mich«, rief er noch, ohne sich umzusehen. Dann konzentrierte er sich auf den schwierigen Aufstieg – und auf seine Gedanken.

Noch war alles viel zu spekulativ. – Eine von Riwals Ausführungen während ihres letzten Telefonats war ihm jäh wieder eingefallen und hatte ihn auf den Gedanken gebracht. Aber wenn Dupin richtiglag, hatte es auch davor bereits einige Hinweise gegeben. Es könnte der Kern der Geschichte sein. Es würde ihnen noch nicht den Mörder liefern, aber vielleicht endlich das Motiv.

Dupin kletterte so schnell es ging den Hang hinauf.

Atemlos erreichte er seinen Wagen.

Sein Telefon klingelte.

Huppert. Das dritte Mal, seit er unten aufgebrochen war, er ignorierte es erneut. Er riss die Wagentür auf, sprang hinein. Es war nicht weit. Fünf Minuten.

Der Motor heulte auf, die Reifen quietschten.

Es würde nicht leicht, aus diesem kühnen Gedanken eine stichfeste Theorie werden zu lassen, aber er hatte eine Idee. Die, wie der ganze Einfall, verrückt sein mochte, aber es war egal. Er benötigte möglichst rasch zumindest ein erstes Indiz – am besten natürlich einen echten Beweis –, um dann alles auf eine Karte setzen zu können.

Er ließ den Wagen stehen, wo er ihn gestern abgestellt hatte, und ging den Rest zu Fuß.

Es war unmöglich vorherzusagen, wie dieses Gespräch ablaufen würde.

Dupin klingelte. Eine altmodische Klingel, kein bisschen dezent indessen.

Er wartete. Er wartete eine ganze Weile.

Dann – es waren keinerlei Geräusche nach außen gedrungen – öffnete sich die Haustür.

»Bonjour, Madame Lezu, ich muss Madame Allanic sprechen«, überrumpelte Dupin die Haushälterin.

»Sie – sie ist nicht auf Besuch vorbereitet. Ich weiß nicht, ob …«

»Es tut mir ungemein leid, Madame«, er trat ein, »aber es muss leider sein. Es besitzt höchste polizeiliche Priorität.«

Sie erblasste und trat zur Seite.

»Madame befindet sich im Salon.«

Dupin kannte den Weg.

»Ich möchte Sie dabeihaben, Madame Lezu. Sie könnten behilflich sein.«

Jeder weitere Satz schien die Haushälterin in ihrem schwarzen Rock und der weißen Rüschenbluse noch mehr zu überfordern.

»Ich denke, das wird Madame überhaupt nicht goutieren.«

Dupin war bereits an der Tür zum Salon angelangt. »Kommen Sie, Madame Lezu!«

Auf dem Gesicht der Haushälterin spiegelte sich pures Entsetzen.

Dupin klopfte vernehmlich und trat umgehend ein.

Madame Allanic lag auf einer Chaiselongue, der Tür abgewandt. Die melierte Wolljacke hatte sie geschlossen. Ein Fernseher lief, ohne Ton allerdings, es war völlig still.

»Sie hört Sie nicht«, flüsterte die Haushälterin, »sie trägt Kopfhörer.«

In diesem Moment drehte sich Madame Allanic unversehens um. Merkwürdigerweise schien es sie nicht zu überraschen, Dupin plötzlich in ihrem Salon stehen zu sehen.

»Sehr gut, sehr gut«, umständlich entfernte sie die Ohrstöpsel, »da sind Sie ja endlich. Es ist bitter nötig.« Erst jetzt schien sie auch die Haushälterin wahrzunehmen.

»Ich habe Madame Lezu gebeten zu bleiben«, erklärte Dupin.

»Ist mein Mann zurück? Er ist zurück, habe ich recht? Ich habe es Ihnen doch gesagt.«

Dupin war sich darüber im Klaren gewesen, dass es kompliziert würde. Aber Madame Allanic war seine einzige Chance.

»Es geht um etwas anderes. Ich würde gerne wissen, ob Sie wertvollen Schmuck besitzen, Madame?«

Im Blick der alten Dame lag ein Ausdruck tiefster Verwunderung.

»Sie haben alles gestohlen.« Sie schaute sich beim Sprechen um, als befürchtete sie ungebetene Gäste. »Unseren ganzen Schatz.«

Dupins Handy vibrierte, er hatte es eben lautlos gestellt, ohne Zweifel war es wieder Huppert. Er ignorierte es weiterhin.

»Genau darum geht es mir, Madame, um Ihren Schatz – handelt es sich dabei vielleicht um kostbaren Schmuck? Mit Edelsteinen?«

»Es ist«, sie senkte die Stimme, »ein sagenhafter Schatz.«

Dupin nahm seine Frage noch einmal auf, sie war entscheidend. »Was ist das für ein Schatz, den Sie besitzen, Madame? – Ich denke, Sie sprechen von Schmuck, oder?«

Vielleicht musste man bloß mit in ihre Welt abtauchen.

Madame Allanic hatte ihnen von Anfang an von einem Schatz erzählt. Immer wieder. Schon die Haushälterin hatte Dupin bei ihrem Anruf am Dienstag berichtet, dass Madame Allanic von Gold und Edelsteinen gesprochen habe. Natürlich hatte er in dem Moment nicht darauf reagiert, es für wirres Zeug gehalten. Aber unter Umständen war es das gar nicht. Und Madame Allanic hatte die ganze Zeit – so verrückt sie auch sein mochte – auch von etwas Realem gesprochen. Zumindest in dieser Hinsicht. Auf ihre eigene Weise, in der eigentümlichen dunklen Art, wie ihr Gehirn nun einmal funktionierte. Vielleicht gab es wirklich einen Schatz. Nicht in Form von jahrhundertealten Holztruhen mit sagenhaften Gold- und Silberstücken, sondern von Schmuck. Der mit wertvollen Edelsteinen bestückt sein könnte.

Das war der Gedanke, der Dupin eben jäh in den Sinn gekommen war. Ausgelöst durch Riwals Erzählung vom Schatz auf der Fregatte, deren Wrack kürzlich unweit von Saint-Malo auf dem Meeresgrund entdeckt worden war. Auch er hatte unter anderem aus Schmuck bestanden, Riwal hatte ausdrücklich Diamanten, Smaragde und Rubine erwähnt. In diesem Licht klang Madames Rede von ihrem Schatz plötzlich ganz anders. Sie hatte schon gestern und heute Morgen von Dieben gesprochen, davon, dass sie bestohlen worden sei, Dupin hatte es, wie alle anderen, für eine demente Fantasie gehalten. Was aber, wenn es stimmte? Wenn ihr tatsächlich etwas gestohlen wurde? Wenn Madame Allanic tatsächlich auf verschlungenen Wegen dem Korsaren-Clan der Familie Duguay-Trouin entstammte, wäre das alles noch plausibler. Vielleicht besaß sie außergewöhnliche Erbstücke?

Madame Allanic hatte eine Weile geschwiegen, ihre Augen waren weit aufgerissen: »Sie sind gekommen und haben uns alles genommen!«

Dupin wandte sich an die Haushälterin.

»Ich liege doch sicher richtig mit der Annahme, dass Madame wertvollen Schmuck besitzt?«

Madame Lezu starrte Dupin angsterfüllt an.

»Sie werden es niemandem erzählen, Madame Lezu. – Niemals.« Madame Allanic schien in heftigen inneren Aufruhr zu geraten, sie unternahm Anstalten, sich zu erheben.

»Bleiben Sie liegen, Madame Allanic«, versuchte Dupin sie zu beruhigen.

Sie tat ihm leid. Das Gespräch strapazierte sie über alle Maßen, aber er wusste keinen anderen Weg. Er musste es versuchen.

Die Haushälterin näherte sich Dupin und flüsterte:

»Selbstverständlich besitzt Madame Schmuck. Aber ich weiß nicht, wie wertvoll er ist. – Er liegt in einem«, jetzt war sie fast nicht mehr zu verstehen, »kleinen Safe in ihrem Schlafzimmer, der schon seit Jahren nicht mehr verschlossen ist. Hinter einem Bild.«

Dupin nickte und begab sich zu Madame Allanic, die sich immer noch bemühte, aufzustehen. Er half ihr kurzerhand. Verdutzt, aber dankbar blickte sie ihm entgegen.

»Madame Lezu, könnten Sie uns doch kurz alleine lassen?«

Die Haushälterin machte eine irritierte Miene.

»Aber Sie …«

»Es wäre sehr freundlich.«

Abermals vibrierte Dupins Telefon. Huppert gab nicht auf.

»Na gut.« Mit einem leicht beleidigten Ausdruck verließ die Haushälterin den Salon.

»Jetzt sind wir ganz unter uns, Madame Allanic. – Welchen Schmuck vermissen Sie?«

Madame Allanic zitterte, Dupin stützte sie.

»Ich sage kein Wort.« Alle Muskeln hatten sich angespannt, sie stand so aufrecht, wie es nur ging, ein kleiner erboster Protest.

»Dann werden wir den Schatz nie zurückbekommen, Madame. Ich bin hier, um Ihnen zu helfen.«

Dupin meinte es ernst.

»Er ist weg.«

»Ich weiß, Madame. Und ich werde ihn wiederholen. – Wie Ihr Mann es getan hätte.«

Es durchzuckte sie.

»Er ist wieder da, habe ich recht?« Ihre Augen leuchteten auf.

Madame Allanic wollte zurück auf die Chaiselongue. Dupin war ihr behilflich.

»Wer hat Ihnen den Schmuck gestohlen, Madame?«

Ein seltsam erregter Blick.

»Man hat Sie beraubt, Madame. – Diebe.«

»Ich weiß, wer es war.«

Dupin hielt inne. Ihr Satz hatte klar und rational geklungen.

»Wollen Sie es mir sagen, Madame?«

Mittlerweile lag sie wieder, auf ihrem Gesicht zeigte sich ein Lächeln. Das im nächsten Moment verschwand.

»Ich gehe nach Kanada, Monsieur. Und nehme alles mit. – Ich werde kein Wort sagen.«

Ihre faltigen Hände ballten sich zur Faust, wie die Reaktion eines kleinen Kindes, eine Geste, die Dupin seltsam berührte.

»Helfen Sie mir zuvor, den Schatz wiederzufinden, Madame Allanic.«

Sie lehnte den Kopf zurück und wandte das Gesicht ab, wobei sich ihr Blick wieder im Diffusen verlor. Vielleicht auch bloß wieder in ihrem Inneren.

»Ich bitte Sie sehr, Madame. – Sprechen Sie mit mir. Wer ist der Dieb? Was hat er gestohlen?«

Hélène Allanic zeigte keinerlei Regung mehr.

Dupin wartete, doch mit jeder Minute, die verstrich, schwand seine Hoffnung auf eine Fortsetzung der Unterhaltung.

Er brach ab.

»Ich danke Ihnen, Madame. Ich muss gehen. Wenn Sie mir helfen wollen, den Schatz zurückzuholen – Ihre Haushälterin hat meine Telefonnummer. Sie können mich Tag und Nacht erreichen.«

Erneut blieb jede Reaktion aus.

»Bonsoir, Madame Allanic.«

Er verließ den Raum.

Die Haushälterin fing Dupin direkt hinter der Tür ab.

»Ich hoffe, Madame ist mir nicht gram, dass ich Ihnen gegenüber ...«

»Madame Lezu, wissen Sie, was genau man ihr gestohlen hat? Ich fordere Sie dringlich auf, es mir zu sagen, wenn Sie es wissen. Ansonsten machen Sie sich der Behinderung polizeilicher Ermittlungsarbeit schuldig.«

»Ich ...«, ihr Gesicht hatte schlagartig alle Farbe verloren.

»Aber Monsieur le Commissaire! Ich weiß von gar nichts. Ich ...« Sie versuchte, die Fassung zu bewahren. »Denken Sie wirklich, dass etwas gestohlen wurde? Madame spricht seit einiger Zeit davon, dass Diebe im Haus unterwegs sind. Bisher ist mir allerdings nie etwas aufgefallen, ich ...«

»Sie wissen also von keinem Wertgegenstand, der verschwunden ist? Ein Schmuckstück zum Beispiel?«

Jetzt war sie empört: »Ich hätte es Ihnen sofort gesagt, wenn ich Derartiges bemerkt hätte. Madame verlegt die Dinge einfach …«

»Zeigen Sie mir den Safe im Schlafzimmer, Madame Lezu«, unterbrach Dupin sie abermals. Es war keine Bitte, sondern eine Anweisung.

Dupin blickte fragend auf die anderen Türen, die vom Flur abgingen.

»Madame würde das in keiner Weise gutheißen, im Gegen…«

»Ich muss leider darauf bestehen.«

Dupin wusste, er hatte keine Befugnisse dazu. Es könnte ihm gehörigen Ärger einbringen.

»Madame wird mich sofort meiner Anstellung entheben und …«

»Ich übernehme die volle Verantwortung.«

Dupin steuerte willkürlich auf die erste Tür zu.

»Ich denke, dazu brauchen Sie einen Befehl!« Sie bemühte sich, ihrer Stimme Nachdruck zu verleihen.

»Madame Lezu, wollen Sie der Polizei bei der Aufklärung eines mehrfachen Mordes helfen oder nicht?«

Madame Lezu machte eine leidende Miene, setzte sich aber dennoch in Bewegung. Sie ging auf die Tür am Ende des Flurs zu.

»Hier entlang.«

Dupin folgte ihr. Sie betraten das Schlafzimmer. Ein ausladender Raum mit einer eigenen Terrasse. Anders als das Wohnzimmer war es eher spartanisch eingerichtet. Eine Kommode, über der ein Ölgemälde hing – eine Hafenszene in impressionistischem Stil –, ein Schrank und ein Bett.

Die Haushälterin schritt auf das Bild zu.

»Wenn man das Gemälde zur Seite bewegt, dann sieht man den Tresor.« Sie errötete kurz. »Es passiert mir zuweilen beim

Staubwischen. – Sie werden sehen, dass er ein Stück offen steht.«

Kurzentschlossen hängte Dupin das Bild ab, es war erstaunlich leicht.

Es gab eine quadratische Vertiefung in der Wand frei, vierzig mal vierzig Zentimeter vielleicht, darin ein altmodischer Safe aus massivem Metall. Die Tür war tatsächlich bloß angelehnt. Dupin kannte diese Art von Safe aus dem Haus seiner Mutter, so hatte man sich eine angemessene Sicherung von Wertgegenständen vor dreißig, vierzig Jahren vorgestellt.

»Madame konnte sich die Nummer nicht mehr merken und wusste auch nicht mehr, wo sie sie notiert hatte. Deswegen steht er offen.«

Die Haushälterin wusste gut Bescheid – ohne dass sie, wie sie behauptete, je mit Madame darüber gesprochen hatte.

Dupin öffnete die Tresortür. Und blickte – im Safe war eine Lampe angegangen – auf ein funkelndes Durcheinander. Dutzende Schmuckstücke, die neben- und übereinanderlagen, manche schienen untrennbar ineinander verschlungen. Lange Ketten, kurze Ketten, Armreife, Ohrringe, Broschen, Spangen, Ringe, zwei Uhren. Alles sah sehr alt aus. Einige der Ringe, Broschen und Ohrringe mit Edelsteinen in allen Farben.

Dupin hätte nicht sagen können, wie viel all das Wert war. Dafür müsste man einen Experten einschalten – wofür sie jedoch Madame Allanics ausdrückliche Zustimmung bräuchten. Zudem, und das ließ die Idee einer Begutachtung absurd werden: Der Schmuck war da. Er lag sicher im Safe. Es könnten höchstens einzelne Stücke gestohlen worden sein.

»Madame Lezu, kennen Sie Madames Schmuck so gut, dass Sie sagen könnten, ob etwas fehlt?«

254

Sie wirkte geradezu erzürnt: »Wie sollte ich dazu in der Lage sein? Madame trägt nie viel Schmuck. Das allermeiste habe ich noch nie gesehen. – Ich weiß nicht einmal, ob Madame selbst imstande wäre, zu sagen, was hier alles liegt und ob etwas fehlt.«

Dupin war unsicher, ob er ihr glauben sollte. Natürlich würde sie es nicht zugeben, falls sie ab und zu hier herumgeschnüffelt hatte.

»Eigentlich trägt sie mittlerweile nur noch zwei Ringe«, präzisierte Madame Lezu, »ihren Ehering und den Siegelring ihrer Familie. An manchen Tagen auch eine Kette mit einem Opal, die sie liebt, und immer diese eine Brosche. – Das ist der gesamte Schmuck, den ich kenne.«

»Sehen Sie die Kette mit dem Opal irgendwo?«

Sie war ihm nicht an Madame Allanic aufgefallen.

»Hier vorne, da.« Sie zeigte auf eine längere Kette. »Das ist sie.«

»Hat Madame gute Freundinnen, die vielleicht etwas von ihrem Schmuck wissen könnten?«

Die Haushälterin blickte Dupin konsterniert an.

»So etwas würde sie nie preisgeben, Madame pflegt äußerste Zurückhaltung mit ihrem Besitz. – Sie hat zwei Freundinnen, aber sie sieht sie nur noch selten.«

»Haben Sie je mitbekommen, dass Madame Allanic mit ihren Nichten über den Schmuck gesprochen hat? Oder sogar mit einer von ihnen hier im Schlafzimmer am Tresor war?«

»Nein. Wenn ihre Nichten zu Besuch waren, habe ich mich zumeist in der Küche aufgehalten. Zu meinen freien Tagen kann ich selbstverständlich keine Aussagen treffen.«

Dupin fuhr sich heftig durch die Haare.

»Verdammt.«

Wie sollte er jetzt weiterkommen?

Er seufzte, brachte die Tür des Safes wieder in die Position, in der sie sich befunden hatte, und hängte das Bild zurück an seinen Platz.

»Ich verabschiede mich, Madame Lezu. Ich danke Ihnen für Ihre Mithilfe.« Dupin sprach mit möglichst formeller Stimme. »Diese kleine Schmuck-Inspektion bleibt vorübergehend unter uns.«

Die Haushälterin nickte eingeschüchtert.

Dupin trat in den Flur. Mit einem Mal blieb er stehen. Gerade war ihm erneut etwas eingefallen.

Er eilte Richtung Haustür: »Ich werde mich bald wieder melden, Madame Lezu.«

»Und was soll ich jetzt tun?«

»Sie verhalten sich genauso wie immer.« Dupin hatte die Haustür bereits geöffnet und trat hinaus. »Kümmern Sie sich um Madame Allanic.«

Hastig stürmte er die Treppen hinunter.

Die Adresse war bereits im Navigationssystem gespeichert. Saint-Suliac.

Dupin hatte eine größere Straße Richtung Süden erreicht. Er wählte Hupperts Nummer.

Sie war am Apparat, bevor es richtig geklingelt hatte.

»Dupin! Was soll das, zum Teufel?« Von ihrer charakteristischen Sachlichkeit war nichts zu spüren. »Ich werde die Präfektin bitten, Sie von diesem ...«

»Ich glaube, ich habe die Lösung. Des gesamten Falls.«

Er musste dick auftragen. In die Vollen gehen. Nur so konnte er sie beruhigen.

»Wo sind Sie? Was treiben Sie?«

»Wir treffen uns in Walig Richards Antiquitätenladen. So rasch es geht. – Sagen Sie Nedellec, er soll diesen Pianisten-Freund dorthin bestellen. Und den Mitarbeiter, der auch heute Morgen schon da war.«

»Ich komme nirgendwohin, bevor Sie mir nicht sagen …«

»In Saint-Suliac, in fünfzehn Minuten. Dann erzähle ich es Ihnen. – Es tut mir leid.«

Er meinte es ernst.

»Ich …« Sie wirkte hin- und hergerissen. »Wenn Sie uns nicht die Lösung präsentieren, stecken Sie in echten Schwierigkeiten, Dupin!«

»Vertrauen Sie mir, Huppert.«

Dupin pokerte hoch, das wusste er. Doch sein Gefühl sagte ihm, dass es die richtige Spur war.

Sie schien noch einmal kurz mit sich zu ringen, aber wieder siegte die kooperative Seite:

»Gut, wir sehen uns gleich in Saint-Suliac. Wir sind noch an der Pointe du Grouin.«

»Hat der Gerichtsmediziner schon etwas gesagt?«

»Im Moment bloß, dass er noch nichts sagen kann. Außer dass Charles Braz erst seit Kurzem dort lag.« Dupin hörte, dass Huppert sich bereits in Bewegung gesetzt hatte. »Und dass die Untersuchungen bei dem Zustand der Leiche dauern werden. Er ist sehr skeptisch, eindeutige Hinweise auf einen Kampf oder Stoß werden durch die schweren Verletzungen nicht mehr feststellbar sein.«

»Ist schon jemand zum Haus von Braz unterwegs?«

»Vier Kollegen sind längst da. Keine Auffälligkeiten. Auch kein Abschiedsbrief. – Also, bis gleich, Dupin. Ich bin gespannt.«

Dupin trat das Gaspedal durch.

Genau zwölf Minuten später kam er vor Walig Richards Laden zum Halten.

Die Sonne stand bereits ein Stück tiefer, es war kurz vor acht. Sie würde über den flachen Hügeln des gegenüberliegenden Ufers untergehen. Es würde ein Spektakel geben, die Farben schienen sich bereits aufzuladen. Eine friedvolle Stille lag über dem Ort. Nur im *Bistro de la Grève*, in dem Dupin heute Morgen seinen Kaffee getrunken hatte, herrschte heiteres Frühsommerleben.

Dupin betrat den Hof mit den blühenden Artischocken. Ihm fiel ein, dass er keinen Schlüssel für das Geschäft hatte. Er würde warten müssen. Aber Huppert und Nedellec würden bald eintreffen.

Eine Gelegenheit, um sich kurz bei Nolwenn zu melden.

Dupin lief auf die schmale Mole, die sich weit in die kleine Bucht von Saint-Suliac hineinstreckte. Noch herrschte Ebbe, riesige Sandflächen lagen in der Abendsonne.

»Bonsoir, Monsieur le Commissaire. Wir haben von dem nächsten Toten gehört.« Nolwenn sprach in hohem Tempo. »So langsam ufert das alles aus, meinen Sie nicht? Bei den Malouinern …«

»Ich glaube, ich weiß, worum es geht, Nolwenn. Ich denke, ich kenne den Kern der Geschichte.«

»Bitte? – Warten Sie einen Augenblick.«

Dupin hörte die nervende Musik der Warteschleife. Inzwischen hatte er fast das Ende der Mole erreicht.

»So, alle da. – Ich habe auf laut gestellt. Legen Sie los.«

Mit einem Mal waren Autos zu hören, die mit viel zu hoher Geschwindigkeit auf den *Port de plaisance* zurasten. Dupin drehte sich um.

»Es tut mir leid, Nolwenn. Ich muss los. Ich melde mich, sobald ich kann.«

»Bis gleich!« Schon war das Gespräch beendet.

Huppert und Nedellec hielten direkt hinter Dupins Wagen, die Türen wurden aufgeworfen.

Auf der Uferstraße näherte sich ein Mann mit eiligen Schritten. Dupin erkannte ihn: Richards Mitarbeiter. Sehr gut.

»Da sind Sie ja!«, rief Huppert. Dupin hatte den Hof schon wieder erreicht. »Wir sind gespannt, Dupin.«

»Schießen Sie los!« Nedellec war ungeduldig. Er hatte den Schlüssel zum Laden in der Hand.

»Ich bin so schnell gekommen, wie ich konnte.« Der Mitarbeiter von Richard kam auf sie zu.

»Danke«, übernahm Dupin. »Wir haben noch ein paar wichtige Fragen an Sie.«

»Natürlich.« Der Mann nickte beinahe unterwürfig. »Wie kann ich Ihnen helfen?«

Sie traten ins Halbdunkel des Ladens.

Dupin schaltete das Licht an und ging direkt auf die Vitrine mit dem alten Schmuck zu. Schon am Morgen hatte der Schmuck Dupin beschäftigt – schon da war er, wie in einigen anderen Momenten seit Montag, ganz nah dran gewesen.

»Erst weihen Sie uns ein, Dupin!« Huppert war ihm schnellen Schrittes gefolgt.

»Gleich.« Umgehend wandte Dupin sich an den Mitarbeiter: »Sie sagten heute Morgen, dass Monsieur Richard in den letzten Jahren so etwas wie ein Schmuckexperte geworden war.«

»Absolut, ja.«

»Auch für Steine? Edelsteine?«

»Selbstverständlich. Die Steine machen den Wert aus.«

Mittlerweile standen sie alle vier vor der Vitrine.

»Das heißt, Monsieur Richard war imstande, den Wert von Schmuckstücken zu bestimmen?«

»Absolut.«

»Erinnern Sie sich, ob er in den letzten Wochen besondere Schmuckstücke begutachtet hat? – Eines oder auch mehrere außergewöhnliche Schmuckstücke«, präzisierte Dupin.

Auf diese Weise wäre Richard möglicherweise in die Sache involviert gewesen und am Ende zum Opfer geworden. Auch wenn diese These noch völlig vage war, es war die erste, die Richard mit dem gesamten Geschehen überhaupt in Verbindung bringen würde. Die erste, die irgendwie Sinn ergab.

»Ich weiß von nichts. Aber das heißt nicht viel. Walig nahm Sachen gerne mit nach Hause. Oder blieb abends länger als wir, alleine letzte Woche bestimmt zweimal. Da hätte er alles Mögliche begutachten können. Auch an den Wochenenden.«

Dupin richtete sich unversehens an Nedellec: »Könnten Sie Monsieur Richards anderen Mitarbeitern und Bekannten die gleiche Frage stellen?«

»Zuerst wollten Sie uns erklären, worum …«

»Es ist äußerst dringend, Nedellec. Vielleicht alles entscheidend.«

Nedellec zog abwägend die Stirn in Falten.

»Wonach genau frage ich?«

»Ob sie zufällig mitbekommen haben, dass Walig Richard sich mit einem oder mehreren besonderen Schmuckstücken beschäftigt hat. Eine geöffnete Website, ein Telefonat, ein Gespräch, eine E-Mail, was auch immer.«

Es war bloß eine vage Hoffnung, aber sie mussten alles versuchen.

»Wie gesagt: Es könnte der entscheidende Hinweis sein.« Dupin legte Pathos in seinen Tonfall.

»Einverstanden.«

Kommissar Nedellec steuerte auf die Treppe zum ersten Stock zu und zog sein Handy aus der Tasche.

Dupin kam zu dem Mitarbeiter zurück:

»Gibt es in Monsieur Richards zweitem Geschäft auch Schmuck?«

»Nein, nur hier.«

»Gibt es hier einen Tresor?«

»Nein. – Lediglich die abschließbare Vitrine. Aber wir haben auch keinen wirklich teuren Schmuck.«

»Richards Wohnhaus wurde von der Spurensicherung dokumentiert«, schaltete sich Huppert ein. »Ich habe eine Aufstellung aller Wertsachen bekommen. Da stand nichts von Schmuck.«

Dupin begann, vor der Vitrine auf und ab zu laufen.

»Brauchen Sie mich noch?« Der Mitarbeiter fühlte sich sichtlich unwohl.

»Sie können gehen, aber bleiben Sie erreichbar. Und melden Sie sich sofort, wenn Ihnen doch etwas einfallen sollte.«

Mit erleichterter Miene zog der Mann davon.

Er war noch nicht aus der Tür, als Hupperts Befehl kam: »Und jetzt erzählen Sie alles, was in Ihrem Kopf rumschwirrt, Dupin. Und mit alles meine ich alles.«

Dupin kam nicht mehr umhin: Er musste mit der Sprache rausrücken.

»Ich gehe davon aus, dass Madame Allanic Schmuck gestohlen wurde – ein Stück oder auch mehrere, von besonders hohem Wert.« Er zögerte. »Und davon, dass es eine der beiden Schwestern getan hat.«

Dupin lief immer noch vor der Vitrine auf und ab.

»Hm.« Huppert verschränkte die Arme. »Und weiter?«

»Ich weiß es noch nicht.«

Was er formuliert hatte, war gewissermaßen die Basis seiner Theorie, alles andere war im Augenblick noch willkürliche Spekulation:

»Eigentlich müsste es Lucille gewesen sein, sie könnte das Geld, wie wir wissen, gut gebrauchen. – Aber warum sollte sie dann Blanche töten? Auf dem Markt, in aller Öffentlichkeit? – Unter Umständen hat Blanche von Lucilles Diebstahl erfahren, und Lucille hat sie deswegen umgebracht. – Vielleicht hat Blanche den Schmuck gehabt, auf den es Lucille abgesehen hatte? War sie zuerst die Diebin gewesen?«

Erst einmal schien das logischer. Das Problem war nur: Es gab noch unzählige weitere mögliche Szenarien. Viel zu viele. Und sie waren so unterschiedlich, dass man von »logisch« eigentlich noch gar nicht sprechen konnte. Dupin hatte bereits viele mögliche Varianten gedanklich durchgespielt.

»Aber warum mussten Kilian Morel und Walig Richard dann sterben?«, stieg Huppert ins Spekulieren ein. Immerhin. Sie schien die Grundhypothese nicht für ausgemachten Unsinn zu halten.

»Vielleicht, weil sie von dem Schmuck wussten, dem Schmuck und dem Diebstahl. Oder – weil der Schmuck sich nach Blanches Tod bei ihnen beziehungsweise bei einem von ihnen befunden hatte. Wahrscheinlich bei Kilian Morel. Das würde die Durchsuchung des Hauses erklären, bei der sich Kilian Morels Mörder – wer immer es ist – doch einige Mühe gegeben hat. – Er hat den Schmuck gesucht.«

Dass das Haus der beiden durchsucht worden war, ließ die Theorie, dass Blanche im Besitz des Schmucks gewesen sein könnte, schlüssiger erscheinen als andere. – Dennoch blieben zahllose Fragen offen. Auch die natürlich, ob der Täter den Schmuck im Haus von Blanche Trouin und Kilian Morel überhaupt gefunden hatte.

»Vielleicht hat Blanche Trouin Walig Richard gebeten, den Wert des Schmucks zu bestimmen. Und er war bei ihm, zumindest eine Zeit lang. – Vielleicht war Richard auf diese Art involviert und musste deswegen sterben.«

Dupin blieb vor der Vitrine stehen.

»Aber warum hätte Blanche Trouin das tun sollen?«, Huppert hielt die Arme immer noch verschränkt. »Die eigene Tante bestehlen? Sie stand ihr anscheinend ziemlich nahe. – Und finanziell ging es Blanche sehr gut, sie hätte das gar nicht nötig gehabt.«

»Ich weiß es nicht.«

»Und wenn sie es war, wie kommt Lucille ins Spiel?«

Präzise Fragen wie Pfeile. Und noch ein blinder Fleck. Dupin setzte sich erneut in Bewegung.

»Sie muss irgendwie erfahren haben, dass Blanche den Schmuck in ihrem Besitz hatte.«

»Und der Mord an Lucilles Lebensgefährten Charles Braz? – Wie passt der in die Theorie?«

»Ex-Lebensgefährten. – Und wir wissen noch gar nicht, ob es vielleicht doch Selbstmord war.«

»Und wenn es Selbstmord gewesen wäre – wie passt das zusammen? Es ergibt keinen Sinn, es …«, Huppert stockte, etwas blitzte in ihren Augen, »es sei denn, Charles Braz hat …«

Sie musste den Satz nicht zu Ende führen – es war Dupin auf der Fahrt hierher selbst schon durch den Kopf gegangen.

»Es ist durchaus möglich.«

»Aber warum sollte er sich jetzt umbringen? Schuldgefühle? Zuerst besitzt er die brutale Kaltschnäuzigkeit,

Blanches Mann und ihren Freund Walig Richard wegen des Schmucks umzubringen, um einen Tag später plötzlich derart heftige Schuldgefühle zu bekommen, dass er sich das Leben nimmt? – Zudem müsste er Ihrer Hypothese zufolge dann ja im Besitz des ominösen Schmucks gewesen sein, um den es von Beginn an gegangen wäre.«

Dupin meinte nun doch eine grundlegende Skepsis in Hupperts Worten wahrzunehmen.

»Vielleicht ist der Schmuck so wertvoll, dass Lucilles Notlage mit einem Schlag aus der Welt wäre.« Dupin wusste selbst, dass dies keine Antwort war. »Ich weiß es nicht.« Das war die einzig ehrliche Antwort.

»Und Lucille Trouin? Welche Rolle spielt sie in diesem Szenario? Wenn Charles Braz der Täter wäre. – Denken Sie, dass das alles ihr Plan war? Dass sie ihn angestiftet hat? Oder zumindest wusste, was er vorhatte?«

»Ich habe keine Ahnung.«

Die Kommissarin zog die Augenbrauen zusammen: »Welche Beweise besitzen Sie für diese ganze Schmuck-Theorie?«

Huppert wurde pragmatisch. »Indizien zumindest?«

»Nur Madame Allanic. So verwirrt sie auch sein mag.«

Ihm war bewusst, dass sie weder Beweis noch Indiz war, aber sie war im Moment alles, was er hatte.

»Diese demente alte Dame?«

Dupin berichtete von seinem Besuch bei ihr.

»Es würde perfekt passen«, schloss er. »Madame Allanic hat uns vielleicht schon alles erzählt, nur ein wenig verschlüsselt. Es könnte doch durchaus sein, dass sich in ihrem Besitz Schmuckstücke von außergewöhnlichem Wert befinden, vermutlich entstammt sie ja diesem alten Korsaren-Clan, den Duguay-Trouins. Es wäre eine sehr bretonische Geschichte, und vor allem …« – das wäre psychologisch

vielleicht nicht unwichtig, um Huppert zu überzeugen –
»Ihre Entdeckung von gestern wäre für dieses Szenario
entscheidend. Lucille brauchte Geld, und zwar ganz, ganz
dringend.«

»Jeder Richter würde Madame Allanic als unzurechnungs-
fähig einstufen. – Und Sie hat es Ihnen ja auch nicht wirklich
bestätigt – soweit ihr so etwas überhaupt möglich wäre. Ich
bezweifle es.«

Dupin konnte nicht widersprechen.

»Wir brauchen Indizien, Dupin. Stichhaltige. Und schnell
einen richtigen Beweis.«

Das war das Problem.

»Haben Sie eine Vermutung, wo sich der Schmuck befinden könnte?«

»Nein.«

Alle, die seiner Theorie zufolge im Besitz des Schmucks gewesen waren – und seine Existenz hätten bezeugen können –,
waren tot. Außer Lucille Trouin.

»Weiß Lucille Trouin eigentlich schon von Charles Braz'
Tod?« Die Frage war Dupin schon ein paarmal durch den Kopf
gegangen.

»Ich habe noch vom Tatort aus mit ihr telefoniert. – Ich
wollte, dass sie es direkt von uns erfährt. Und hören, wie sie
reagiert.«

»Und?«

»Sie hat nur zugehört. Und geschwiegen.«

»Was haben Sie ihr zur Frage, ob es Mord oder Selbstmord
war, gesagt?«

»Die Wahrheit. Dass wir es noch nicht wissen.«

»Auch Flore Briard könnte mit Lucille Trouin unter einer Decke stecken.« Huppert kam zu den möglichen Szenarien zurück. »Sie besitzt weder für gestern noch für heute ein

Alibi. – Dazu kommt, dass sie selbst Geld braucht, wenn wir richtig informiert sind. Mittlerweile wäre sie dann ja alle losgeworden, die sie belasten könnten. Sie hätte nichts mehr zu befürchten. – Und uns bliebe lediglich eine einzige Möglichkeit, sie zu überführen: Wir müssten den Schmuck bei ihr finden.«

So war es.

»Was für alle drei verbliebenen Personen gilt«, vervollständigte Huppert das Bild. »Sogar für Charles Braz. – Bei dessen Verbindungsnachweisen gibt es übrigens keinerlei Überraschungen. Nur die Telefonate mit Flore Briard, von denen wir ja bereits wussten.«

Dupins Gehirn lief in einer Art überhitztem Leerlauf, unablässig und in rasender Geschwindigkeit spielte er die möglichen Tathergänge durch, ohne zu einem Ergebnis zu kommen.

»Briard, Clément und Joe Morel befinden sich längst auf dem Kommissariat«, erinnerte Huppert, Dupin hatte es beinahe vergessen. »Wir ...«

»Nichts.« Nedellec kam die Treppe herunter. »Weder sein Freund noch seine Mitarbeiter haben irgendetwas von einem besonderen Schmuckstück oder einer Begutachtung mitgekriegt.«

Es war deprimierend. Sie brauchten dringend einen Glückstreffer.

»Also, Dupin, raus mit der Sprache – was genau ist Ihre Theorie?«

Huppert zog ihr Handy hervor und ging Richtung Ausgang. »Ich werde mich schon mal um das Verhör der drei kümmern.«

Dupin ächzte. Er hatte nicht die geringste Lust, alles zu wiederholen. Aber ihm blieb nichts anderes übrig.

»Also gut«, lautete Nedellecs Fazit. Dupins Zusammenfassung hatte doch ein paar Minuten in Anspruch genommen. »Es mutet zwar alles ein wenig fantastisch an – aber im Augenblick haben wir nichts anderes.«

Überzeugt klang er nicht, doch Dupin hatte mit mehr Widerstand gerechnet.

»Wenn ich Sie richtig verstehe, könnte es bedeuten, dass Lucille Trouin alles dirigiert hat.«

Dupin hatte es nicht ausdrücklich so formuliert, aber es war eine Möglichkeit. Eine von mehreren.

»Was ja hieße ...«

»Briard, Clément und Morel warten im Verhörraum auf uns. Wir müssen los«, unterbrach sie Huppert, die ihr Telefonat beendet hatte und wieder zu ihnen stieß. Dupin war froh, alles weitere Spekulieren war zu diesem Zeitpunkt müßig.

Huppert befand sich bereits auf dem Weg zur Tür. Nedellec und Dupin folgten.

So oft hatte sich Dupin während einer Ermittlung wahrscheinlich noch nie in polizeilichen Räumen aufgehalten, nicht einmal in Concarneau. Er hatte das Commissariat de Police Saint-Malo heute bereits zum dritten Mal betreten.

Dupin war nicht ganz so schnell gefahren wie sonst und war deshalb als Letzter eingetroffen. Er hatte aus dem Wagen Nolwenn angerufen, um von seiner Theorie zu erzählen und sie à jour zu bringen. Zum längeren Diskutieren war keine Zeit gewesen, aber zumindest wusste sie jetzt Bescheid.

Die drei Kommissare liefen den Gang entlang, der zum Verhörraum führte.

»Ich habe die Spurensicherung angewiesen, die Häuser von Lucille Trouin und Charles Braz ein weiteres Mal zu durchsuchen«, berichtete Huppert. »Das Problem ist nur, dass sich der erneute Suchauftrag nicht besonders präzise formulieren lässt. – *Außergewöhnlich wertvoll aussehender Schmuck, ein Stück oder auch mehrere?*«

Dennoch war die Anweisung richtig, fand Dupin.

»Für Durchsuchungsbefehle der Häuser von Briard, Morel und Clément fehlen uns hinreichende Begründungen«, konstatierte die Kommissarin. »Und Briard wird natürlich selbst einigen Schmuck besitzen, wahrscheinlich auch aus ihrer Erbschaft. Sie könnte immer behaupten, der Schmuck gehöre ihr.«

»Wie gehen wir das Gespräch mit den dreien an?«, kam Nedellec auf den vordringlichsten Punkt.

»Frontale Konfrontation, schlage ich vor. Alles kommt auf den Tisch. Wir gehen von Dupins Hypothese aus. Und lassen uns die Alibis für den Nachmittag berichten.«

»Gut.« Nedellec war einverstanden. Dupin ebenfalls.

»Dann also los.«

Huppert öffnete die Tür, hintereinander traten sie ein.

Flore Briard saß in der Mitte, Joe Morel und Colomb Clément rechts und links von ihr. Die kleine Gruppe gab ein seltsames Bild ab.

»Bonjour, Madame, Messieurs.« Huppert steuerte einen Stuhl auf der gegenüberliegenden Seite des Tisches an, Dupin und Nedellec nahmen an ihrer Seite Platz.

»Wären Sie so freundlich, uns zu erklären …«, hob Flore Briard umgehend in scharfem Ton an.

»Wir haben nicht vor, unsere Zeit mit Geplänkel zu verschwenden, Madame Briard.« Huppert nahm sie fest in den Blick. »Unter Ihnen dreien befindet sich ein mehrfacher

Mörder, der in den Besitz von wertvollem Schmuck gelangt ist. Er gehört der Tante der Trouin-Schwestern. – Wir wissen alles.«

Huppert ließ den Satz wirken.

Auf den Gesichtern der drei waren deutliche Reaktionen zu beobachten, selbst auf dem von Joe Morel.

»Schmuck? Von Lucilles Tante?« Briard reagierte als Erste, sie versuchte ein Lächeln, das unfreiwillig schief geriet. »Das ist grotesk. Sie denken, alle wurden wegen irgendwelchem Schmuck ermordet? Juwelen oder was? – Ich jedenfalls weiß nichts davon.«

Wie immer war bei ihr vollkommen unmöglich zu sagen, ob ihre Aufregung echt war oder gespielt.

»Gerade Sie könnten von dem Schmuck wissen, Madame. Sie sind Lucille Trouins engste Vertraute, arbeiten mit ihr zusammen, besitzen keine Alibis für die fraglichen Zeiten und könnten das Geld gut gebrauchen«, stellte Huppert trocken fest.

»Wie gesagt: Es ist grotesk! Und infam«, wiederholte Briard mit aufgebrachter Stimme.

»Wie steht es mit Ihnen, Monsieur Clément?«, fragte Nedellec angriffslustig. »Was sagen Sie? Auch Sie arbeiten mit Lucille Trouin zusammen, bisher zumindest. Hat sie Sie in irgendeiner Weise für ihre Pläne engagiert? Oder haben Sie zufällig von dem Schmuck erfahren und auf eigene Faust gehandelt?«

Dafür, dass Nedellec eben erst in Dupins Überlegungen eingeweiht worden war, machte er seine Sache ganz gut, fand Dupin.

»Ich? – Nein!« Der junge Starkoch war eindeutig verunsichert, Nedellecs Offensive tat seine Wirkung, interessanterweise stärker, als Dupin erwartet hatte. »Ich habe damit nichts zu tun. – Und so viel kriege ich von Madame Trouin auch gar nicht mit. Sie ist bloß meine Chefin. – Ich bin unschuldig, ich schwöre es!«

Er machte eine fahrige Geste.

»In der letzten Zeit hatten Sie auch mit Blanche Trouin zu tun. Mit beiden Schwestern also«, setzte Nedellec so unbestimmt wie unbarmherzig nach. »Sie haben mit Sicherheit irgendetwas gesehen oder gehört.«

Auf Cléments Stirn bildeten sich Schweißtropfen.

»Gar nichts. Ich habe absolut nichts gesehen oder gehört.«

Dupin intervenierte: »Warum sind Sie dann derart nervös, Monsieur Clément?«

Er druckste. »Ich bin nicht nervös.«

»Sie sind sogar sehr nervös.«

Eine kleine Pause, dann stammelte Clément: »Weiß meine Chefin jetzt von Blanches Angebot? Dass ich bereits unterschrieben habe? Dann – dann habe ich gar keinen Job mehr.«

Darum ging es ihm also. Aus seiner Sicht – seine Unschuld vorausgesetzt – ein verständlicher Punkt.

»Machen Sie sich keine Sorgen, Monsieur«, Huppert blieb wie immer sachlich, »Madame Trouin wird in der nächsten Zeit andere Probleme haben, als dieser Enttäuschung nachzugehen. – Wo waren Sie heute zwischen fünfzehn und sechzehn Uhr?«

»Ich war im Restaurant, vielleicht bis kurz vor drei, und dann bin ich nach Hause gefahren, um ein bisschen zu schlafen.«

»Kann das jemand bezeugen?«

»Nein.«

»Dann haben Sie auch für heute kein Alibi«, resümierte Nedellec mit einer Art Genugtuung.

Dupin hingegen spürte, wie heftiger Missmut in ihm aufkam. Das Gespräch lief ins Nichts.

Huppert wandte sich an Joe Morel in seinem schwarzen T-Shirt und der ausgewaschenen Jeans:

»Lucille Trouin und Sie haben sich in letzter Zeit wieder angenähert, Monsieur Morel, außerdem erben Sie den gesamten Besitz Ihres Bruders und seiner Frau, zu dem neuerdings auch gestohlener Schmuck gehören könnte. Es wäre sehr wohl vorstellbar, dass Sie involviert sind.«

Die Kommissarin hatte es mit energischer Stimme, inhaltlich aber vorsichtig formuliert.

Morel lehnte sich zurück, ehe er antwortete.

»Was soll ich sagen«, er zuckte völlig unbeeindruckt mit den Achseln, »ich habe keine Ahnung von alldem. – Und ein überprüfbares Alibi für heute Nachmittag habe ich auch nicht.«

Dupin raufte sich die Haare. Das Problem war, dass Huppert, Nedellec und er über nichts verfügten, mit dem sie zumindest einen der drei wirklich aus der Reserve locken konnten.

Auch Huppert war mit ihrer Geduld am Ende: »Dann müssen wir halt zu anderen Maßnahmen greifen. – Ich werde mich umgehend um Durchsuchungsbefehle für Ihre Häuser kümmern.«

»Die werden Sie nicht bekommen.« Flore Briard war unverhohlen aggressiv.

Joe Morel blickte gleichgültig, als würde ihn das Ganze nichts angehen, Clément sagte bloß: »Bei mir werden Sie nichts finden.«

Dupin erhob sich ruckartig. Er war es endgültig leid, er hielt es nicht mehr aus.

Aus seinem Verdruss war Groll geworden, denn gerade

passierte, was sie unter allen Umständen hatten vermeiden wollen: Sie verloren die Bewegung, die eben in die Ermittlung gekommen war, die Bewegung nach vorne.

»So wird das alles nichts. Wir müssen noch einmal mit Lucille Trouin sprechen.« Dupin redete, als wären die drei Verdächtigen Luft, und ging zur Tür. »Wir müssen versuchen, irgendetwas aus ihr rauszukriegen. Ihr muss klar sein, dass wir von dem Schmuck und dem Diebstahl wissen.«

Es war zum Verrücktwerden. Die ganze Zeit, die sie sich hier abmühten, hielt Lucille Trouin sich im selben Gebäude auf, ganz in ihrer Nähe, es war wie eine andauernde Provokation. Zuerst hatte sie Dupin durch ihr Schweigen auflaufen lassen und verspottet und danach durch ihr hanebüchenes Geständnis: »Es war bloß eine Affekthandlung«. Zwar mochten auf dem Markt im entscheidenden Moment tatsächlich die Emotionen hochgekocht sein, dennoch, Dupin war überzeugt, sie war eine kaltblütige Mörderin, die zielstrebig ihr Motiv verfolgt hatte: an den Schmuck gelangen, um ihn dann zu Geld zu machen.

»Dupin, warten Sie!«, rief Huppert.

Es war zu spät, er war bereits draußen.

Huppert wandte sich an Briard, Morel und Clément: »Wir sind hier fertig.«

Schon eilte die Kommissarin Dupin hinterher.

Kurz vor der Tür drehte sie sich noch einmal kurz um: »Nedellec, Sie begleiten die Herrschaften raus.«

Huppert schloss zu Dupin auf. »Trouin wird ihren Anwalt dabeihaben wollen.«

Die Kommissarin schien mit Dupins Vorstoß einverstanden zu sein.

Sie erreichten den Aufzug.

»Ich regle alles, Dupin. Wir treffen uns hier in dreißig Minuten.«

»Bis gleich.«

Dupin brauchte unbedingt frische Luft. Ein Stück Welt und Wirklichkeit. Er musste sich die Füße vertreten, etwas Salz und Jod atmen.

Er hatte das Kommissariat verlassen und war erneut zum großen Stadtstrand gelaufen, auch wenn er nicht viel Zeit hatte. Erst unmittelbar vor der Wasserlinie war er stehen geblieben.

Noch auf dem Weg von Saint-Suliac hierher war der Himmel klar gewesen – die Sonne war bereits weit zum Horizont hinabgestiegen –, nun hatte es sich verfinstert. Große dunkle Wolken, bedrohlich, so wie am späten Mittag schon einmal, nur waren es diesmal viel mehr. Hier und da sah man bizarr geformte Wolkenlöcher, durch die die untergehende Abendsonne fiel, die alles aufzubieten schien, was es an Rot-, Lila-, Orange-, Rosa-, Pink- und Gelbtönen gab. Ein hochdramatischer Effekt.

Das Meer hatte sich bereits verdunkelt, das Smaragdgrün verendete in einem finsteren Grünschwarz – nur dort, wo die Sonnenstrahlen auf die Wasseroberfläche trafen, war es noch erhellt. So sehr, dass es blendete. Auch die heftigen Böen von vorgestern waren zurück, ebenso die Wellen, die mit ihrer Gischt das Meer in der Luft verbreiteten.

Dupin musste sich konzentrieren, auf eine einzige Frage, und alle anderen außen vor lassen, so wichtig sie sein mochten: Wo befand sich der Schmuck?

Das war es. Das war die Frage.

Nachdem er eine Weile dagestanden hatte, schaute er auf die Uhr. Das Gespräch mit Lucille Trouin stand an. Das zweite. Es war ein kurzer Gang gewesen, aber es hatte gutgetan.

Zehn Minuten später erreichte er erneut den Verhörraum, wo sie kurz zuvor noch mit Briard, Morel und Clément gesessen hatten. Zimmer 318.

Fast im selben Augenblick traf Huppert ein, ein wenig außer Atem.

»Alle sind da. – Ich bin mit Nedellec wieder nebenan.«

»Gut.«

Dupin trat ohne Hast ein. In aller Seelenruhe schloss er die Tür hinter sich.

Lucille Trouin wirkte gefasst, souverän, noch jetzt war ihr ein unbeugsamer Stolz anzumerken. Kein Zeichen einer Verunsicherung oder einer besonderen Traurigkeit – obwohl sie erst vor Kurzem von Charles Braz' Tod erfahren hatte. Sie schien sich für das Verhör neu geschminkt zu haben, die Augenbrauen wirkten noch schwärzer, noch betonter als am Nachmittag, der Teint noch matter. Der rötliche Schimmer in ihrem Haar war ohne das Tageslicht nicht mehr zu sehen.

»So schnell sieht man sich wieder.« Dupin steuerte auf den Stuhl zu, lief dann aber an ihm vorbei und blieb vor dem Tisch stehen, auf dessen anderer Seite Trouin und ihr Anwalt saßen.

»Einen Moment …« Dem Anwalt – heute Abend in einem auffälligen altrosafarbenen Polohemd – schien noch etwas eingefallen zu sein, er rückte nah an Trouin heran und flüsterte ihr etwas zu. Anschließend sie ihm. Es ging ein paarmal hin und her.

»Gut. Madame Trouin ist bereit. Worum geht es zu so später Stunde? Am besten …«

»Wir wissen jetzt, worum es geht.« Dupin fixierte Lucille

Trouin, er sprach langsam und nicht allzu laut. »Sie haben Ihre Schwester getötet, um an besonders wertvollen Schmuck Ihrer Tante zu kommen. Es war mehr als eine Affekthandlung.«

Dupin machte eine Pause.

Lucille Trouins Augen hatten sich, meinte Dupin, ein wenig geweitet. Es war die einzig sichtbare Reaktion. Ihre Selbstkontrolle war extrem, es musste enorme Anstrengung erfordern. Unmöglich zu ergründen, was in ihr vorging.

Sie strich sich mit der linken Hand eine Strähne aus dem Gesicht, Dupin bemerkte, wie schmal ihre Hände und Handgelenke waren.

Dupin trat näher an den Tisch heran und stützte sich mit seinen Händen ab. Er nahm den Faden wieder auf:

»Das ist der Kern der Geschichte. So simpel ist es. – Sie wollten den Schmuck. Durch seinen Verkauf hätten Sie den Bankrott abwenden und die Früchte Ihrer lebenslangen Arbeit sichern können. Das wäre Ihre Rettung gewesen. Vielleicht hätte die Summe Ihnen sogar noch bei der Umsetzung Ihrer ambitionierten neuen Pläne geholfen. – Wie auch immer, viel entscheidender war es für Sie, nicht zur Verliererin zu werden im unerbittlichen Wettkampf mit Ihrer Schwester. Dafür waren Sie bereit, alles zu tun. Und sind es immer noch.«

Es war gespenstisch. Lucille Trouin saß unverändert da, wie eine Wachspuppe. Kein Blinzeln, kein Zucken der Lippen, nicht einmal ein erkennbares Heben und Senken ihres Oberkörpers, nichts.

»Wie sich alles im Detail abgespielt hat«, Dupin hob die Stimme, »ob jemand für Sie gemordet hat oder von sich aus aktiv geworden ist und wer das war – Flore Briard, Joe Morel oder Colomb Clément –, all das werden wir bald herausfinden. Und auch welche Rolle Ihr Ex-Lebensgefährte Charles Braz dabei spielte und was mit ihm passiert ist.«

»Ich bin gespannt.«

Der Satz war fast nicht zu hören gewesen, so leise hatte sie gesprochen.

»Ihre Theorie ist vollkommen aberwitzig, Monsieur. – Alles daran.«

Sie stand auf.

»Meine Mandantin hat zu Ihren Anschuldigungen nichts weiter zu sagen.« Der Anwalt bemühte sich um eine formelle Haltung. »Ich sehe die Vernehmung hiermit als beendet an.«

Dupin überlegte kurz, ob er auf einer Fortsetzung der Unterredung bestehen sollte. Er verzichtete darauf.

Der Anwalt folgte Lucille Trouin, die bereits an der Tür stand und die Klingel gedrückt hatte.

»Bonsoir, Monsieur le Commissaire«, verabschiedete sich Monsieur Giscard.

Schon hatten die beiden den Raum verlassen.

Dupin blieb alleine zurück.

Mit einem Mal war ein gewaltiger Schlag zu hören. Es kam von draußen. Donner.

Es war schnell gegangen, ein Gewitter hatte sich zusammengebraut.

»Na, das war ja ein erneuter Reinfall.«

Nedellec hatte den Verhörraum betreten, Huppert hinter ihm. Seine Bemerkung hatte er nicht einmal spöttisch gemeint.

»Ich bin mir noch nicht sicher, ob es das war«, kommentierte Huppert und kam sofort zu einem anderen Thema: »Das Team aus Braz' Haus hat sich gemeldet. Sie haben keinen Schmuck gefunden. Übrigens …«

Ein dröhnender Donner unterbrach die Kommissarin, rasch gefolgt von einem zweiten, sie wartete geduldig, bis auch dieser verklang.

»Übrigens hatte ich den Gerichtsmediziner gebeten, noch einmal die Kleidung des Toten zu durchsuchen. – Er hat nichts gefunden.«

»Eigentlich müssten wir auch die Läden von Charles Braz, Lucille Trouins Restaurant und ihren Käseladen in der Rue de l'Orme durchsuchen lassen. – Und im Prinzip auch die Häuser und Geschäftsräume der anderen Verdächtigen.«

»Das wächst sich ziemlich aus«, brummte Nedellec.

»Zunächst die Geschäftsräume von Charles Braz und Lucille Trouin«, Huppert war wild entschlossen, »und dann sehen wir weiter.«

»Wer auch immer im Besitz des Schmucks ist und für ihn gemordet hat«, Nedellec runzelte heftig die Stirn, »wird ihn gut versteckt haben. – Wie sollen wir ihn ohne einen Hinweis finden? Wir wissen noch nicht einmal genau, worum es sich handelt. Ein Ring, eine Kette, eine Brosche? Mehrere verschiedene Stücke?«

Das war das Dilemma.

»Sie könnten den Schmuck zudem an jedem anderen Ort versteckt haben, außerhalb ihrer eigenen Räume, eigentlich wäre das doch viel klüger.« Nedellec überbot sich selbst mit immer neuen Einwänden.

»Ich habe übrigens«, Huppert sprach mit ungewohnt grimmiger Miene, »die ständige Überwachung von Briard, Morel und Clément angeordnet. Sie werden keinen Schritt mehr machen, ohne dass wir davon wissen.«

»Ausgezeichnet.«

Dupin lief zum Fenster.

»Und wenn es gar nicht um Schmuck geht?« Nedellec gab sich nachdenklich. »Wenn wir uns auf dem Holzweg befinden? Vielleicht jagen wir bloß einem Phantom nach.«

Mit einem hatte er auf jeden Fall recht: Es fühlte sich so an, als gelangten sie bei der Verfolgung dieser Theorie überall in Sackgassen. Objektiv war die Skepsis berechtigt. Natürlich konnte Dupin sich irren, eine falsche Fährte aufgenommen haben – und ihr nun immer verbissener folgen. Das war ihm schon früher passiert. Dennoch: Sein Instinkt sagte ihm, dass sie dranbleiben mussten. In verzweifelten Situationen wie dieser, wenn er begann, schwarzzusehen, baute ihn Nolwenn gerne mit einer alten Lebensweisheit auf, die für nicht bretonische Ohren makaber klingen mochte: *Manchmal muss man erst ein paarmal sterben, um zu beweisen, dass man krank ist.* Bretonisch kurios, aber wahr.

»Es ist die beste Hypothese, die wir im Augenblick haben. Und die einzige. Ich sage, wir verfolgen sie so lange, bis sie uns zur Lösung führt. Oder bis wir eine bessere haben«, stellte Huppert mit streng sachlicher Logik fest.

Dupin war froh, es war eine solidere Argumentation, als bloß auf sein Gefühl zu verweisen.

»Und was schlagen Sie vor, was sollen wir jetzt tun?« Nedellec schien glücklicherweise keine Grundsatzdiskussion führen zu wollen.

»Die Durchsuchung von Trouins Wohnhaus ist im Gange, die Überwachungen der Verdächtigen laufen, und ich gebe die neuen Aufträge gleich durch – im Moment können wir nur abwarten und weiter nachdenken.« Huppert kam zu Dupin ans Fenster, während sie sprach.

Es hatte schlagartig heftig zu regnen begonnen. Dicke Tropfen klatschten gegen die Scheiben. Aus den kräftigen Böen drohte ein regelrechter Sturm zu werden, es war deutlich zu hören, auch durch die geschlossenen, gut isolierten Fenster. Ein Lärm wie tosende Brandung. Überall schepperte und klapperte es. Das Licht einer flackernden Straßenlaterne fiel auf Hupperts Gesicht, Dupin bemerkte, wie abgekämpft sie aussah, die dramatischen Tage hatten ihre Spuren hinterlassen. Bei ihnen allen.

»Ich sehe es genauso,« bestätigte Dupin, der Hupperts Worte als Signal zum Aufbruch verstanden hatte.

Er benötigte dringend Zeit für sich, die letzten Stunden waren ein atemloser Galopp gewesen. Und sehr viel »Team«. Sich hier weiter gemeinsam die Köpfe zu zermartern, würde ihnen nichts bringen. Vor allem brauchte Dupin Koffein. Um überhaupt in der Lage zu sein, mit seinen Gedanken neu anzusetzen.

Huppert warf einen Blick auf die Uhr.

»Wir brauchen jetzt alle etwas Ruhe und sehen uns dann morgen früh wieder. Die Präfekten haben uns für acht Uhr in die Polizeischule beordert, das Abendessen haben sie bereits beendet.« Dupin meinte ein Seufzen zu hören. »Wir drei sollten uns schon um halb acht treffen.«

Allgemeines Nicken.

»*Café du Théâtre*, Saint-Servan«, die Kommissarin hielt bereits auf die Tür zu. »Sie kennen es ja, Dupin.«

Niemand widersprach. Nedellec und Dupin folgten der Kommissarin.

Dieses Mal seufzte Huppert vernehmlich: »Ich musste den Präfekten versprechen, dass wir mit einer ›heißen Spur‹ kommen.«

Draußen brach erneut lauter Donner los.

»Wie immer? – Der *J.M*-Rum?«

Der sympathische Wirt des *Bistrot de Solidor* war neben Dupin am Tisch erschienen.

Der Kommisssar hatte sich gerade erst niedergelassen, auf den wenigen Metern zwischen Parkplatz und Bistro war er triefnass geworden. Die Jeans und das Polohemd klebten an seiner Haut.

Das Restaurant hatte sich bereits geleert, lediglich zwei Tische waren noch besetzt.

»Einen doppelten, bitte. Und einen *café*. – Ist die Küche noch geöffnet?«

Sie hatten das berühmte Restaurant in Cancale heute Abend ja leider verpasst. Und er musste dringend etwas essen.

»Wir haben noch eine letzte Portion des Tagesgerichts. *Pluma de Porc purée de pommes de terre.* Die Schweine kommen von einer Biofarm aus der Gegend, schwarze Schweine, viel besser als das Ibérico-Schwein. Mit Honig-Balsamico glaciert. Und das Kartoffelpüree ist aus *vitelottes*, den kleinen lila Kartoffeln. – Dazu einen samtigen Languedoc?«

»Unbedingt.«

Der Besitzer lächelte zufrieden. »Das ist genau das Richtige nach einem solchen Tag.«

Natürlich hatte er von den Geschehnissen gehört. Im regionalen Radio, Fernsehen und auf den Internetseiten der Zeitungen wurde von nichts anderem berichtet. Dupin war froh, dass der Besitzer es dabei beließ und Richtung Küche verschwand.

Er hatte sein Notizheft herausgeholt.

Wo könnte sich der Schmuck bloß befinden? In wessen Besitz war er?

Dupin starrte auf die bekritzelten Seiten. Blätterte beliebig hin und her.

Der Ton seines Handys riss Dupin aus den unzusammenhängenden Gedanken.

Huppert.

»Nedellec ist auch in der Leitung, Dupin. Bei der abermaligen Durchsuchung von Lucille Trouins Haus wurden achtzehn Schmuckstücke sichergestellt, Ringe, auch mit Steinen, Ketten und Ohrringe. Was natürlich erst einmal nicht verwundert – es könnte sich um ihren eigenen Schmuck handeln. Sie bewahrt ihn in einer Holzschatulle im Schlafzimmer auf, die bereits Montag im Protokoll der Durchsuchung vermerkt wurde. – Die Kollegen haben alles mitgenommen. Keines der Teile sieht außergewöhnlich wertvoll oder besonders alt aus, aber das kann natürlich nur ein Experte feststellen. Wer weiß – vielleicht hat Lucille Trouin den gestohlenen Schmuck inmitten ihres eigenen Schmucks versteckt. Nirgendwo kann man etwas so gut unsichtbar werden lassen wie am offensichtlichsten Ort. Da sucht man gewöhnlich zuallerletzt.«

»Ohne Madame Allanics Hilfe gibt es keine Möglichkeit, herauszufinden, ob sich der gestohlene Schmuck in Lucille Trouins Schatulle befindet«, stellte Nedellec klar.

»Dennoch sollten wir den Wert des gesamten Inhalts bestimmen lassen. Dann wissen wir, ob sich in der Schatulle überhaupt etwas von außergewöhnlichem Wert befindet oder nicht.«

Huppert hatte recht, es war ein erster Schritt.

»Der Experte soll sich umgehend an die Arbeit machen.« Dupin spürte, wie die produktive kribbelige Unruhe zurückkam.

»Gut. – Dann bis später.«

Huppert beendete die mitternächtliche Telefonkonferenz.

Dupin griff nach dem Rumglas auf dem kleinen Tablett, das der Wirt während des Telefonates abgestellt hatte.

Er nahm einen großen Schluck. Er mochte das ganz Weiche, in dem sich eine Schärfe verbarg. Das leicht Süßliche und zugleich Würzige. Dupin liebte Gegensätze, ungewohnte Kombinationen. Auch der *café* schmeckte wundervoll zusammen mit dem Rum.

Der Regen prasselte nach wie vor wütend auf die Welt, getrieben von grimmigen Sturmböen. Regelmäßig gingen Blitze nieder, denen mächtiger Donner folgte.

»Et voilà!«

Abermals war der Besitzer des Bistros wie aus dem Nichts aufgetaucht. Dieses Mal mit einem großen Teller.

Das bretonische Schwein schmeckte exquisit: Die Marinade aus Honig und Balsamico war nicht zu süß und das Fleisch butterzart. Das Beste aber war das Kartoffelpüree, Dupin schmeckte einen Hauch Curry und Muskatnuss heraus. Himmlisch, alleine der Geruch machte glücklich.

Mit einem Mal durchfuhr es ihn.

Dupin ließ die Gabel beinahe fallen.

Das könnte es sein. Natürlich!

Was hatte Huppert gerade gesagt: »Nirgendwo kann man etwas so gut unsichtbar werden lassen wie am offensichtlichsten Ort.«

Einen Ort gab es, der noch offensichtlicher war als alle anderen, noch offensichtlicher als Lucille Trouins Schmuckschatulle.

Und wenn es stimmte, was ihm gerade durch den Kopf gegangen war, dann hatte er es schon gesehen. Beides schon gesehen, das Versteck – und tatsächlich auch den Schmuck. *Das Schmuckstück.* Ein ganz bestimmtes.

Abrupt fuhr er hoch.

Es wäre völlig verrückt. Wie wild schossen ihm die Gedanken durch den Kopf.

Er ließ ein paar Scheine liegen, und schon war er auf dem Weg zur Tür.

Sobald er draußen war, griff er nach seinem Handy. Drückte die Nummer und spurtete zu seinem Wagen.

»Was gibt es?«

»Kommen Sie auf der Stelle ins Kommissariat, Huppert. Ich ...«

»Hallo? Ich höre Sie nicht.«

Natürlich war er bei dem Unwetter nicht zu verstehen. Der Sturm übertönte alles.

»Einen Moment«, schrie er ins Telefon. Gleich säße er im Wagen.

»Hallo?« Huppert schrie jetzt ebenfalls.

Schnell hatte er die Autotür geöffnet, eine Böe presste den apokalyptischen Regen hinein.

»Kommen Sie augenblicklich ins Kommissariat!« Dupin musste immer noch schreien, sehr viel leiser war es im Wagen auch nicht. »Wir sehen uns dort, ich bin bereits auf dem Weg. In drei Minuten bin ich da.«

»Was ist passiert, Dupin?«

»Ich erzähle es dort.«

Schon hatte er aufgelegt.

Die Reifen drehten auf dem nassen Asphalt einen Moment durch, dann machte der Wagen einen großen Satz.

Die Schiebetür des Kommissariats war deaktiviert, für die Nachtstunden gab es einen Seiteneingang.

Dupin klingelte. Als die Tür sich öffnete, stürmte er hinein.

»Ich erwarte Commissaire Huppert«, wandte er sich an die

beiden etwas erschrocken dreinblickenden Polizisten an der Nachtpforte. »Sie muss gleich da sein.«

»Vielleicht wollen Sie oben in ihrem Büro warten? Die 212, zweiter Stock.«

»Danke.«

Dupin war bereits an ihnen vorbeigeeilt. Er kannte den Weg.

In Hupperts Büro angekommen, machte er Licht, begab sich zum Fenster und starrte in die furiose Gewitternacht. Erneut war er bis auf die Haut nass geworden, die Kleidung klebte noch schlimmer an ihm als vorhin. Auf dem Boden hinterließ er Wasserspuren.

»Da bin ich.«

Dupin wäre beinahe zusammengezuckt, Huppert stand im Türrahmen. Über ihrem Arm hing ein dunkelblauer Regenmantel.

Das war schnell gegangen. Dupin fiel ein, dass er gar nicht wusste, wo sie wohnte, offensichtlich ganz in der Nähe. Oder sie war noch unterwegs gewesen.

»Was ist los, Dupin?«

»Wir müssen noch einmal mit Lucille Trouin sprechen, auf der Stelle.«

Die Kommissarin hängte in aller Ruhe den Mantel auf.

»Zuerst erklären Sie mir, was …«

Ein fahles Licht durchfuhr das Zimmer. Ein Blitz. Dann explodierte ein besonders lauter Donnerschlag. Das Gewitter wollte nicht nachlassen.

»Verdammt«, Dupin hatte es in seinem Furor völlig vergessen, »rufen Sie Trouins Anwalt an. Er soll sich umgehend auf den Weg machen.«

Huppert schien sich eine Weile nicht sicher zu sein, wie sie sich verhalten sollte.

»Ich erkläre Ihnen alles, Huppert, versprochen. – Wie eben.«

Sie schaute ihn aufmerksam an.

»Wieder so ein Einfall?«

»Wieder so ein Einfall«, nickte Dupin.

»Gut«, sie hatte sich entschieden. Dafür übernahm sie jetzt das Kommando: »Sie warten hier. Ich organisiere alles. Und gebe Ihnen Bescheid. – Sie rühren sich nicht von der Stelle.«

Dupin hatte keine Ahnung, was sie befürchtete, doch wenn das die einzige Bedingung war …

»Einverstanden. – Aber wir müssen das Gespräch in ihrer Zelle führen.«

»Ich frage jetzt nicht, warum.«

Schon war sie verschwunden.

Dupin begann, unruhig auf und ab zu laufen. Die Böen ließen den Regen frontal gegen die Fensterscheibe klatschen, immer wieder waren kleine abgebrochene Äste dabei. Wahrscheinlich von den beiden Bäumen unweit des Fensters. Ihre schwarzgrünen Schemen bewegten sich wild hin und her, von unsichtbaren Kräften heftig malträtiert.

Dupin war außerstande, einen klaren Gedanken zu fassen – er wollte es jetzt einfach wissen. Nur noch darum ging es: herauszufinden, ob es so war, wie er es sich dachte.

Es dauerte geschlagene vierundzwanzig Minuten, bis Huppert wieder bei ihm erschien, eine Ewigkeit. Es war Viertel vor eins.

»Okay. Wir sind so weit. Der Anwalt ist schon da. – Ich komme mit rein.«

Dupin war es recht.

Sie liefen zum Treppenhaus.

»Ich erreiche Nedellec nicht«, rief Huppert, als sie die Treppen hinunterliefen. »Ich habe ihm aufs Band gesprochen.«

Schon waren sie auf der ersten Etage angekommen. Die Untersuchungszelle befand sich am Ende des Ganges.

»Da sind wir.«

Huppert öffnete die Tür, ohne anzuklopfen.

Ein steriler, länglicher Raum tat sich auf. Ein einigermaßen diskret vergittertes Fenster, ein kleiner Tisch und zwei Stühle in einem tristen Grünton. Die Wände kahl und weiß, ein Bett, ein Nachttisch. Ein schmaler Schrank, für Kleidung und persönliche Dinge. Kaltes, klinisches Licht.

Lucille Trouin und ihr Anwalt saßen an dem kleinen Tisch.

Der Anwalt schnellte hoch.

»Jetzt reicht es aber!«

Sein eher konzilianter Tonfall widersprach der beabsichtigten Drastik des Auftrittes. Es machte den Eindruck einer pflichtbewussten Show.

»Meine Mandantin muss sich das nicht bieten lassen, sie hat bereits geschlafen und …«

»Sparen Sie sich das.«

Dupin ging schnurstracks auf Lucille Trouin zu und blieb direkt vor ihr stehen. Huppert hatte sich neben der Tür an die Wand gelehnt.

Dupin musterte sie unverhohlen. Ihren Oberkörper, ihren Hals.

Aber natürlich hatte sie sich zum Schlafen umgezogen. Sie trug ein langärmeliges blaues T-Shirt und eine weite schwarze Baumwollhose. Die pechschwarzen Haare waren zerzaust, eigentlich machte es sie noch hübscher. Auch dass sie ungeschminkt war.

»Worum geht es, Commissaire?« Der Anwalt bemühte sich um eine energische Wirkung seiner Worte.

Dupin hatte sich von Trouin abgewandt und ging auf den schmalen Schrank zu.

»Was haben Sie vor, Commissaire?«, beharrte der Anwalt.

Anstatt einer Antwort begann Dupin, mit ruhigen Bewegungen den Schrank zu öffnen.

»Was soll das?« In Trouins Stimme lag merkliche Aufregung. »Lassen Sie das! Darf er das überhaupt?«

Sie drehte sich hektisch zu ihrem Anwalt.

»Hm. Schwierig. – Wenn es die Umstände erfordern.« Er zögerte. »Ich …«

»Er darf das«, intervenierte Huppert rabiat.

Der Schrank stand nun sperrangelweit offen.

Auf halber Höhe war eine Kleiderstange montiert. Darüber mehrere Fächer mit Kleidung. Kleidung, die Charles Braz und Flore Briard hierhergebracht hatten.

Dupins Blick wanderte penibel das Innere des Schranks ab.

An der Kleiderstange hingen Bügel. Eine Jacke, eine Hose, zwei Blusen und ein schwarzer Pullover, vermutlich der, den sie am Mittag getragen hatte.

»Wir müssen den Schrank vollständig ausräumen«, erklärte Dupin.

Huppert und der Anwalt sahen ihm stumm zu. Lucille Trouin rutschte unruhig auf ihrem Stuhl hin und her.

»Wir müssen uns jedes Stück einzeln …«

Dupin sprach den Satz nicht zu Ende.

Er hatte etwas gesehen. Er griff nach dem Kleiderbügel mit dem schwarzen Pullover.

An dem Bügel hing, es war kaum zu sehen, noch etwas anderes. Unter dem Ausschnitt schimmerte etwas.

Eine Kette.

Eine silberne Kette.

Die Kette, die Lucille Trouin heute Mittag und auch heute Abend getragen hatte, Dupin erinnerte sich gut.

Eilig holte er sie unter dem Pullover hervor.

Unwillkürlich breitete sich ein Lächeln auf seinem Gesicht aus.

An der Kette hing ein Stein.

Ein beachtlicher blauer Stein.

»Lassen Sie die Kette in Ruhe. Sie ist ein Andenken von meiner Mutter.« Madame Trouin sprang auf.

Huppert schien etwas Derartiges erwartet zu haben. Sie versperrte ihr den Weg.

In diesem Moment öffnete sich die Tür, und Nedellec kam keuchend herein. Er musste gerannt sein.

»Was ist hier los?«, schoss es aus ihm heraus.

»Gleich, Nedellec«, entspannte Huppert die Situation. »Wir haben alles im Griff.«

Dupin schritt ohne Hast auf Lucille Trouin zu, die wie versteinert wirkte, ihren Blick starr auf die Kette gerichtet.

»Darum geht es – nur darum.« Dupin sprach ganz ruhig.

»Um diesen Stein. Das ist es. – Die Kette gehört Ihrer Tante. Ich nehme an, es ist ein äußerst wertvoller Stein.«

Lucille Trouin blieb stumm, ihre Gesichtszüge ausdruckslos.

»Hier? In ihrer Zelle?« Nedellec näherte sich. »Sie hat den Schmuck hier versteckt?«

Er sprach, als wäre Lucille Trouin nicht anwesend.

»Ein perfektes Versteck. Fast.« Auch Huppert fixierte die Kette mit dem Stein.

»Für diesen Stein wurde gemordet.« Dupin hatte ihn in der Hand, die Kette baumelte herunter. »Er ist das Zentrum der gesamten Geschichte«, er warf Lucille Trouin einen durchdringenden Blick zu, »die wir nun sicher bald in allen Details hören werden.«

Trouin schien sich wieder gefangen zu haben. »Wie gesagt, es handelt sich um ein altes Erbstück von meiner Mutter.«

Es war in höchstem Maße zynisch. Und sie wusste, dass

sie diese Behauptung nicht überprüfen und somit auch nicht widerlegen konnten. Nur Madame Allanic könnte es, theoretisch.

»Ich habe die Kette lange nicht getragen, ich hatte sie beinahe vergessen, aber seit ein paar Monaten trage ich sie wieder regelmäßig. Auch am Montag, als ...«

Huppert war es, die ihr ins Wort fiel:

»Jemand muss ihr die Kette ins Kommissariat gebracht haben. Am Abend der Verhaftung habe ich sie nicht gesehen, ich bin mir ganz sicher. Heute hat sie sie getragen, ich erinnere mich. – Aber vorgestern definitiv nicht.«

Sie atmete tief ein, eine ungewöhnlich pathetische Geste für die sonst so nüchtern agierende Kommissarin.

»Und dieser jemand war entweder Charles Braz oder Flore Briard. Nachdem er oder sie Morel und Richard umgebracht hatte, um an die Kette zu kommen. Damit wurden zudem die einzigen Mitwisser ausgeschaltet.«

Genau das war Dupin durch den Kopf gegangen, als er eben im Bistro den Einfall mit der Kette gehabt hatte. Beide, Briard und Braz, hatten Lucille Trouin Sachen ins Kommissariat gebracht. Irgendwie war es einem der beiden gelungen, die Kette hineinzuschmuggeln. Charles Braz vielleicht bei der Umarmung, oder Flore Briard mit den Sachen, die sie abgegeben hatte.

»Ich werde den Schmuckexperten, den wir engagiert haben, umgehend ins Kommissariat bestellen.« Huppert wurde pragmatisch. »Und jemanden zu Flore Briard schicken. Ich lasse sie vorläufig festnehmen.«

»Wir sollten lieber selbst zu Briard fahren und sie überraschen. Damit ihr keine Zeit zum Nachdenken bleibt.« Dupin wollte nichts mehr riskieren.

»Gut. Statten wir ihr einen Besuch ab!«

Dupin reichte Huppert die Kette.

Der Anwalt, der der Szene stumm beigewohnt hatte, fand seine Worte wieder: »Sie können den persönlichen Besitz meiner Mandantin nicht so ohne Weiteres an sich nehmen.«

»Und ob ich das kann. Ich denke, die Zusammenkunft hier hat ihren Zweck erfüllt, Monsieur Giscard, sie ist hiermit beendet. – Es sei denn«, Huppert sprach Lucille Trouin nun direkt an, »Sie möchten noch etwas sagen, und damit meine ich: ein Geständnis ablegen. Ist dem vielleicht so?«

»Es handelt sich«, Trouins Stimme war fest, »um ein Schmuckstück, das sich bereits seit zwanzig Jahren in meinem Besitz befindet. Ich habe die Kette schon vorgestern getragen, egal, was Sie sagen.«

»Dann müsste sie bei den Dingen, die Sie bei Ihrer Verhaftung bei sich trugen, aufgelistet sein. Natürlich wurde alles vorschriftsgemäß registriert. – Das lässt sich leicht klären.«

Ohne eine Reaktion abzuwarten, ging die Kommissarin zur Tür. Dann drehte sie sich noch einmal um:

»Sie können gerne noch einen Moment mit Ihrer Mandantin verbringen, Monsieur Giscard. Ich schließe die Tür ab. Wenn Sie rauswollen, müssen Sie den Klingelknopf neben der Tür drücken, draußen stehen zwei Kollegen.«

Nedellec und Dupin verließen mit ihr den Raum.

Das Gewitter ließ endlich nach. Nur selten noch waren Donnerschläge zu hören, und auch der Regen war schwächer geworden.

Kommissarin Huppert saß an ihrem Schreibtisch, Nedellec und Dupin ihr gegenüber, sie schaute zufrieden. Die Kette lag vor ihr auf dem Tisch. In ihren Händen hielt sie die Liste, die vorgestern Abend nach Lucille Trouins Verhaftung erstellt worden war.

»Es ist keine Kette aufgeführt. Das war doch klar. – Und natürlich auch nicht bei den Sachen, die Charles Braz und Flore Briard ihr gebracht haben.«

»Sie wird es trotzdem weiter behaupten. Auch dass es ein Erbstück ihrer Mutter ist. – Sie wird es auf eine Schlampigkeit der Beamten schieben, dass die Kette nicht aufgelistet wurde, und ihr Spiel unbeeindruckt weiterspielen.« Nedellec hatte leider recht. »Wir brauchen stichhaltigere Beweise. Zuerst einmal müsste feststehen, dass der Stein tatsächlich von außergewöhnlichem Wert ist – und dann müssten wir zweifelsfrei belegen können, dass er Madame Allanic gestohlen wurde.«

»Die Kollegen der Überwachung haben übrigens bestätigt, dass Flore Briard zu Hause ist.« Huppert war schon einen Schritt weiter. »Aber zuerst der Schmuckexperte. Er müsste bald eintreffen. Er bringt seine mobile Ausrüstung mit. Wir werden heute Nacht sicher keine endgültige Auskunft bekommen, aber eine erste Einschätzung wird genügen.«

»Sollten wir den Stein nicht doch Madame Allanic zeigen und sehen, wie sie reagiert? Eventuell vermag sie ihn ja trotz ihres Zustandes zu identifizieren.«

Nedellec sprach aus, was auch Dupin durch den Kopf gegangen war. Natürlich wäre es eigentlich der einfachste Weg. Aber er hatte es sofort wieder verworfen.

»Ich befürchte, es würde zu nichts führen.« Dupin konnte es sich, so wie er Madame Allanic erlebt hatte, beim besten Willen nicht vorstellen.

»Sie ist«, bestätigte Huppert, »zu einer belastbaren Aussage gar nicht in der Lage. Zudem müsste sie den Besitz der Kette

mit Dokumenten belegen können. Die Aussage einer dementen Dreiundneunzigjährigen alleine würde uns nicht helfen.«
»Vielleicht existieren Versicherungsnachweise«, bemerkte Nedellec.

»Wenn der Schmuck denn überhaupt versichert ist.« Gerade in Familien mit altem Vermögen war das häufig nicht der Fall, wusste Dupin. »Und um an die Unterlagen zu kommen, müssten wir mit Madame Allanic sprechen.«

»Ich würde vorschlagen, wir warten erst einmal ab, was der Experte zum Wert der Kette sagt – dann sehen wir weiter. Vielleicht weiß ja die Haushälterin, ob der Schmuck versichert ist und wo sich die Dokumente befinden«, schlug Huppert vor.

In diesem Moment klingelte Dupins Handy. Rasch warf er einen Blick aufs Display. Claire. Er drückte den Anruf weg, so unglücklich es war, es ging jetzt nicht.

Dupin stand auf und griff nach der Kette.

Er betrachtete den Stein.

Er war beinahe rund und akkurat geschliffen, von einer filigranen silbernen Konstruktion eingefasst. Dupin schätzte den Durchmesser auf eineinhalb Zentimeter, vielleicht etwas mehr. Das, was einem am meisten ins Auge stach, war sein außergewöhnliches Blau. Ein funkelndes, permanent changierendes magisches Blau, das vom Rand aus nach innen hin immer intensiver wurde – von einem hellblauen Schimmern bis zu einem tiefblauen Leuchten. Unendliche Nuancen, die sich mit jeder Bewegung und mit jedem minimal veränderten Blickwinkel wieder wandelten. Beim näheren Hinsehen verlor man sich in endlos vielen sich spiegelnden und überlagernden Dreiecken, die alle jeweils andere Blautöne aufwiesen. Immer mehr Ebenen und Facetten taten sich auf – bis einem schwindelig wurde.

»Ein Diamant. Ein blauer.«

Nedellec, der jetzt neben Dupin stand, markierte den Experten. Immerhin, Dupin hätte nicht einmal die Edelsteinart benennen können.

»Einen Moment.« Dupin hatte eine Idee, er legte den Stein zurück auf den Tisch, holte sein Handy hervor und aktivierte die Freisprechfunktion.

Es dauerte, ehe der Angerufene abnahm – verständlich, es war gleich Viertel vor zwei.

»Chef? – Was ist?« Eine schläfrige Stimme. Immerhin war der Inspektor nicht auf Dachsjagd.

»Riwal, ein größerer blauer Diamant – unter Umständen aus der Erbschaft der Trouins, dem alten Korsarengeschlecht. Sagt Ihnen das etwas?«

Eventuell, war Dupin durch den Kopf gegangen, handelte es sich um einen berühmten Stein.

»Sie sind auf einen blauen Diamanten gestoßen? Bei der Tante der Trouin-Schwestern?«

Blitzartig schien Riwals Müdigkeit verschwunden.

»Bei Lucille Trouin, aber er könnte der Tante gehören, ja.«

Es entstand eine kleine Pause, so als müsste Riwal das Gehörte erst einmal auf sich wirken lassen.

»Blaue Diamanten gehören zu den seltensten und wertvollsten aller Diamanten. Wie groß ist der Durchmesser?«

»Zwischen anderthalb und zwei Zentimeter.«

»Schicken Sie mir ein Foto, Chef, ich recherchiere. Spontan fällt mir nichts dazu ein. Aber es gibt eine Reihe berühmter Diamanten, die als verschollen gelten.«

»Melden Sie sich, wenn Sie etwas haben.«

»Mache ich. – Ging es darum bei dem ganzen Fall? Um diesen einen Stein?«

»Ich denke schon.«

»Nicht schlecht. – Und wissen Sie, wer es war?«

»Noch nicht, aber sicher bald.«

»Verstehe. – Ich sage allen Bescheid, Chef. Bis später.«

Das Gespräch war beendet.

»Mein erster Inspektor«, erklärte Dupin, als er die fragenden Blicke seiner Kollegen sah. »Ein wenig weitschweifig zuweilen, aber ein Universalgenie. Mit dem Schwerpunkt Bretagne und bretonische Geschichte.«

»Sie glauben, es könnte sich um einen legendären Stein handeln?« Nedellec schien beeindruckt.

»Keine Ahnung, aber …«

Ein lautes Klopfen an der Tür unterbrach Dupin.

»Kommen Sie rein«, rief Huppert.

Ein untersetzter Monsieur um die sechzig mit Vollglatze trat ein. Er trug einen in die Jahre gekommenen grauen Anzug und hielt einen Lederkoffer in der linken Hand.

»Monsieur Malguen – ich bin der Schmuckexperte.«

Es hatte sonderbar schüchtern geklungen.

»Ah ja – bonsoir«, Huppert erhob sich. »Kommen Sie. Setzen Sie sich.«

Huppert deutete auf einen der Stühle.

»Da ist der Stein, um den es geht.« Huppert legte die Kette direkt vor Monsieur Malguen auf den Schreibtisch. »Wir brauchen nur einen ungefähren Wert.«

»Dann lege ich mal los.«

Der Experte öffnete seinen Koffer und holte mehrere Instrumente heraus.

Dann nahm er den Stein zwischen Daumen und Zeigefinger der linken Hand und griff nach einem Gerät, das aussah wie ein breites elektronisches Fieberthermometer und mit einer Reihe von LEDs versehen war. Anscheinend bildeten sie eine Art Skala, die ersten vier grün, gefolgt von vier orangefarbenen und vier roten.

»Ein Diamantenprüfer«, kommentierte er lapidar.

Aus der Spitze des Gerätes kam ein winziger Stift hervor, wie die Mine eines Druckbleistiftes.

Der Experte drückte den Stift vorsichtig auf den Stein und betätigte einen kleinen Druckknopf an der Seite des Geräts. Augenblicklich ertönte ein lautes Piepen, und sämtliche LEDs leuchteten auf.

»Okay.« Der Experte zog die Augenbrauen hoch. »Das heißt schon einmal: keine Fälschung. – Hätte auch ein Simulant sein können, etwa Zirkonia. Ist er aber nicht.«

Jetzt griff er zu einer kompakten länglichen Linse – »Microscope 75×« war darauf zu lesen, vermutlich eine professionelle Lupe –, schaltete eine Lampe ein, die seitlich montiert war, und setzte die Linse ans rechte Auge.

Er inspizierte den Stein ohne Hast, ab und an bewegte und drehte er ihn fachmännisch.

»Diese Farbe kommt extrem selten vor.«

Er machte eine längere Pause.

»*VVS1 Clarity*, vermute ich, höchste Reinheit, Klarheit und Farbsättigung.«

Erneut eine Pause, er nahm sich Zeit, wendete den Stein abermals.

»Keine Fremdfarben, die das Blau beeinträchtigen würden. Exzellenter Schliff – exzellenter Glanz – exzellente Symmetrie.«

Mit den letzten Worten legte er den Stein mit der Kette zurück auf den Tisch.

»Und?«, rutschte es Dupin heraus.

»Es handelt sich mit an Sicherheit grenzender Wahrscheinlichkeit um einen außergewöhnlich exquisiten, extrem raren Fancy-Blue-Diamanten.«

»Und?«

»Einen Moment noch.«

Er legte den Stein mit der Kette auf ein drittes Instrument: eine schwarze kompakte Waage mit einer kleinen silbernen Waagschale.

»Was denken Sie?« Dupins Ungeduld steigerte sich weiter.

»Ich schätze ihn auf 400 bis 500 Punkte«, er zog die Augenbraue noch höher als eben, »sprich vier bis fünf Karat. Exakt kann ich das erst sagen, wenn er aus der Fassung genommen wurde.«

»Und was heißt das jetzt?« Dieses Mal war es Huppert, die nachfragte.

»Sie meinen, was er ungefähr wert sein könnte?«

»Genau.«

»Tja, nicht ganz einfach zu sagen. Solche singulären Stücke werden meist auf Auktionen verkauft, und da ist der Wert mitunter volatil, je nach aktueller Marktlage und teilnehmenden Sammlern. Da gibt es keinen festen Preis.«

»Ein Mindestpreis – was würden Sie sagen?« Dupin wurde es zu kompliziert.

»Hm.« Der Experte legte den Kopf zur Seite. »Hm. Ich würde sagen – fünf, sechs Millionen müsste man erzielen.« Er sprach völlig unaufgeregt. »Ein außerordentlich feiner Stein, ohne Zweifel – vielleicht sogar noch etwas mehr, wie gesagt, je nachdem, ob ...«

»Sechs Millionen?«, rief Nedellec ungläubig aus. »Das ist reiner Wahnsinn.«

Das war es. Wahnsinn – und übertraf alle Vorstellungen. Sogar Huppert stand die Verblüffung ins Gesicht geschrieben.

Das würde tatsächlich alles erklären. *Alles.*

Ein solcher Betrag wäre die Rettung für Lucille Trouin. Er würde es ihr darüber hinaus erlauben, ihre ambitionierten

Geschäftspläne umzusetzen. Jedwede Expansion ihrer gastronomischen Aktivitäten. Sie hätte ganz Großes verwirklichen und damit ihre Schwester übertrumpfen können.

»Brauchen Sie mich noch?«, unterbrach der Experte das längere Schweigen der Kommissare. Er hatte bereits begonnen, die Geräte wieder in seinen Koffer zu packen.

»Wir sind hier gleich fertig, Monsieur«, gab Huppert Auskunft. »Wie schwer ist es, einen solchen Stein zu verkaufen?«

»Es gibt fanatische Sammler, für die Geld überhaupt keine Rolle spielt. Einigen unter ihnen ist es auch gleichgültig, wo ein Stein herkommt. Für fünf Millionen ginge es ziemlich rasch, denke ich. Ein paar Tage. – Mit ein bisschen Recherche findet man die Leute, die wissen, wie man so etwas angeht. Meist ist es leichter, als man denken mag.«

»Könnte es sich um einen berühmten Stein handeln?«

»Zu den wenigen legendären verschollenen Steinen, von denen man gegenwärtig weiß, gehört er sicher nicht. Aber vielleicht war er in früheren Zeiten einmal bekannt.«

»Danke, Monsieur Malguen. Für den Moment reicht uns das. – Wir melden uns, wenn wir noch Fragen haben.«

Es war viel mehr, als sie sich erhofft hatten. Dupin hatte ungleich vagere Aussagen befürchtet.

Huppert geleitete Monsieur Malguen mit seinem Koffer zur Tür.

»Noch einmal vielen Dank, Monsieur. Und – bonne nuit.«

»Sehr gerne, Madame le Commissaire. Sehr gerne.«

»Nur eine Sache noch, Monsieur.« Der Mann war schon halb aus der Tür. »Wenn Sie bitte alles strikt vertraulich behandeln würden?«

»Das versteht sich von selbst, Madame. – Au revoir«, verabschiedete sich der Experte und ging zum Aufzug.

»Und jetzt ist es Zeit für den Besuch bei Flore Briard.« Dupin setzte sich ebenfalls in Bewegung.

Huppert nahm die Kette mit dem Stein an sich.

»Ich bringe den Schmuck nur kurz in mein Schließfach im Waffenraum. – Wir treffen uns draußen.«

Auf der gesamten Strecke waren ihnen lediglich zwei Autos begegnet, Saint-Malo und Dinard waren wie ausgestorben, die Straßen leer gefegt. Auch der Himmel war leer gefegt, es war unfassbar. Eben noch hatte die Apokalypse getobt, nun war die Nacht sternenklar. Die Wolkenungetüme waren so plötzlich verschwunden, wie sie aufgekommen waren, das Ganze war wie ein Spuk gewesen, bloß die besonders großen Pfützen zeugten noch vom vorangegangenen Unwetter.

Sie hatten Dupins Wagen genommen, er hatte direkt vor dem Kommissariat gestanden. Mit beherztem Tempo hatten sie bis zum weißen Tor von Flore Briards prunkvoller Villa keine fünfzehn Minuten gebraucht.

Der Mond war aufgegangen, am anderen Ende der Bucht, genau über Saint-Malo. Ein fahl leuchtender Halbmond, dessen spärliches Licht reichte, um die Villa eindrucksvoll in Szene zu setzen. Die spitzen Giebel ragten scharf in den Nachthimmel.

Man sah das Meer, das auch jetzt einen großen Zauber ausübte – zwar fehlte das verrückte Smaragdgrün, dafür imponierte die monochrome Magie eines bläulichen Grautons. Die Boote schaukelten noch kräftig hin und her, eine letzte Nachwirkung des Gewitters.

Dupin klingelte. Drei, vier Mal.

Sie warteten. Vermutlich schlief Flore Briard tief und fest.

Er klingelte erneut.

Jetzt vernahmen sie ein Knacken in der Gegensprechanlage am Tor.

»Wer ist da?« Eine verschlafene Stimme.

»Polizei. – Huppert, Nedellec und Dupin. Wir müssen Sie sprechen, Madame Briard.«

Ein kurzes Schweigen.

»Worum geht es?«

»Lassen Sie uns rein, Madame Briard!«, intervenierte Huppert.

Das Tor setzte sich in Bewegung.

Dupin kannte den Weg durch den Garten.

Sie betraten die Villa, durcheilten die gigantische Empfangshalle und standen umgehend vor der Tür zu Briards eigentlicher Wohnung.

Zwei Minuten später erschien Flore Briard. Sie trug Leggings, ein blaues Sweatshirt. Sie war ungeschminkt, die Haare völlig durcheinander, es verlieh ihr etwas Wildes.

»Und was ist so überaus dringend, dass Sie mich mitten in der Nacht aus dem Bett holen?«

Sie drehte sich um und ging den Flur entlang in Richtung des großen Salons mit dem fantastischen Panorama.

»Wir sind gekommen, um Sie vorläufig festzunehmen, Madame Briard.«

Huppert hatte es ohne jeden Anflug von Dramatik formuliert.

»Wir verdächtigen Sie dringend des zweifachen, vielleicht sogar dreifachen Mordes. Und ebenso des schweren Diebstahls.«

Flore Briard blieb stehen, sie wirkte gefasst.

»Sie haben sich in Ihrer Not also darauf geeinigt, dass ich die Mörderin bin? Ich dachte, es sei eher eine Drohung gewesen, um …«

»Wir befinden uns im Besitz des Steins – des blauen Diamanten, Madame Briard«, schnitt ihr Nedellec das Wort ab.

Briard hob leicht die Schultern:»Welcher Diamant? Wovon reden Sie?«

»Wir reden von einem außergewöhnlichen Stein im Wert von mindestens fünf Millionen Euro, der der Tante Ihrer besten Freundin gestohlen wurde.«

Nedellec verzichtete auf Formeln wie»vermutlich« oder»höchstwahrscheinlich«.

»Von dem Stein, für den Sie Kilian Morel und Walig Richard ermordet haben. Dann haben Sie ihn Lucille Trouin in die Untersuchungshaft gebracht. Und vielleicht haben Sie sogar heute Charles Braz die Klippen hinuntergestoßen.«

»Das klingt nach einer wüsten Korsarengeschichte, Commissaire.« Flore Briard gab sich unbeeindruckt.»Ich habe nichts von alldem getan. Und auch von einem solchen Diamanten weiß ich nichts.«

Dupin blickte ihr direkt in die Augen.»Sie haben von Beginn an mit Lucille Trouin zusammengearbeitet. Wahrscheinlich hat sie Sie angestiftet, aber das spielt keine Rolle. Sie hat Ihnen einen beträchtlichen Anteil versprochen. – Sie müssten die Villa nicht verkaufen und könnten Ihr Geschäft ausbauen.«

Er merkte, dass ihm die Verve abhandengekommen war, die er bis eben, bis zu ihrer Ankunft hier in Dinard, gespürt hatte. Es war merkwürdig.

»Charles Braz und Sie waren die Einzigen, die Lucille Trouin etwas in die Untersuchungshaft gebracht haben«, vervollständigte Nedellec die Argumentation.»Wir konnten den

Diamanten heute Nacht in Trouins Zelle sicherstellen. – Als sie verhaftet wurde, hat Madame Trouin die Kette nicht getragen, sie wäre im Kommissariat registriert worden.«

»Nicht zuletzt«, schloss Huppert, »fehlt Ihnen jegliches Alibi für gestern früh – und für den heutigen Nachmittag ebenso.«

Flore Briard schien sich weiterhin nicht übermäßig unwohl zu fühlen.

»Also, mal abgesehen davon, dass ich keine wie auch immer gearteten finanziellen Probleme habe – warum tippen Sie auf mich und nicht auf Charles Braz?«

Natürlich schlug sie in diese Kerbe.

»Exakt für solche Situationen ist die Maßnahme der vorläufigen Festnahme vorgesehen«, parierte Huppert, ohne eine Antwort auf Briards Frage parat zu haben. »Um auf der Grundlage valider Verdachtsmomente sowie einer akuten Fluchtgefahr die allerletzten Beweise für die endgültige Festnahme eines Verdächtigen ermitteln zu können. Das Gesetz gibt uns vierundzwanzig Stunden dafür. – Also gehen wir, Madame Briard.«

Huppert war mit ihrer Geduld am Ende, und Dupin verstand sie gut.

»Sie begehen einen schwerwiegenden Fehler, Commissaire.« Madame Briards Augen hatten sich verengt, ihre Stimme klang seltsam zischend, sie hatte nun ihre Souveränität verloren. »Ich warne Sie. Das wird Konsequenzen für Sie haben.«

Sie machte eine plötzliche Bewegung Richtung Sofa.

Hupperts rechte Hand schnellte zu ihrer Waffe, und auch Dupins Muskeln waren aufs Äußerste gespannt.

»Mein Handy liegt auf dem Sofa. Ich will meinen Anwalt anrufen.«

»Tun Sie das!« Huppert behielt Flore Briard fest im Blick. »Sagen Sie ihm, er soll sich auf den Weg ins Kommissariat machen. Wir sind in einer Viertelstunde da.«

Die Fahrt durch die Nacht zurück zum Kommissariat war gespenstisch gewesen, niemand hatte ein Wort gesagt. Was auch ihrer tiefen Müdigkeit geschuldet war. Bereits vor drei Stunden hatten sie den sehr langen Tag ein erstes Mal beendet, sie waren seit über zwanzig Stunden auf den Beinen. Und seitdem war noch einmal viel geschehen. Sehr viel. Wenn auch nicht genug. Nicht genug, um endlich vollständig Licht ins Dunkel zu bringen.

Im Kommissariat angekommen, hatten sie kurz mit Briards Anwalt gesprochen, der sich im Anschluss auch eine Weile mit Briard alleine besprochen hatte. Natürlich hatte sie heftig protestiert, sich dann aber gefügt. Unter den zugespitzten Bedingungen besaßen sie, auch wenn der Anwalt dem energisch widersprach, das Recht einer vorläufigen Festnahme.

Huppert hatte eine ausführliche Vernehmung für den kommenden Morgen angekündigt. Im Beisein des Anwalts hatten sie Flore Briard dann in die zweite Zelle des Kommissariats gebracht. Sie lag direkt neben der von Lucille Trouin.

Mittlerweile waren die drei Kommissare am Treppenhaus des ersten Stocks angelangt.

»Und nun?«, wollte Nedellec wissen.

»Nun gehen wir schlafen«, entgegnete Huppert bestimmt.

Für einen Augenblick lag Dupin ein Widerspruch auf der Zunge – sie riskierten, das Momentum zu verlieren, eventuell standen sie kurz vor der endgültigen Aufklärung der letzten Fragen –, aber er schluckte ihn herunter. Er fühlte sich schwindelig und entkräftet. Völlig ausgelaugt.

»Es bleibt bei unserer Verabredung«, ergänzte Huppert ihre Anweisung. »Halb acht morgen früh im *Café du Théâtre*.«

Ein knappes Nicken von Nedellec und Dupin.

Dann verließen die drei das Kommissariat, jeder in eine andere Richtung.

DER VIERTE TAG

Dupin hatte die *Villa Saint Raphaël* um kurz nach halb vier betreten, drei Minuten später hatte er im Bett gelegen. Um trotz seiner Müdigkeit noch einmal quälende zwanzig Minuten zu benötigen, bis er eingeschlafen war – der mirakulöse Rum lag zu lange zurück. Zu viel war ihm durch den Kopf gegangen. Der anschließende Schlaf war äußerst unruhig gewesen.

Als der Wecker um zehn vor sieben klingelte, hatte er lange gebraucht, um sich zu orientieren. Erst die Dusche hatte seine Lebensgeister halbwegs geweckt.

Er war etwas zu früh im *Café du Théâtre* eingetroffen und hatte bereits zwei *cafés* vorab getrunken, um sein Gehirn immerhin einigermaßen auf Touren zu bringen.

Nedellec und Huppert waren um 7 Uhr 30 erschienen.

Sie saßen in einer ruhigeren Ecke, im Café herrschte ein frühmorgendlich munteres Treiben.

Huppert brachte sie auf den neuesten Stand:

»Flore Briards Anwalt wird gleich Anzeige wegen Freiheitsberaubung seiner Mandantin einreichen. Er verlangt ihre sofortige Freilassung. Ich habe mit der Präfektin gesprochen, sie steht fest hinter uns und unserer Entscheidung. – Das Verhör mit Briard habe ich auf 9 Uhr 30 festgesetzt.«

Dupin war mit einem *pain au chocolat* beschäftigt. Und mit seinem vierten *petit café*. Ab und an blickte einer der anderen Gäste neugierig zu ihnen herüber, Dupin meinte, ein paarmal das Wort »Brit-Team« gehört zu haben. Die Zeitungen mit ihren zweifellos aufsehenerregenden Aufmachern, die im Café auf mehreren Tischen verteilt lagen, hatte er konsequent ignoriert.

»Was erzählen wir den Prä...«

Das Klingeln von Dupins Handy unterbrach Nedellec.

Dupin sah Riwals Nummer.

»Mein Inspektor.«

Er nahm an.

»Riwal?«

»Guten Morgen, Chef, gibt es Neuigkeiten zu dem Stein? – Wir finden leider nirgendwo etwas über einen großen blauen Diamanten, der in der bretonischen Geschichte eine Rolle gespielt hat.«

Dupin fasste zusammen, was der Experte gestern Nacht gesagt hatte.

»Nicht schlecht! 400 bis 500 Punkte. Unglaublich.« Riwal war schwer beeindruckt.

»Sonst noch etwas, Riwal?«

»Erfolg, Chef! Auf der vollen Linie.«

»Was meinen Sie?«

»Benzin! Das war es! – Ich habe gestern Abend entlang der Grundstücksgrenze Benzin verschüttet. – Keine Spur mehr von einem Dachs, es ist unfassbar.«

Es klang nach einer verzweifelt rabiaten Maßnahme – aber wenn es half.

»Gerade ist es schlecht, Riwal, ich sitze hier mit Commissaire Huppert und ...«

»Alles klar, Chef.«

»Bis später, Riwal.«

»Entschuldigen Sie«, Dupin wandte sich an Nedellec. »Was wollten Sie sagen?«

»Ich überlege, was wir gleich den Präfekten erzählen sollen. – Wir sind jetzt zwar im Besitz des Steines und damit des wahrscheinlichen Motives, aber den Mörder kennen wir immer noch nicht. Wenn Flore Briard kein Geständnis ablegt und wir nicht zufällig bald irgendetwas finden, womit wir ihr die Morde und den Diebstahl nachweisen können, müssen wir sie wieder auf freien Fuß setzen. – Und Charles Braz, unser zweiter Verdächtiger, ist tot. Zudem wissen wir nicht einmal, ob es Mord oder Selbstmord war.«

Es war verflixt. Sie waren so weit gekommen, so nahe dran – und konnten doch am Ende noch vollständig scheitern. Je wacher Dupin wurde, desto drastischer wurde es ihm bewusst. Das Schlimmste war: Sie würden auch Lucille Trouin nichts weiter nachweisen können. Sie könnte einfach alles aussitzen und den Mord an ihrer Schwester beharrlich als reine Affekttat darstellen.

»Ich fahre jetzt noch mal bei Madame Allanic vorbei.« Dupin hatte den letzten Bissen gegessen und erhob sich.

»Tun Sie das.« Huppert war blass, man sah ihr den Schlafmangel an. »Versuchen Sie es.«

Eine angenehme Folgeerscheinung der Fahrt zu Madame Allanic war, dass er so einen Teil des Treffens mit den Präfekten versäumen würde.

»Bis gleich.«

Schon war er aus der Tür.

Es war noch früh, die Fahrt – über die parallel zum Stadtstrand verlaufende Avenue John Kennedy – würde keine zehn Minuten dauern. Er kannte die Strecke mittlerweile.

Aus dem wolkenlosen Nachthimmel war ein wolkenloser

Morgenhimmel geworden. Ein kräftig strahlend blauer Himmel, wie frisch gestrichen.

Um kurz vor acht erreichte Dupin den ersten Kreisverkehr von Rothéneuf. Jäh musste er bremsen. Eine ihm wohlbekannte Formation von unbekümmert gemächlich fahrenden Autos bog vor ihm in den Kreisverkehr ein, die *Journées Nationales des Véhicules d'Époque* dauerten anscheinend noch an. Dupin erblickte einen alten Peugeot 404 in Dunkelblau, sein Vater hatte einen solchen gefahren, es war das erste Auto, an das Dupin sich erinnern konnte. Vor allem an die kugelrunden Scheinwerfer, die immer so aussahen, als beobachteten sie die Welt voller Neugier. Auch dieses Mal winkten ihm mehrere Fahrer und Beifahrer zu. – Natürlich! Jetzt verstand er endlich. Erst kürzlich hatte er es in der Zeitung gelesen: Sein XM-Modell von Citroën feierte dieses Jahr seinen dreißigsten Geburtstag. Womit es offiziell als Oldtimer firmierte. Er war also einer von ihnen.

Kurz danach parkte er den Wagen am Straßenrand der kleinen Stichstraße, an deren Ende Madame Allanics Villa thronte. Rechts das fabelhafte kleine Binnenmeer, halb Wasser, halb Sand.

Dupin stieg die Steinstufen zum Eingang der Villa hinauf und drückte den altmodischen Klingelknopf.

Ein zweites Mal. Ein drittes und viertes.

Niemand reagierte.

Vielleicht schlief Madame Allanic noch, schwerhörig, wie sie war, würde sie vom Klingeln nichts mitbekommen. Und vielleicht begann die Haushälterin mit ihrer Arbeit erst später. Um halb neun, neun? Daran hätte er denken müssen. Aber es war wie immer während einer Ermittlung: Dupin vergaß, dass es außerhalb eines Falls eine faktische Realität gab, die, so banal es sein mochte, einfach weiter ihren gewöhnlichen Lauf nahm.

Dupin holte sein Handy hervor und suchte Madame Lezus Nummer.

»Hallo?«

»Commissaire Dupin hier. Sind Sie noch zu Hause, Madame Lezu?«

»Ja, Monsieur, aber ich mache mich gleich auf den Weg, gestern Abend war ich bis ...«

»Ich habe eine Frage zu einem ganz bestimmten Schmuckstück, Madame.« Dupin fiel ein, dass es natürlich besser gewesen wäre, es dabeizuhaben, aber er hatte immerhin die Fotos auf seinem Handy, die er Riwal geschickt hatte. »Ich stehe vor der Villa.«

»Sie – was?« Sie klang erschrocken.

»Ich stehe vor Madame Allanics Villa.«

»Haben Sie sie geweckt?« Die Haushälterin befand sich in Sorge.

»Ich denke nicht.«

»Ich komme sofort, Monsieur le Commissaire. Auf der Stelle.«

»Ich warte.«

Bis Madame Lezu eintraf, vergingen gut fünfzehn Minuten. Dupin hatte sie genutzt, um in der großartigen Morgenfrische den an der Villa vorbeiführenden Fußweg bis zu den Klippen am Meer entlangzulaufen. Was gutgetan hatte. Auch er spürte, trotz des ganzen Koffeins, die äußerst kurze Nacht.

Madame Lezu kam wacker zu Fuß.

»Da bin ich schon.« Sie hielt den Hausschlüssel bereits in der Hand. »Ich hoffe, Sie haben nicht noch einmal geklingelt, denn ...«

Der Ton von Dupins Handy unterbrach ihren hastigen Redefluss.

Huppert.

Dupin trat einen Schritt zur Seite.

»Ja?«

»Eben gerade ist ein an Lucille Trouin adressierter Brief hier im Kommissariat eingegangen. – Ein Brief von Charles Braz. – Sein Name steht als Absender. Handschriftlich.«

»Was?«

»Charles Braz hat Lucille Trouin offenbar einen Brief geschrieben und ihn gestern noch aufgegeben.«

Die Nachricht eines Toten.

»Haben Sie ihn schon geöffnet?«

»Sie wissen, dass wir das nicht dürfen. Für die Untersuchungshaft gilt das uneingeschränkte Briefgeheimnis. Wir bräuchten eine richterliche Anweisung, es bedeutete eine Haftverschärfung. Dafür müssten wir glaubhaft machen, dass eine akute Verdunklungsgefahr besteht. Was gar nicht so einfach ist, auf jeden Fall wird es dauern. – Und auch wichtig: Wenn wir den Brief einfach öffnen, wird er bei einem Prozess als Beweismittel nicht zugelassen.«

»Verdammt!« Es konnte nicht wahr sein.

Der Inhalt des Briefes könnte unter Umständen die ganze Wahrheit zutage fördern – sämtliche noch offenen Fragen klären.

»So ein Scheiß.«

»Wer weiß, vielleicht ist sein Inhalt auch belanglos für die Ermittlung. Eine Liebeserklärung. Zuspruch. – Oder ein Abschiedsbrief. Wodurch wir zumindest in dieser Hinsicht endlich Klarheit erlangen würden.«

»Ich bin sofort da, Huppert.«

Das mit dem Brief war jetzt dringender, als auf Madame Allanic zu warten. Sie mussten unbedingt einen Weg finden, ihn zu lesen, egal wie, auch wenn es unmöglich schien. Madame Allanic könnte er auch später noch besuchen.

»Gut. – Nedellec ist bei den Präfekten und erstattet Bericht. Ich erwarte Sie in meinem Büro. Und kümmere mich um die Haftverschärfung, auch wenn es kompliziert wird.«

Schon hatte Huppert aufgelegt.

Dupin wandte sich an die Haushälterin, die noch immer mit dem Schlüssel in der Hand dastand und ihn mit einer Mischung aus Neugier und Ängstlichkeit betrachtete.

»Ich muss leider dringend los, Madame Lezu. Ich komme aber später wieder. – Nur eine Sache noch: Hat Madame Allanic ihren Schmuck versichert?«

»Ich ...« Die Situation schien Madame Lezu zu überfordern. »Eine Versicherung? – Nein!« Ihr Gesicht zeigte Empörung. »Für Madame ist Schmuck etwas ganz und gar Privates. Es sind sehr alte, persönliche Stücke aus dem Familienerbe, die hat niemand je versichert. – Am Ende kommt noch jemand von der Versicherung auf die Idee, den Schmuck zu stehlen.« Sie schüttelte heftig den Kopf. »Das würde sie nie riskieren.«

Sie klang schon wie Madame Allanic selbst, fand Dupin.

»Wissen Sie etwas von einem besonderen blauen Diamanten? An einer silbernen Kette?«

Sie schien nachzudenken. »Nein. Gar nichts.«

»Dann vielen Dank, Madame Lezu. – Und bis nachher.«

Schon war Dupin auf dem Weg zu seinem Wagen.

Zwölf Minuten später stürmte Kommissar Dupin ins Büro seiner Kollegin.

»Und?«

Huppert saß an ihrem Schreibtisch: »Ich habe zwei Kollegen gebeten, die handgeschriebene Adresse auf dem Brief mit anderen Dokumenten von Charles Braz zu vergleichen.«

»Und?«

»Die Handschrift scheint identisch.«

Sie hielt Dupin den Brief entgegen.

»Der Antrag auf verschärfte Haftbedingungen und Postkontrolle ist gestellt. Aber eigentlich bleibt uns nichts anderes übrig, als ihr den Brief bald auszuhändigen.«

Dupin musterte ihn aufmerksam. Eine fahrige Handschrift. »Madame Lucille Trouin / Commissariat Central Police Nationale / 22, Rue du Calvaire / 35400 Saint-Malo.«

Als Absender: »Charles Braz / 12, Quai Solidor / 35400 Saint-Malo.«

Der Umschlag war zugeklebt.

»Ich habe eine Idee. – Wie wir es machen könnten.«

Huppert zog die Augenbrauen hoch. »Und wie?«

»Ein wenig unorthodox – aber es könnte klappen.«

Dupin hatte sich auf der Fahrt den Kopf zermartert, die Idee war ihm erst kurz vor Erreichen des Kommissariats gekommen.

»Schießen Sie los.«

Sehr kompliziert war der Plan nicht – in zwei Minuten war er erklärt.

Huppert lehnte sich zurück, sie schien ratlos. »Ich weiß nicht, klingt ein bisschen exzentrisch.«

Sie schwieg eine gute Weile.

Dann seufzte sie.

»Wir versuchen es. – Ich sage dem Hausmeister Bescheid, die Toilette befindet sich direkt neben dem Verhörraum. – Dann rufe ich Trouins Anwalt an, sobald er eintrifft, hole ich Lucille Trouin und bringe beide in den Verhörraum. Offiziell geht es um Themen, die im Zusammenhang mit neuen

Ermittlungserkenntnissen stehen. Ich stelle ein paar Fragen, und zuletzt überreiche ich ihr den Brief, so beiläufig es geht. – Bevor es losgeht, rufe ich Sie kurz an. Danach nur noch SMS. Ach ja«, ihr fiel noch etwas ein, »und ich sage Nedellec Bescheid. Er muss dabei sein. – Ein guter Grund, ihn von den Präfekten zu erlösen.«

»Perfekt!« Dupin war schon auf dem Weg zur Tür. »Ich schaue mir alles an.«

Es war schwer zu sagen, wie ihre Chancen standen – aber vielleicht hatten sie ja Glück.

Schon bald betrat der Kommissar die Toilette neben dem Verhörraum.

Eine Unisex-Toilette. Vielleicht fünfzehn Quadratmeter. Vier Kabinen. Direkt hinter der Tür, rechts an der Wand, ein Waschbecken. Darüber ein Spiegel, daneben ein Papierhalter. Es roch nach scharfen Putzmitteln.

Er sah sich um.

Die erste Toilettenkabine schien ihm die wahrscheinlichste. Er ging hinein, betätigte die Spülung und verließ sie wieder.

Er selbst würde sich vorsichtshalber in der hintersten Kabine verstecken.

Er spielte den gesamten Ablauf noch einmal in Gedanken durch.

Mit zufriedener Miene verließ er den Toilettenraum. Um im Anschluss den Flur des dritten Stocks unendlich viele Male ungeduldig auf und ab zu laufen. Die Zeit dehnte und dehnte sich, bis sich endlich sein Handy bemerkbar machte.

»Wir sind so weit, auch der Hausmeister. Alles klar. – Der Anwalt ist da. Wir begeben uns jetzt in den Verhörraum. Nedellec ist noch nicht da, wir starten trotzdem.«

»Gut.«

Dupin stellte sein Handy stumm.

Er begab sich zurück in die Toilette. In die vierte Kabine. Er ließ die Tür einen sichtbaren Spalt geöffnet – so, dass man ihn trotzdem nicht bemerken würde – und stellte sich auf den Toilettendeckel. Dann wartete er.

Lange Minuten. Abermals kam es ihm vor wie Stunden. Permanent starrte er auf sein Handy, um zu sehen, ob eine Nachricht von Huppert eintraf.

Nichts.

Fünf Minuten.

Sieben.

Jetzt waren es zehn Minuten.

So lange konnte es doch gar nicht dauern. Oder die Situation im Verhörraum entwickelte sich anders als gedacht.

Gerade war er im Begriff, Huppert eine Nachricht zu schreiben, als plötzlich die Tür aufging.

Er verharrte bewegungslos.

Jemand betrat den Raum.

Blieb stehen. Vor dem Waschbecken vermutlich. Ging – Dupin hielt den Atem an – einmal an den vier Kabinen vorbei. Blieb erneut stehen und kehrte zum Waschbecken zurück.

Dupins Muskeln waren aufs Äußerste angespannt. Aber noch konnte er nur eines tun: warten. Und hoffen.

Eine Weile vernahm er nichts. Es war ganz still.

Dann, mit einem Mal, drang ein Geräusch an Dupins Ohr, das er umgehend erkannte. Genau auf dieses Geräusch hatte er gehofft.

Und noch einmal.

Das Geräusch, das beim Zerreißen von Papier entsteht.

Anschließend vernahm er abermals Schritte, die Tür zu einer Toilettenkabine wurde geöffnet.

Jetzt. Jetzt war es so weit.

Im nächsten Moment sprang er los.

Mit einem Satz war er draußen und schnellte nach rechts. Die Tür zur ersten Kabine stand offen, noch war keine Zeit gewesen, sie zuzuziehen. Darin: Lucille Trouin. Sie fuhr heftig zusammen, auf ihrem Gesicht lag Fassungslosigkeit, aber auch Panik. Alles geschah in Windeseile, Dupin stand einen Meter von ihr entfernt. In Bruchteilen von Sekunden beugte sie sich nach vorne und warf die Papierfetzen, die sie in der rechten Hand hielt, in die Toilette.

Der zerrissene Brief.

Alles schien exakt so verlaufen zu sein, wie Dupin es sich vorgestellt hatte. Am Ende des Verhörs hatte Huppert Trouin wie verabredet den Brief von Charles Braz gegeben, vielleicht hatte sie es sogar einen Beamten tun lassen. Wie auch immer: Mit dem Erhalt des Briefes hatte Lucille Trouin sich umgehend in allergrößter Not befunden. Vorausgesetzt natürlich, der Brief enthielt etwas Heikles, etwas Belastendes – was Lucille Trouin in diesem Fall natürlich hatte wissen oder zumindest befürchten müssen. Unverzüglich musste sie alle möglichen Szenarien im Kopf durchgespielt haben. Um zu vermeiden, dass die Polizei den Brief in die Finger bekommt, hatte sie beschlossen, ihn auf der Stelle zu vernichten. Dafür wiederum gab es nur eine sichere Möglichkeit in der Nähe: die Toilette. Und nur einen Zeitpunkt: sofort.

»Sie kommen zu spät, Commissaire.«

Lucille Trouin sprach mit einem triumphierenden Lächeln, die rechte Hand auf dem Spülknopf, den sie im nächsten Moment betätigte. Um ihn, verwirrt, sofort noch einmal zu drücken.

Es war kein Wasser gekommen. Und es kam auch bei ihren nächsten Versuchen kein Wasser. Ungläubig starrte sie auf die Toilette.

Dupin nutzte den Moment und drängte sich in die Kabine, dabei schob er sie ein Stück zur Seite.

»Sie können so oft drücken, wie Sie wollen, Madame Trouin. Der Hausmeister hat das Wasser abgestellt. – Und wenn der Brief nicht mit Tinte geschrieben wurde, werden wir jedes Wort wunderbar lesen können.«

Dupin hatte es bereits kontrolliert, keiner der Papierfetzen war in den Ablauf gefallen.

»Was fällt Ihnen ein, mir in die Toilette zu folgen, das …«, begann sie, wurde aber von einem lauten Krach unterbrochen.

Die Tür war aufgestoßen worden und gegen die Wand geschlagen.

Huppert. Dicht hinter ihr zwei Polizisten.

»Und?«, wandte sie sich an Dupin, wobei sie Lucille Trouin fixierte.

»Wir haben ihn!« Dupin deutete mit dem Kopf in Richtung Toilettenschüssel. »Sie wollte ihn wie erwartet sofort vernichten.«

Huppert machte einen Schritt auf die Kabine zu.

»Kommen Sie heraus, Madame Trouin«, befahl Huppert.

»Sie haben mir eine Falle gestellt!« Lucille Trouin ballte ihre Fäuste und trat aus der Kabine heraus. »Sie sind nicht befugt …«

»Und ob wir das sind«, stellte Huppert klar, sie stand nun wenige Zentimeter vor Lucille Trouin. »Wir sind für Ihre Sicherheit zuständig. Und hatten die begründete Befürchtung, dass Sie sich etwas antun wollten. Es war unsere Verantwortung, nach Ihnen zu schauen.«

»Mir etwas antun?« Lucille Trouin schrie jetzt, sie war außer sich.

Dupin beugte sich über die Toilette und griff vollkommen unbeeindruckt nach den Papierfetzen.

Sie hatten Glück.

»Da ist er. – Mit Kugelschreiber verfasst. Nass, zerrissen – aber wir werden ihn entziffern können.«

Sie würden ihn gleich zusammensetzen.

»Sie haben den Brief eindeutig entsorgt, Madame Trouin.« Huppert war zu ihrer rigorosen Sachlichkeit zurückgekehrt. »Damit ist das Briefgeheimnis erloschen.«

Das war der letzte Clou ihres Plans.

Dupin konnte Lucille Trouins entgleiste Miene im Spiegel über dem Waschbecken sehen.

»Es ist vorbei, Madame Trouin.« Dupin sprach mit ruhiger Stimme.

Sie hatten Lucille Trouin an einen entscheidenden Punkt gebracht. Zum ersten Mal stand sie mit dem Rücken zur Wand, und sie wusste es – jetzt mussten sie weitermachen, die Situation zuspitzen, sie mit allen Mitteln zur Aufgabe zwingen.

»Ihre Tante und Madame Lezu haben mir eben bestätigt, dass der blaue Diamant Ihrer Tante gehört. Es ist kein Erbstück Ihrer Mutter.«

Lucille Trouin hatte sich bei Dupins Worten wie in Zeitlupe zu ihm umgedreht und dann innegehalten.

Nun stand sie regungslos da, ihren Blick auf Dupin gerichtet, leer, seelenlos. Gespenstisch.

Es dauerte eine Weile. Dann begann sie zu sprechen. Zu flüstern eher.

»Charles dachte, besser gesagt, er hoffte, dass er mich – auf diese Art zurückgewinnen könnte. Indem – indem er diese barbarischen Taten beging.« Sie sprach ernst, traurig, machte zwischen einzelnen Worten Pausen, in Dupins Ohren klang es vollkommen gestellt. »Er – er ist der Mörder. Der Mörder an meinem Schwager und an Walig Richard.« Jetzt liefen ihr ein paar Tränen übers Gesicht, sie machte mit der Hand eine dramatische Geste. »Es ist tragisch.«

Es war dreist. Über alle Maßen dreist. Wie schon ihr »Geständnis« gestern. Sie bemühte sich nicht einmal, ihre gespielten Emotionen einigermaßen glaubhaft darzubieten. Dupin fiel es schwer, an sich zu halten – aber er ließ sie reden, sie hatten lange genug darauf gewartet.

»Genau das ist der Inhalt des Briefes«, fuhr sie fort. »Dass Charles mich wiederhaben wolle. Ohne mich nicht leben könne. – Dass er das alles für mich und uns getan habe. Und dass er nun alles nicht mehr aushalte und deshalb seinem Leben ein Ende bereiten werde.«

Immerhin, das war – wenn es tatsächlich so im Brief stand – eine äußerst wichtige Information. Und es ergab für Lucille Trouin auch überhaupt keinen Sinn zu lügen. Sie würden den Brief ohnehin gleich lesen und seinen Inhalt erfahren – gleichgültig wie Lucille Trouins Interpretationen aussehen mochten.

»Ich wollte ihn schützen. Charles schützen. Ich habe ihn über viele Jahre wirklich geliebt, ich …« Sie sprach nicht weiter und bedeckte das Gesicht mit den Händen. »Armer Charles! Wie krank muss er schon die ganze Zeit gewesen sein, ich hätte es früher bemerken müssen. Ich mache mir schwere Vorwürfe. Er hat in seinem Wahn sogar behauptet, dass ich ihn zu allem angestiftet hätte – dass ich gesagt hätte, wir könnten mit dem Geld neu anfangen, nach der Grundstückssache – und unserer Beziehungskrise. Dass ich es ihm versprochen hätte. – In seinem Hirn hat er sich alles so zurechtgelegt, dass es seinen innersten Hoffnungen entsprach. Krankhaft. – Er«, ein Seufzer, »hat mir alles bei seinem Besuch gestanden. – Dass er den Stein für mich zurückgewonnen habe, Kilian Morel und Walig Richard ermordet habe und …«

»Die Kette befand sich bei Monsieur Richard?«, wollte Huppert wissen.

»Nein. Im Haus meiner Schwester. Da hat sie Charles gefunden. – Walig Richard hat den Stein zuvor in Blanches Auftrag begutachtet, sie wollte wissen, wie viel er wirklich wert ist.«

Dieser Teil von Lucille Trouins theatralischen Ausführungen stimmte einigermaßen mit ihren Vermutungen überein.

»Walig Richard«, sprach sie weiter, »wusste also von dem Stein und musste, so Charles' kranke Logik, deswegen sterben. Er wollte alle Mitwisser beseitigen.«

Sie atmete tief ein und aus, dann schloss sie die Augen.

»Das hat er Ihnen alles bei seinem Besuch im Kommissariat gesagt?« Huppert schien ihr keine Pause zubilligen zu wollen.

»Er hat mich umarmt. Er hat es mir ins Ohr geflüstert. Der Polizist hat es nicht hören können. – Bei der Umarmung hat mir Charles auch die Kette in die Hand gedrückt. – Und«, wieder flossen Tränen, »gesagt, dass dies sein Liebesbeweis sei.«

»Und? Wie haben Sie reagiert?«

»Ich habe gesagt, dass er sich sofort stellen muss. Dass ich das heftig verurteile. Dass er krank ist. – Mehr hat die Situation nicht zugelassen. Und natürlich war ich vollkommen geschockt.«

Niemand im Raum rührte sich, auch die beiden Polizisten standen wie angewurzelt.

»Lesen Sie seinen Brief! Da schreibt er, dass er meine Reaktion nicht verwinden kann. Dass er das alles nur für mich getan hat – und ich mich nun plötzlich angesichts seiner Liebesbeweise abwende. Statt ihm meine Liebe erneut zu bekunden … Begreifen Sie, wie weit seine psychische Erkrankung ging?«

Sie wischte die Tränen mit dem Handrücken weg. Ihre Haare fielen ihr ins Gesicht, sie ließ es geschehen.

»Aber er hat sich nicht gestellt – er hat eine andere Wahl getroffen. Es ist schrecklich.«

Dupin verstand mittlerweile, warum sie sich keine Mühe gab bei ihrer Darbietung. Es ging ihr gar nicht darum, ihnen gegenüber glaubhaft zu wirken, sondern bloß um ihre strategisch-rhetorische Position für alles Kommende. Um eine Deutungsperspektive. Erst einmal natürlich in Hinblick auf den Brief. Sie hatte ihn gelesen, sie wusste, was darin stand, und beabsichtigte nun, jedes der dort formulierten Worte im Voraus in ihre Argumentation einzubauen. Bevor Huppert und Dupin den Brief selbst lesen konnten. Ihr war sicher völlig bewusst, dass Huppert und Dupin ihr bei dem Versuch, sich aus der Affäre zu ziehen und alles Charles Braz anzuhängen, keinen Glauben schenken würden. Aber – sie würde von Beginn an eine klare Linie verfolgen. Perfider ging es nicht.

Dupin hatte keine Zweifel, dass sie Charles Braz wie eine Marionette benutzt hatte. Ihn auf eine widerliche subtile wie brutale Weise angestiftet hatte. Verzweifelt liebende Menschen waren zu allem fähig, durch grausame Zurückweisung umso mehr. Höchstwahrscheinlich hatte sie ihm genau das gegeben, was er anscheinend im Brief behauptete: ein Versprechen. Das Versprechen, wieder zusammenzukommen. Dass eine neue Zeit für sie begänne. Um ihn dann, nachdem er alles in ihrem Sinne ausgeführt hatte, kalt fallen zu lassen. Seine Verletzung muss unendlich tief gewesen sein.

»Ich glaube Ihnen kein Wort, Madame Trouin.«

Huppert sah es also genauso.

»Schon, dass Sie versucht haben, den zu Brief vernichten, beweist, dass Sie unter allen Umständen vermeiden wollten, dass wir seinen Inhalt kennen. – Da Sie es aber nach dem Scheitern ihrer kleinen Aktion nicht mehr verhindern können, versuchen Sie nun alles, ihn in die von Ihnen zurechtgebogene Geschichte einzufügen. – Aber das werden Sie nicht schaffen.« Huppert war eine erstaunliche Emotionalität anzumerken. »Was den Mord an Ihrer Schwester angeht …«

»Was ist geschehen? Ich bin gekommen, so schnell ich konnte.«

Kommissar Nedellec stand in der Tür. Sein Blick irrte ratlos hin und her.

»Später, Nedellec, später!« Eine klare Ansage Hupperts. Nedellec stellte sich gehorsam neben das Waschbecken.

»Also, Madame Trouin, reden Sie weiter!«

Lucille Trouin atmete erneut theatralisch tief ein. »Ich habe die Beherrschung verloren, fürchterlich, für einige Momente, fatale Momente, genau wie ich es Ihnen bereits gesagt habe. Ich vermute, es sind einfach zu viele Kränkungen geschehen und …«

»Wir kennen die Leier bereits, Madame Trouin. Erzählen Sie uns, wie die Geschichte mit dem Diamanten überhaupt begonnen hat.«

»Blanche hat ihn meiner Tante gestohlen. – Früher, als wir klein waren, hat meine Tante manchmal von ihrem Schmuck erzählt, von einem sagenhaften blauen Diamanten. Aber ich dachte damals, das sei ein Mythos und …«

»Warum hätte Ihre Schwester das tun sollen?«

»Oh – aus vielen Gründen. Er hätte es ihr zum Beispiel ermöglicht, ihr Restaurant und ihre Geschäfte nach Belieben auszubauen, auch die ihres Mannes. Und vor allem mich immer weiter in den Schatten zu stellen.«

In gewisser Weise war es tragisch, wahrscheinlich empfand sie es in ihrem Innersten genau so: Sie war das Opfer, das ewige Opfer, und hatte sich bloß gewehrt. Die komplizierte Wahrheit war: Es würde wahrscheinlich beides irgendwie stimmen. Dupin spürte dennoch kein Mitleid.

»Es war Gier. – Blanche war gierig, das war sie schon immer, auch wenn es ihr perfekt gelungen ist, sich nach außen als die Großzügige darzustellen. Als diejenige, die sich aus Geld, Besitz und alldem nichts macht. Sie …«

»*Sie* waren es, die sich ruiniert hat«, Huppert schien genug zu haben, »*Sie* hatten die ehrgeizigen Pläne, zu expandieren. – Ich glaube Ihnen nicht, dass Ihre Schwester den Stein gestohlen hat.«

»Doch, sie war es, sie hat es getan!«

»Und wie und wann haben Sie davon erfahren?«

»Ich habe mir ab und zu den Schmuck angeschaut, wenn ich meine Tante besucht habe, und immer diesen großen blauen Stein gesehen. – Es war völlig unverantwortlich von ihr, ihn derart fahrlässig aufzubewahren. Er war nicht einmal versichert. Ich habe es ihr immer gesagt. – Denken Sie nur an ihre Haushälterin, Madame Lezu. Natürlich hätte sie eines Tages auf die Idee kommen können, dass ihr nach all den aufopferungsvollen Jahren im Dienst meiner Tante über die sparsame Bezahlung hinaus noch etwas zusteht, bevor alles an die Schwester in Kanada geht.«

»Sie haben meine Frage nicht beantwortet.«

»Ich war am Montagmorgen bei meiner Tante, ich wollte sie besuchen – da war die Kette mit dem Stein weg. Mir war sofort klar, was geschehen sein musste. Ich war außer mir. Und bedenken Sie, wovon ich zuvor erfahren hatte – von der Abwerbung meines Souschefs und der Veröffentlichung der Rezepte meines Vaters unter dem Namen meiner Schwester. Das war zu viel für mich. Ich bin aus der Villa gestürmt, habe mich in den Wagen gesetzt und bin zum Markt gefahren. Zu Blanches Stand. – Dort habe ich Blanche konfrontiert, ich habe ihr ins Gesicht gesagt, dass ich von ihrem Diebstahl wusste. Als sie es auf infame Weise leugnete«, sie senkte den Blick, »habe ich die Nerven verloren. Die Kontrolle. Es hat mich«, sie tat so, als fiel ihr das Sprechen schwer, »einfach überkommen. – Jeder Psychiater wird Ihnen die toxische Wucht all dieser Kränkungen bestätigen.«

Mit einer übertrieben melancholischen Pose fuhr sie sich durch die Haare.

»Und das ist es, was ich zu sagen habe. Das ist überhaupt alles, was es zu sagen gibt. Mit dem folgenden grässlichen Geschehen habe ich nichts zu tun. – Und niemand kann erwarten, dass ich einen Menschen ausliefere, den ich so lange geliebt habe und auf eine bestimmte Weise natürlich immer noch liebe. Ich hätte ihn nie verraten können.«

Dupin hatte viel erlebt in seiner Laufbahn, hatte skrupellose, durch und durch berechnende Mörder überführt – aber Lucille Trouins Kaltblütigkeit schien alles zu übertreffen. Natürlich gab es, wie immer, eine Geschichte, die sie so hatte werden lassen, dennoch, ab einem gewissen Punkt – so *musste* man es sehen, sonst verlor man den allerletzten Halt – war man ganz und gar verantwortlich für sich selbst. Nicht für das, wozu man gemacht worden war, aber sehr wohl für das, was man daraus machte. Dafür dann unbedingt – auch Lucille Trouin –, das war Dupins tiefste Überzeugung.

»Sie haben ihn nur deswegen nicht ausgeliefert, weil er die Wahrheit erzählt hätte«, Huppert sperrte sich zu Recht dagegen, Trouins Behauptungen einfach so stehen zu lassen, »und Ihre Chancen, mit dem Diamanten davonzukommen, zunichte gemacht hätte. – Sie hätten es beinahe geschafft. Am Ende waren Sie tatsächlich im Besitz des Steins, wovon niemand je etwas hätte erfahren können. Sie hätten auf einer

Tat im Affekt beharrt, was eine erhebliche Strafminderung zur Folge gehabt hätte. Statt lebenslänglich für einen Mord einzusitzen, hätte man Sie wegen Totschlags verurteilt, und Sie wären in ein, zwei Jahren wieder auf freiem Fuß gewesen. Auf Bewährung vielleicht noch früher. – Als Millionärin.« So drastisch stellte es sich dar.

Lucille Trouins Pupillen hatten sich verengt: »Ich habe gesagt, was ich zu sagen habe. Die Wahrheit und nichts als die Wahrheit.« Sie setzte sich in Bewegung, ging auf die Tür zu.

Die beiden bislang stumm gebliebenen Polizisten warfen Huppert einen Blick zu, die minimal nickte.

»Begleiten Sie Madame Trouin. – Ihr Anwalt sitzt noch nebenan im Verhörraum. Danach bringen Sie sie in ihre Zelle. Wir werden schon ganz bald die Gelegenheit haben, das Gespräch fortzusetzen.«

Lucille Trouin reckte den Kopf – es sollte eine Geste des Stolzes sein, es wirkte grotesk – und verließ den Toilettenraum im Geleit der Polizisten.

Die drei Kommissare hatten sich in Hupperts Büro begeben und die nassen Schnipsel von Charles Braz' Brief so gut es ging zusammengefügt.

Der Brief war kurz.

Lucille,

ich habe alles gegeben, alles getan, was Du wolltest.
Ich wusste, dass es falsch ist, dass ich schreckliche,
unverzeihliche Taten begehe.

Ich habe es für uns getan, für unsere Liebe. Du weißt es.
Du hast gesagt, wir fangen noch einmal neu an.
Jetzt hast du allem den Boden entzogen.
Mir den Boden entzogen.
Ich kann und ich will nicht mehr, Lucille.

Ich liebe Dich, ewig.

Charles

»Der Brief bestätigt alles, was wir uns gedacht haben.« Huppert sprach als Erstes.

Die drei Kommissare standen eng um den Schreibtisch herum, ganz wie in der Nacht beim Betrachten des Diamanten.

»Das ist der Beweis, es war eiskaltes Kalkül. Lucille Trouin hat Charles Braz missbraucht, um ihren heimtückischen Plan auszuführen. – Vermutlich hat sie ihn auf ihrer Flucht am Montag angerufen, entgegen seiner Aussage. Vielleicht von irgendeinem Café aus. Oder sie haben sich sogar getroffen, genug Zeit war allemal. Das kriegen wir auch noch aus ihr raus.« Längst war Huppert in ihren sachlichen Modus zurückgekehrt. »Es wird für sie nicht leicht werden, irgendjemanden von ihren Behauptungen zu überzeugen.«

»Flore Briard, Joe Morel und Colomb Clément haben also mit der ganzen Sache nichts zu tun, sie sind unschuldig. Wie auch Walig Richard«, resümierte Nedellec, Huppert hatte ihm auf dem Weg zu ihrem Büro die Geschehnisse zusammengefasst. »Charles Braz war der Mörder, angestiftet von Lucille Trouin. Kilian Morel wusste vielleicht von dem Stein, wahrscheinlich wusste er auch, woher Blanche ihn hatte, aber mehr wäre ihm vermutlich nicht vorzuwerfen gewesen. Wenn überhaupt. – Wie es scheint, gibt es nur noch wenige offene Punkte.«

»Apropos Flore Briard«, es schien Huppert gerade eingefallen zu sein, »wir sollten sie umgehend auf freien Fuß setzen.« Sie griff zum Telefon. »Und dann ganz rasch die Präfekten treffen und sie über die letzten Entwicklungen informieren.«

»Einiges wissen sie bereits«, präzisierte Nedellec, »ich habe ihnen eben eine Nachricht …«

Dupins Telefon. Er stellte es wieder laut.

Die Nummer kam ihm bekannt vor.

»Ja?«

»Monsieur le Commissaire?« Eine dünne Frauenstimme.

»Am Apparat.«

»Hier Madame Lezu.«

Die Haushälterin. Sie klang ängstlich. »Sie haben gesagt, sie wären bald zurück.«

Eigentlich hatte es sich erledigt, zumindest die Frage nach dem Diamanten.

»Wir wissen mittlerweile, dass es tatsächlich um eine Kette von Madame Allanic geht. Um eine Kette mit einem sehr wertvollen Stein, dem blauen Diamanten, nach dem ich Sie vorhin gefragt habe. Er wurde ihr gestohlen. – Insofern eilt es nicht mehr. Ich werde so zwischen elf und zwölf vorbeikommen.«

Er würde Madame Allanic alles berichten müssen, gleichgültig wie viel ihr konfuser Verstand davon verarbeiten konnte. Und zwar bald. Bevor die Geschichte durch die Presse ging, bei der ihr Diamant eine Hauptrolle spielte. Er würde sie vor allem beruhigen müssen, ihr sagen, dass der Stein wieder da war, dass sie ihn bald zurückbekommen würde. Aber er musste ihr auch sagen, dass eine ihrer Nichten – Blanche? War es wirklich so? – den Stein gestohlen hatte. Fest stand, dass das Ganze sie ungeheuer aufwühlen würde.

»Ja? Das hat Ihnen jemand bestätigt? Dass es um den blauen

Diamanten geht? – Dass all die Menschen seinetwegen ermordet wurden?«

Zu der Ängstlichkeit in Madame Lezus Stimme war noch etwas anderes hinzugekommen. Er hörte ein starkes Unbehagen heraus.

»Genauso ist es, Madame Lezu. Lucille Trouin hat es uns bestätigt.«

»Ich – ich verstehe … Ich denke, ich muss einmal mit Ihnen sprechen, Monsieur le Commissaire. Ich habe mit dem Ganzen nichts zu tun, überhaupt nichts, dennoch. Es gibt da eine Sache.«

»Worum geht es, Madame Lezu?«

»Ich würde bevorzugen, es Ihnen persönlich zu sagen.«

Dupin hatte ein komisches Gefühl.

»Ich bin gleich da, Madame. In zehn Minuten.«

»Ich warte vor dem Haus auf Sie.«

Dupin legte auf.

»Worüber will sie sprechen? Was denken Sie?«, schoss es aus Nedellec heraus.

»Ich habe keine Ahnung.«

»Fahren Sie!«, wies Huppert an. »Wir werden Sie bei den Präfekten erneut entschuldigen.«

»Ich melde mich.«

Schon hatte er das Büro verlassen.

Madame Lezu hatte Dupin bereits ungeduldig erwartet, sie stand auf der einsamen Straße, die zur Villa führte.

Dupin parkte den Citroën am Straßenrand, augenblicklich kam die Haushälterin auf die Wagentür zu.

»Ich würde es vorziehen, hier draußen mit Ihnen zu sprechen.« Sie warf einen beklommenen Blick zum Haus hinüber. »Es geht – es geht um mich. Gewissermaßen.«

Dupin war noch nicht ganz aus dem Wagen ausgestiegen. »Was ist es, das Ihnen so auf dem Herzen liegt, Madame?«

»Ich …« Sie hielt inne, Dupin bemerkte ein leichtes Zittern an ihr.

»Erzählen Sie, Madame Lezu, Sie müssen keine Angst haben.«

Sie gab sich einen Ruck.

»Ich habe etwas beobachtet. Ohne es vorgehabt zu haben, selbstredend.« Sie schien sich von Sekunde zu Sekunde unwohler zu fühlen. »Bei Lucilles letztem Besuch hier, vor ungefähr drei Wochen. Ich habe gesehen, wie sie sich Madames Schmuck angeschaut hat. Madame saß auf der Terrasse, so wie immer, wenn das Wetter es zulässt. Und ich habe gearbeitet. Ihre Nichte hatte sich in Madames Schlafzimmer geschlichen, die Tür stand einen Spalt auf, ich wollte gerade den Flur putzen – ich«, sie verhaspelte sich beinahe, »ich schwöre Ihnen, ich habe Lucille Trouin nicht nachspioniert, es war reiner Zufall.«

Sie verstummte, als hätte sie all ihre Kräfte verbraucht. Natürlich zweifelte Dupin ein wenig an ihrer Beteuerung. Sie hatte Lucille Trouin wahrscheinlich sehr wohl nachspioniert. Aber das spielte keine Rolle.

»Fahren Sie fort, Madame Lezu.«

»Sie hatte den blauen Diamanten in der Hand. Ich habe es mit eigenen Augen gesehen.«

»Was hat sie mit ihm gemacht?«

»Sie hat ihn angeschaut und Fotos mit ihrem Handy gemacht. Dann hat sie ihn wieder zurückgelegt.«

»Und Sie sind sich ganz sicher? Auch dass sie ihn wieder zurückgelegt hat? Das ist sehr wichtig für uns, Madame Lezu.«

»Ich bin mir ganz sicher.«

»Und Lucille Trouin hat Sie nicht bemerkt?«

»Oh nein, auf keinen Fall.«

Vor drei Wochen hatte sich der Stein also noch im Safe der Villa befunden. Und Lucille Trouin hatte eindeutiges Interesse an ihm gezeigt. Es passte zu der Chronologie mit dem Grundstücks-Fiasko – kurz vorher hatte sie die katastrophale Information erreicht.

»Ich habe dann Madame Blanche Trouin angerufen, um es ihr zu erzählen. Ich …«

»Sie haben was?«

»Ich wollte es Madame Allanic nicht sagen, sie wäre bloß in große Aufregung verfallen. Sie hätte es gar nicht richtig verstanden, sie …«

»Sie haben Blanche Trouin angerufen? Und ihr berichtet, dass ihre Schwester sich den blauen Diamanten angesehen hat?«

In Madame Lezus Blick lag nackte Panik.

»Ich … Ich dachte, Blanche sollte es wissen. – Ich wusste nicht, was ich tun sollte, Sie müssen es verstehen, Monsieur le Commissaire. Mit wem hätte ich sprechen sollen? Madame Blanche war so ein netter, ehrlicher Mensch. – Mir ist es äußerst unangenehm, ich wollte mit dem Ganzen doch nichts zu tun haben. Ich …« Ihr Gesicht hatte alle Farbe verloren. »Es tut mir unendlich leid.«

Das war also einer der Anrufe gewesen, die auf der Liste der Verbindungsnachweise von Blanche Trouins Mobiltelefon vermerkt waren, Dupin erinnerte sich, Huppert hatte davon berichtet. Es fügte sich perfekt.

»Warum haben Sie das nicht schon früher erwähnt?«

»Ich … Ich wollte es, aber ich – ich hatte Angst. Meinen Sie, ich habe …«

Ihre Stimme versagte.

»Was hat Blanche Trouin gesagt?«

»Sie hat mir bloß gedankt, mehr nicht. Dann hat sie aufgelegt.«

»Und dann hat sie die Kette mit dem Stein geholt?«

»Davon weiß ich nichts. Ich habe mich mit der Sache nicht weiter beschäftigt. Es war ja auch nicht meine Angelegenheit.« Langsam schien sie sich wieder etwas zu fangen.

»Wissen Sie, ob Blanche Trouin nach Ihrem Anruf irgendwann hier war?«

»Nicht an den Tagen, an denen ich gearbeitet habe, nein, ausgeschlossen. Aber vielleicht an meinem freien Tag, das kann ich natürlich nicht sagen.«

»Und Sie haben nicht zufällig nachgeschaut, ob die Kette fehlte?«

»Selbstverständlich nicht. Ich habe keine Befugnis, mir Madames Schmuck anzusehen, es wäre ein Vertrauensbruch und ein Entlassungsgrund. – Wie gesagt«, sie zitterte erneut, »ich habe den Safe zufällig entdeckt, ihn aber nicht ein einziges Mal selbst geöffnet.«

Dupin glaubte ihr.

»Sie hätten der Polizei dennoch enorm geholfen, wenn …«

Er ließ es sein. Es war müßig, es würde am Ende noch zu einem Zusammenbruch von Madame Lezu führen. – Es war, wie es war.

»Habe ich etwas falsch gemacht, ich meine, wird man mich belangen?«

»Niemand wird Sie belangen, Madame Lezu. Was Sie mir gerade erzählt haben, ist von erheblicher Bedeutung für unsere Ermittlung.« Dupin fuhr sich durch die Haare, es war unfassbar. »Es ist gut, dass Sie sich entschieden haben, es mir anzuvertrauen.«

Madame Lezu hatte ihnen höchstwahrscheinlich das letzte Puzzleteil geliefert: dass es tatsächlich Blanche gewesen war, die den Diamanten an sich genommen hatte. Auch wenn sie über ihren Beweggrund dafür, wie es aussah, für immer nur spekulieren konnten. Blanche hatte die Kette, vielleicht konnte man es so sagen, in Sicherheit bringen wollen, weil sie ahnte, dass Lucille es auf sie abgesehen hatte.

Bei näherer Betrachtung schauderte es einen: Eigentlich war Lucille Trouins Plan perfekt gewesen. Sie hatte allen Grund gehabt, um anzunehmen, dass bei dem verwirrten Zustand ihrer Tante niemand je vom Diebstahl erfahren würde. Wenn Madame Allanics Schwester in Kanada den Besitz geerbt hätte, wäre alles schon nicht mehr rekonstruierbar gewesen.

»Und Sie sind sich sicher, dass mir nichts geschehen kann?«

Im Ton der Haushälterin lag etwas Flehendes.

»Ganz sicher, Madame Lezu.«

Angesichts des Gedankens an die Antwort, die er Madame Lezu eigentlich hätte geben müssen, wurde Dupin schwindelig. Es war dramatisch. Hätte Madame Lezu nicht, in bester Absicht, Blanche Trouin angerufen, wäre die gesamte Dynamik nicht in Gang gekommen. Und schon davor: Wäre sie ein paar Minuten später in den Flur gekommen und hätte Lucille Trouin nicht mit dem Stein gesehen ... Blanche Trouin hätte den Diamanten nicht an sich genommen, Lucille hätte dies am Montagmorgen nicht festgestellt – es wäre überhaupt niemand gestorben. Außer dem Diebstahl, von dem vermutlich nie jemand erfahren hätte, wäre nichts passiert.

Dupin lief ein Schauer über den Rücken, er hatte Gänsehaut.

»Ich würde gerne noch kurz Madame Allanic sprechen.«
Zehn Minuten später, Dupin hatte auf der Terrasse gewartet, begleitete die Haushälterin Madame Allanic – heute in einem dunkelgrünen Kostüm – zu ihrem Korbsessel neben dem
Tischchen in der Sonne.

Madame Allanic wirkte überfordert.

»Bonjour, Madame Allanic.« Dupin setzte sich auf einen
der gusseisernen Stühle, kam sofort auf den Punkt, er durfte
es nicht kompliziert machen. »Ich habe gute Nachrichten. Wir
haben Ihre Kette mit dem blauen Diamanten wiedergefunden. Sie ist wieder da. – Wir brauchen sie noch etwas, dann
erhalten Sie sie zurück.«

Ein ungläubiges Staunen lag auf den Zügen der alten Dame.
Mit einem Mal lächelte sie.

»Mein Mann – ich habe es Ihnen gesagt. Er wird die Diebe
finden. Er wird alles zurückbringen. Und er wird selbst zurückkommen. Alles wird er wieder in Ordnung bringen, alles.«

Sie hatte Dupins Nachricht in ihre Welt eingebaut. In ihre
eigene wunderliche, für Außenstehende bizarr anmutende
Welt. Dupin spürte eine starke Rührung. Die Nachricht hatte
sie erreicht, im Innersten. Und nahm ihre Pein. Mit mehr
würde er sie nicht belasten. Die Reaktion reichte Dupin, er
hatte seine Aufgabe erfüllt. In gewisser Weise, so komisch
es auch klingen mochte, war das hier, zumindest für ihn, das
Ende des Falls.

»Gut«, er erhob sich. »Dann überlasse ich Sie der Sonne
und der Schönheit Ihrer Aussicht, Madame Allanic.«

Sie schien jetzt ganz in sich gekehrt, hatte den Kopf ge-
senkt. Es war ein friedlicher Anblick.

»Au revoir, Madame Allanic«, verabschiedete er sich von
der alten Dame, dann wandte er sich der Haushälterin zu. »Au
revoir, Madame Lezu. – Es war mir ein Vergnügen.«

Eine eigentlich ganz unpassende Heiterkeit hatte Dupin überkommen. Er ließ sie zu.

Mit leichten Schritten verließ er die Terrasse, ein paar Augenblicke später die Villa.

Schon auf dem Weg zum Wagen holte er sein Handy hervor. Huppert und Nedellec saßen in diesen Minuten vermutlich mit den Präfekten zusammen.

Huppert nahm sofort ab.

»Und?«

»Es gibt Neuigkeiten ...«

Dupin fasste das Wesentliche kurz und bündig zusammen.

»Völlig verrückt«, kommentierte die Kommissarin, »aber schlüssig. – Wir sind hier fast fertig. Ich liefere jetzt noch diesen Teil der Geschichte nach, und dann war es das.«

Es hieß, zumindest verstand Dupin es in diesem Sinne, so viel wie: »Es ist alles erledigt, wir brauchen Sie hier nicht mehr.«

»Gut.« Dupin überlegte. »Ich komme später einfach ins Kommissariat.«

»Tun Sie das. Die Präfekten haben für 12 Uhr 15 eine Pressekonferenz einberufen. Die mit Gewissheit nationales Interesse finden wird. Sie sollten zumindest kurz ...«

»Ich versuche es.«

Es war das Letzte, das Dupin sich jetzt vorstellen wollte. Er konnte nicht mehr. Und er mochte nicht mehr.

»Ernsthaft, versuchen Sie es. Und heute Abend findet das große Abschiedsessen statt. – Bis dann, Dupin.«

Dupin steckte das Handy zurück. Und ging den schmalen Weg entlang, der zum Binnenmeer hinunterführte.

Er hatte Zeit, er würde etwas spazieren gehen. Sich an einer besonders schönen und gemütlichen Stelle für eine Weile auf dem feinen weißen Sand ausstrecken. Er würde nichts tun, als in den unendlich weiten, unendlich blauen Himmel zu schauen. Und an nichts mehr denken. An gar nichts.

Aus dem kleinen Spaziergang am Binnenmeer waren anderthalb Stunden geworden.

Es hatte gutgetan. Dupin war eine Viertelstunde den Strand entlanggelaufen, dann hatte er eine Stelle gefunden, wie er sie gesucht hatte.

Im wohligen Sand, mit dem Gesicht in der Sonne, wäre er ein paarmal beinahe eingenickt, nur ein paar lautstark streitende Möwen hatten es verhindert. Eine tiefe Müdigkeit hatte ihn übermannt.

Nichts hatte mehr auf das Unwetter der letzten Nacht hingewiesen, die Welt war längst getrocknet, die Sonne allein regierte über sie und den weiten, endlosen Himmel. Ein weiterer atlantischer Frühsommertag – an solchen Tagen atmete man tiefer und freier.

Auf dem Rückweg hatte Dupin in Concarneau angerufen und Nolwenn Bericht erstattet, nur das Nötigste, die ausführliche Fassung würde folgen. Nolwenn war sehr zufrieden gewesen.

Erst um kurz vor zwölf hatte er seinen Wagen wieder erreicht. Eindeutig zu spät für die Pressekonferenz. Er hatte sich die Diskussion mit Huppert ersparen wollen und eine SMS geschickt. Erstaunlicherweise hatte die Antwort lediglich gelautet: »Alles okay. Dann um 13 Uhr 30 in meinem Büro.« Sie schien es ihm nicht übel zu nehmen. Ganz anders offenbar als Locmariaquer. Um kurz nach zwölf hatte er gleich drei Mal hintereinander versucht, Dupin zu erreichen. Dupin hatte es ignoriert. Allerdings, Dupin kannte ihn, war sein Ärger sicher nur von kurzer Dauer gewesen, spätestens bei seinem großen Auftritt vor der Presse war mit Sicherheit alles vergessen.

Dupin war von Rothéneuf direkt nach Saint-Servan gefahren, vor der Verabredung mit Huppert wollte er sich vorsichtshalber nicht in der Gegend der Polizeischule zeigen. Er hatte den Wagen unweit des Marktes geparkt und nichts weiter vorgehabt, als im *Café du Théâtre* noch einen Kaffee zu trinken – zum Abschied, gewissermaßen. Er war an den Markthallen vorbeigekommen, wo vor drei Tagen alles begonnen hatte.

Trotz des Kaffees und des Dösens am Strand war er fast auf dem Barhocker eingeschlafen. Seine Kräfte waren restlos aufgebraucht, es wurde nur schlimmer, nicht besser. Im Radio hatte er Wortfetzen der neuesten Berichterstattung über den Fall gehört, er war froh, sie im Cafétrubel nicht besser verstanden zu haben.

In einer ruhigen Nebenstraße – auf dem Weg zurück zu seinem Citroën – hatte er versucht, Claire zu erreichen. Er hatte es eigentlich schon heute Morgen tun wollen, sie hatte es, nachdem er in der Nacht ihren Anruf weggedrückt hatte, nicht wieder bei ihm versucht. Doch es war wieder nur die Mailbox angesprungen. Ein wenig, musste er zugeben, war er beunruhigt.

Um kurz nach halb zwei war Dupin dann wie verabredet im Kommissariat aufgetaucht.

Nedellec hatte sich noch im Gespräch mit seiner Präfektin befunden, Dupin war alleine mit Huppert gewesen. Auch ihr waren die Strapazen der letzten Tage deutlich anzusehen gewesen.

Huppert hatte von der Pressekonferenz berichtet. Dut-

zende Reporter und sogar mehrere Kamerateams waren da
gewesen. Ihre Chefin, die heimische Präfektin, hatte den Fall-
verlauf und seine Auflösung zunächst als Ganzes vorgetragen, dann hatten die drei anderen Präfekten je einen Kommentar formuliert, zuletzt war ausführlich dem »Brit-Team«
gedankt worden.

Sie hatten der Presse sowohl den Brief von Charles Braz als
auch den Diamanten präsentiert, Dupin wollte sich nicht ausmalen, was alleine der »sagenumwobene blaue Diamant aus
einem Korsarenschatz« für Schlagzeilen machen würde. Und
vielleicht stammte er ja wirklich von einem Korsaren. Dupin hatte einen Moment schmunzelnd an den emsigen Stadthistoriker denken müssen, der ihnen vom tollkühnen René
Duguay-Trouin erzählt hatte. Die ganze Geschichte hätte
nicht besser zu Saint-Malo passen können.

Wie genau sie an den Brief gekommen waren – die Szene
in der Toilette –, hatte die Präfektin bei ihrer Zusammenfassung ausgespart. Mit einer zufriedenen Feststellung hatte
Huppert ihren Bericht beendet: »Alle sind sich einig, dass
Lucille Trouin mit ihrer Geschichte nicht durchkommen
wird.« Dupin hatte die ganze Zeit geschwiegen.

Um 14 Uhr 05 hatte er das Kommissariat bereits wieder verlassen. Und war schnurstracks zu seinem Hotel gefahren.

Er hatte sich hingelegt, um ein wenig auszuruhen, und war
erst um halb sieben wieder aufgewacht. Aber es war nicht
schlimm. Der Fall war gelöst, es war vorbei.

Er hatte geduscht und sich umgezogen, ein frisches dunkel-
blaues Polohemd, die letzte frische Jeans, morgen früh ging es
zurück nach Concarneau.

Bis zum Restaurant war es nur ein Katzensprung. Dupin
war zu Fuß durch die laue Sommerluft gegangen.

Um exakt 19 Uhr 30 betrat er das *Saint Placide,* die letzte Station ihres lukullischen Begleitprogramms, pünktlich wie noch nie in diesen Tagen.

Unmittelbar mit dem Eintreten stellte sich bei Dupin ein behagliches Gefühl ein. Viel freier Raum, runde Tische mit langen weißen Tischdecken prägten das Ambiente, es wirkte wie eine Besinnung auf das Wesentliche. Steingraue Stühle mit harmonisch geschwungenen Lehnen, Eichenboden, die Wände in Weiß und einem Terrakotta-Ton gestrichen, über den Tischen herabhängende Lampen in unterschiedlichen geometrischen Formen, innen Gold, die alles in ein warmes Licht tauchten. Eine Holztheke, auf der Dutzende unterschiedliche Weindekanter zu bewundern waren.

Mit einem Lächeln erreichte Dupin den Tisch im hinteren Bereich des Restaurants, trotz seiner Pünktlichkeit war er der Letzte, der eintraf.

»Ah – da ist er ja! Mon Commissaire!«, rief Locmariaquer aus. »Es gibt ihn also doch noch.«

Der Präfekt würde ihm und seiner guten Laune, nahm Dupin sich vor, heute Abend nichts anhaben können, egal, was er von sich gab.

Dupin grüßte in die Runde.

Das »Brit-Team« saß nebeneinander, Huppert in der Mitte. Dupin war froh darüber. Richtig froh, merkte er, beinahe ein wenig sentimental.

»Auch Ihnen, Commissaire Dupin«, die heimische Präfektin erhob sich feierlich – alle taten es ihr gleich, »Gratulation! Exzellente Arbeit! Das Finistère hat seinen Beitrag geleistet!«

Sie nickte anerkennend.

»Wir waren ein gutes Team.« Dupin blickte zu Huppert und zu Nedellec. »Ein sehr gutes Team.«

Es stimmte wirklich.

»Ich finde«, die Präfektin griff nach ihrem Champagnerglas – auch an Dupins Platz stand bereits eines – und hob es beschwingt in die Luft, »wir stoßen jetzt auf die drei Kommissare an. – Auf Ihre außerordentliche Ermittlungsleistung! Auf das Brit-Team!«

Auch die anderen nahmen ihr Glas in die Hand.

»Unbedingt!«, stimmte die rothaarige Präfektin aus dem Morbihan mit Nachdruck zu.

Sogar die griesgrämige Miene der Präfektin der Côtesd'Armor hellte sich auf: »Absolut!«

»Was für ein Triumph!« Locmariaquer konnte es selbstverständlich nicht bei einer einfachen Zustimmung belassen. »Ich würde sagen, die vier bretonischen Départements haben ihre gemeinsame Schlagkraft beeindruckend unter Beweis gestellt. Und zwar viel eindrucksvoller, als es in einem Seminar oder bei einer Übung je hätte geschehen können – seien wir froh, dass es so gekommen ist. Was für eine großartige Gelegenheit!«

Locmariaquers Sätze waren derart abstrus, dass die Präfektin nicht darauf einging.

»Auf uns alle! Auf die bretonische Polizei! – Auf die Bretagne!«

Alle tranken einen großen Schluck.

»Nicht zu vergessen natürlich die herausragenden Resultate«, Locmariaquer machte weiter, »die wir Präfekten in unseren intensiven Beratungen erzielen konnten und die wir …«

»Vielen Dank, werter Kollege. – Kommen wir zur Belohnung für die Strapazen der letzten Tage.« Die Augen der gastgebenden Präfektin leuchteten. »Widmen wir uns den himmlischen Kreationen von Luc Mobihan, dem famosen Chef des *Saint Placide*, einer unserer ganz großen Stars, ausgezeichnet

337

mit einem Michelin-Stern. Es ist zugleich der feierliche Abschluss unseres kulinarischen Reigens.«

Alle nahmen Platz.

»Ich übergebe das Wort an Isabelle Mobihan, unsere Gastgeberin und grandiose Sommelière.«

Eine warmherzig aussehende Frau in einem bunt gemusterten Kleid war an ihrem Tisch erschienen.

»Bonsoir, Mesdames, Messieurs. – Vielleicht kennen Sie das Motto unserer Küche bereits: *Voyages et Aventures*.«

Es war das Motto des gesamten Falls geworden – ein perfektes Resümee.

»Lucs unermessliche Neugier treibt ihn unentwegt an auf der Suche nach außergewöhnlichen Geschmackserlebnissen. Von unseren Reisen in die ganze Welt, häufig nach Mauritius oder auf die Seychellen, bringt er stets neue Ideen mit. Sie müssen sich das *Saint Placide* als ein *cabinet gourmand des curiosités* vorstellen, wir scheren uns nicht um gastronomische Moden. Man sagt, dass es das Komplizierteste sei, zum Einfachsten zu gelangen, und genau das versuchen wir.«

Sie lächelte herzlich in die Runde und deutete auf die schlichten weißen Karten, die an jedem Platz auslagen.

»Wir haben uns entschieden, Ihnen das Menü *Choisir, c'est se priver du reste* darzubieten – *Auszuwählen heißt, sich alles andere vorzuenthalten*. Es besteht aus neun Gängen. Sie finden die Reihenfolge auf den kleinen Menükarten.«

Eine großartige Devise und ein himmlisches Versprechen. Dupin spürte, wie eine gewisse Aufregung in ihm aufkam. Er hatte Hunger, ja, aber es war noch mehr: pure lukullische Lust.

»Jeder Gang wird von ausgewählten Weinen begleitet. – Wir wünschen einen wunderbaren Abend.«

Augenblicklich begann ein still entzücktes Studium der

Karten. Alles klang wie reine Poesie. In solchen Momenten wurde Dupin stets bewusst, wie sehr er die französische Kultur liebte, eine Kultur, in der eine meisterhafte Menü-Komposition den Rang einer großen Oper, eines Gemäldes oder Romans besaß. Ein Ereignis.

Das Menü las sich wie eine Sammlung von Dupins köstlichsten Träumen: von wilden Austern mit Schalotten und Rotweineis und Abalone-Muscheln mit Knoblauchschaum über handgetauchte Jakobsmuscheln mit Zitrusfrüchten und Madagaskar-Pfeffer bis zu gebratenen Täubchen mit Café-Jus und jungem Gemüse vom Mont Garrot. Von den Desserts ganz zu schweigen.

In den nächsten Stunden würden sie sich in ein schwelgerisch-sinnenhaftes Wunderland begeben. Herrlicheres noch als Milch und Honig floss in diesem Schlaraffenland.

Unter den Präfekten hatten genüssliche Diskussionen über die Verheißungen des Menüs eingesetzt.

Huppert griff nach dem Glas mit dem letzten Schluck Champagner, sie sprach halblaut, sodass nur die beiden Kommissare es hören konnten:

»Auf uns drei.«

Sie lächelte.

Sie stießen an.

Dupin hätte es nicht für möglich gehalten, aber: Wie es aussah, würde es ein fröhlicher Abend werden. Sie alle schienen das Bedürfnis danach zu haben.

DER FÜNFTE TAG

Es war spät geworden. Und tatsächlich ausgesprochen heiter zugegangen, ausgelassen beinahe. Selbst Locmariaquer war erträglich gewesen.

Dupin hatte sein Hotel erst um kurz vor eins betreten. Sogar Huppert war bis zum Schluss geblieben, obgleich ihr heute noch einige überaus unerfreuliche, anstrengende Aufgaben bevorstanden. Insbesondere die erneute Unterredung mit Lucille Trouin, in der sie sie unter anderem mit Madame Lezus Aussage und noch einmal mit Charles Braz' Brief konfrontieren musste. Es wäre das letzte Verhör in Saint-Malo, danach würde man Lucille Trouin nach Rennes überstellen. Höchstwahrscheinlich würde sie sogar jetzt noch einen Kniff suchen, die Tatsachen zu verdrehen. Es würde ihr alles nichts mehr helfen, am Ende würde sie zu einer lebenslangen Haftstrafe verurteilt werden.

Um kurz vor halb neun war Dupin von den Sonnenstrahlen des neuen Tages geweckt worden.

Er hatte mit weit geöffneten Fenstern geschlafen, sodass die wunderbare Morgenfrische ins Zimmer geströmt war.

Beim Aufwachen kam ihm der gesamte Fall – die beiden rivalisierenden Schwestern, die Morde, all das unfassbare Geschehen der letzten Tage – vor wie eine finstere Chimäre, ein düsterer, nebulöser Albtraum.

Dupin hatte die Woche überstanden, er war ein freier Mann. Das Wochenende lag vor ihm, es hatte mit diesem Freitagmorgen begonnen. In ein paar Stunden wäre er wieder zu Hause. Und auch Claire würde morgen Nacht zurückkommen, die zwei Wochen ohne sie waren endlich vorbei.

Dupin hatte ohne Eile gefrühstückt, die wunderbare Hotelbesitzerin Madame Delanoë hatte sich eine Weile zu ihm gesetzt. Über den Fall hatten sie bloß ein paar Sätze verloren, ansonsten hatten sie sich über die Schönheit der Smaragdküste unterhalten, die Madame Delanoës Heimat war und von der Dupin in den vergangenen Tagen einiges gesehen hatte.

Anschließend hatte er gepackt und alles in den Wagen verfrachtet, den er direkt vor das geöffnete Tor der *Villa Saint Raphaël* gefahren hatte.

Dupin warf einen sentimentalen Blick zurück, bevor er ins Auto stieg. Es war ein traumhaftes Gutshaus, ein Kleinod. Herrschaftlich, elegant, aber nicht einschüchternd. Ein Hof mit weißem Kies und einer hohen Bilderbuchpalme. Das Wunderbarste aber war der prächtige exotische Garten hinter dem Haus. Eine kleine Oase.

Madame Delanoë stand am Tor. »Au revoir, Monsieur Dupin, es war mir eine ungemeine Freude, Sie zu beherbergen. Ich hoffe, Sie kommen bald einmal wieder. Dann vielleicht ohne Mordgeschehen und nur zum Genießen.«

»Das werde ich. Claire wird es hier lieben.«

Dupin hatte bereits die letzten Tage ab und an daran gedacht. Ein wenig, musste er zugeben, hatte er sich in die Smaragdküste verliebt. Er würde Claire mit einer kleinen Saint-Malo-Reise überraschen. Es waren nur zwei Stunden Fahrt, und die *Villa Saint Raphaël* war eine fantastische Unterkunft für ein Wochenende. Zudem kannte er nun so viele ausgezeichnete Restaurants.

Madame Delanoë überreichte Dupin eine große Papiertüte. »Vorhin hat ein Fahrer dies für Sie abgegeben.«

Er nahm die Tüte entgegen. Eine Karte war daran befestigt: »Ein Andenken an Saint-Malo – Beste Grüße aus der Rue de l'Orme … Ihre Louane Huppert«

Dupin musste schmunzeln.

Neugierig warf er einen Blick in die Tüte. Es war nicht zu fassen:

Eine Flasche *J.M*-Rum, Buchweizen-Kekse, Buchweizen-Honig, zwei Gläser *Babas au Rhum*, ein hübsches kleines Gewürzgläschen mit orangefarbenem Etikett – »*Curry Corsaire*« – und selbstverständlich Butter von Yves Bordier, eine *Demi-Sel* und eine mit Zwiebeln aus Roscoff.

»Großartig!«

Dupins Ausruf kam aus tiefstem Herzen. Er fragte sich nur, woher die Kommissarin das mit dem Rum wusste?

Er packte die Tüte in den Wagen und verabschiedete sich ein zweites Mal von Madame Delanoë.

Nach zehn Minuten erreichte er die Route Nationale Richtung Westen, um alsbald ins menschenleere Inland abzubiegen und vom Nordosten in den Südwesten der Bretagne zurückzukehren.

Zwei Stunden und siebzehn Minuten später, er war gut durchgekommen, stellte Dupin seinen Citroën auf dem weitläufigen Platz vor dem *Amiral* ab, einen Steinwurf vom Hafenbecken und der *Ville Close* entfernt, der legendären Altstadt Concarneaus.

Es war kurz vor halb eins. Die beste Zeit für ein kleines Mittagessen. Etwas Einfaches.

Vielleicht war sein Stammplatz noch frei.

Er betrat das *Amiral*, sein zweites Zuhause, von der Avenue Pierre Guéguin aus.

Schlagartig blieb er stehen.

An seinem Stammplatz waren drei der Zweiertische zusammengestellt worden, wie für eine kleine Gesellschaft.

Ein einziger Stuhl war noch frei, alle anderen besetzt.

Er traute seinen Augen nicht.

Die ganze Truppe. Nolwenn, Riwal, Kadeg – und auch die Kolleginnen Le Menn und Nevou.

Sie waren in die Tageszeitungen vertieft, die, wie die Titelblätter erahnen ließen, von nichts anderem als dem Fall berichteten.

Dupin konnte nicht anders: Er war gerührt. Sie mussten auf gut Glück gewartet haben, niemand hatte gewusst, dass er herkommen würde. Wobei die Wahrscheinlichkeit, dass das *Amiral* seine erste Station in Concarneau sein würde, zugegebenermaßen äußerst hoch war.

Dupin ging auf den Tisch zu.

»Monsieur le Commissaire!«

Nolwenn bemerkte ihn zuerst, sie sprang auf und wirkte geradezu überschwänglich, beinahe so, als wäre sie froh, ihn überhaupt lebend wiederzusehen.

»Da sind Sie ja! Willkommen zu Hause. Das Finistère ist stolz auf Sie! Wir müssen allerdings zugeben«, sie lächelte versöhnlich, »dass auch Saint-Malo seine Sache gut gemacht hat.«

Immerhin.

»Es wurde auch Zeit, dass Sie zurückkommen, Chef!« Riwal hatte sich ebenfalls erhoben.

Kadeg stand nun auch auf, es wirkte wie einstudiert: »Gut, dass Sie wieder da sind.«

Auch der zweite Inspektor klang so, als wäre Dupin Wochen und Monate außer Landes gewesen, einen Moment lang sah es gar so aus, als wolle er den Kommissar umarmen, doch dann setzte er sich schnell wieder.

Abschließend machten die beiden Polizistinnen Anstalten, aufzustehen – Dupin kam ihnen zuvor.

»Bleiben Sie bitte sitzen!«

Er unterstrich die Aufforderung damit, dass er sich selbst setzte.

»Na endlich!«

Wie aus dem Nichts war Paul Girard aufgetaucht, der wortkarge Besitzer des *Amiral* und längst ein Freund von Dupin. Es folgte eine heftige Umarmung.

»Ich habe ein paar extragroße Entrecôtes für euch. Spektakuläre Stücke.«

»Herrlich«, entfuhr es Dupin.

Das war genau das Richtige, besser konnte es nicht sein. Etwas Einfaches …

Nolwenn griff zu ihrem Glas – Dupin hatte die Flasche bereits gesehen, einer seiner liebsten Rotweine, *La Garde*, ein Bordeaux für jeden Tag – und ergriff das Wort:

»*Taol da bouez' ta!*«

Eine der schönsten bretonischen Redewendungen, sie bedeutete so viel wie: »Wirf deine Last ab!«

»Am Montag müssen Sie uns alles haarklein erzählen. Aber nicht jetzt. Jetzt essen wir!«

Auch Dupin nahm sein Glas.

Nolwenn sprach den zwingenden Toast aus. »*Yec'hed mad!*«

Direkt übersetzt hieß er so viel wie »Gute Gesundheit«, aber eigentlich brachte die magische Formel noch viel mehr zum Ausdruck:

Alles Glück, alles Beste.

DANK

Ich danke meinem Freund Harald Schulte sehr herzlich für seine Expertise. Bei diesem Band und bei allen.

Machen Sie Urlaub in der Bretagne mit Kommissar Dupin

Ar Men Du
Relais du Silence et Restaurant Gastronomique
47 Rue des Îles
29920 Névez
0033 2 98 06 84 22
www.men-du.com
contact@men-du.com

Ein Lieblingsort von Kommissar Dupin

»Die Terrasse des Ar Men Du war ein magischer Ort.
Und nicht nur die Terrasse. Die Landspitze, auf der das
formidable Restaurant mit dem hübschen Hotel lag,
war nach Westen und Osten mit zwei Fensterseiten
zum Atlantik ausgestattet. Man sah den weiten Horizont
mit den beiden kleinen vorgelagerten Inseln ...«
Aus: »Bretonischer Stolz«

Das Ar Men Du liegt in einem Naturschutzgebiet gegenüber der sagenumwobenen Glénan-Inseln. Das Hotel besitzt drei
Sterne, das Restaurant wurde 2010 mit einem Michelin-Stern
ausgezeichnet. Neuer Küchenchef seit 2017 ist Philippe Emanuelli.

Direkt am Meer erbaut, bietet das Restaurant einen einzigartigen
180°-Panoramablick auf den Atlantik. Auch die schönen, im
maritimen Stil frisch renovierten Zimmer und neuen Suiten
verfügen allesamt über Meeresblick, viele zudem über eine
eigene Terrasse.

Zu beiden Seiten des Hotels beginnen atemberaubende Wander-
wege, alte Schmugglerpfade. Sowohl nach Concarneau als auch
nach Pont-Aven wie zu den meisten anderen Orten der Dupin-
Kriminalromane ist es nicht weit. Fragen Sie nach den aktuellen
Angeboten – ich freue mich auf Ihren Besuch!

Ihr Pierre Yves Roué und sein Team

Hôtel de charme et bonne table

Plage Saint-Jean
29100 Douarnenez Tréboul
0033 2 98 74 00 53
www.hoteltymad.com
info@hoteltymad.com

Ein Lieblingsort von Kommissar Dupin

»Auf der Terrasse des Ty Mad blühte ein Meer von
Blumen in verschiedenen Farben, betörende wild vermischte
Düfte, kleine Reihen zartgrüner Bambusse, filigrane, hoch-
wachsende Gräser, verschwenderische weiße Rhododendren,
dunkelgrüne Kübel mit Olivenbäumchen. Tische,
Stühle und Sonnenliegen überall im Garten verteilt.
Eine verzauberter Ort. Eine Oase.«
Aus: »Bretonische Flut«

Ty Mad bedeutet auf bretonisch »gutes Haus« und genau das ist es:
ein kleines, geschmackvoll eingerichtetes Hotel in der magischen Bucht
von Douarnenez. Es liegt gegenüber der mythischen Île Tristan und an
dem legendären Küstenweg, auf dem Sie bis zur Pointe du Raz wandern
können. Hier erleben Sie die konzentrierte Bretagne.

Bereits in den Zwanzigerjahren wohnten hier berühmte Künstler wie
Pablo Picasso, André Breton und Max Jacob. Ein ruhiger, meditativer
Ort mit einer besonderen Aura. Die meisten Zimmer besitzen einen
fantastischen Blick aufs Meer. Das Hotel verfügt über ein Schwimm-
bad mit Spa-Bereich; Massagen, Yoga, Musiktherapie können Sie auf
Anfrage buchen.

Im Restaurant mit großen Panoramafenstern verwöhnt Sie Didier
Lecuisiner mit frischen regionalen Produkten aus biologischem Anbau.

Wir tun alles, um in Ihrem Herzen ein kleines Glücksgefühl zu hinterlassen!

Ihre Armelle Raillard und ihr Team